СЕРИЯ «ШАРМ»

БОББИ СМИТ

Счастливая карта

РОМАН

ИЗДАТЕЛЬСТВО

МОСКВА
1998

ББК 84 (7США)
С50

Серия основана в 1994 году

Bobbi Smith
THE LADY'S HAND
1996

Перевод с английского И.В. Кудряшовой

*В оформлении обложки использована работа,
предоставленная агентством Fort Ross Inc., New York.*

Печатается с разрешения издательства
Dorchester Publishing Co., Inc.
c/o RIGHTS UNLIMITED, INC.
и "Права и переводы" (Москва).

Исключительные права на публикацию книги
на русском языке принадлежат издательству АСТ.
Любое использование материала данной книги,
полностью или частично, без разрешения
правообладателя запрещается.

Смит Б.

С50   Счастливая карта: Роман / Пер. с англ. И.В. Кудряшовой. – М.: ООО "Фирма "Издательство АСТ",
1998. – 480 с. – (Шарм).

ISBN 5-237-00699-X

Красота – страшная сила. Особенно для девушки,
зарабатывающей на жизнь профессиональной карточной игрой.
Но Бренда О'Нил, не боявшаяся риска за карточным столом,
совершенно не привыкла рисковать в отношениях с мужчинами и
поэтому просто растерялась, когда в качестве платы за проигрыш
молодой плантатор-креол Рэйф Марченд потребовал... ее руки.
Рэйф, разочаровавшийся в женщинах, намеревался использовать
странный брак в своих интересах. Однако возникла маленькая
неожиданность – любовь...

Пролог

РЭЙФ

1845 год

Чарльз Марченд и его четырнадцатилетний сын Рэйф возвращались домой. Было уже довольно поздно, когда карета свернула на дорожку, ведущую к плантации Белрайв, и вдалеке показался белый особняк Марчендов.

Рядом с экипажем резво бежал роскошный арабский жеребец.

— Он понравится маме, правда? — в который раз спросил Рэйф отца.

— Конечно, мой мальчик.

— Как ты думаешь, она удивится?

— Еще как! Она и не ждет нас раньше субботы.

— А она обрадуется?

Чарльз улыбнулся. Он любил жену. Аланна была его радостью, смыслом всей его жизни. Последнее время он чувствовал, что жена не слишком счастлива, и, выбирая ко дню рождения такой необычный и дорогой подарок, надеялся приятно поразить ее.

Не успела карета остановиться, как Рэйф соскочил на землю.

— Ну, скорее! — торопил он отца. — Мама, наверное, еще не спит. Давай мы подарим ей его сегодня.

Нетерпение сына позабавило Чарльза, впрочем, ему и самому не терпелось увидеть Аланну, услышать ее голос.

— Так и быть, пойдем позовем ее.

Рэйф обогнал отца, словно птица взлетел по ступенькам на веранду, и в тот миг дверь распахнулась.

— Вы вернулись раньше... — Джордж, дворецкий, если и был удивлен их неожиданным приездом, то ничем не выдал своих чувств.

— У нас такой подарок для мамы, Джордж!

— Уверен, она очень удивится, сэр, — учтиво ответил тот и быстро взглянул на Чарльза.

— Ты только посмотри, что мы привезли ей, — шепотом, словно заговорщик, сказал Рэйф, будто боялся, что мать может их нечаянно подслушать.

Джордж оглядел жеребца.

— Да, красавец.

— Где Аланна, Джордж? — спросил Чарльз, входя в дом.

— В спальне.

Перескакивая через две ступеньки, Рэйф бросился вверх по лестнице. Его отец поднимался степенно, но волновался он так же сильно, как и его четырнадцатилетний сын.

Джорж остался внизу. Он печально смотрел им вслед, качая головой.

Дверь в спальню была не заперта.

— Мама!

— Аланна, мы уже... — Чарльз застыл на месте.

На их супружеской кровати лежала Аланна в объятиях мужчины.

— Чарльз? — Надменные глаза жены смотрели без тени смущения, голос звучал холодно и равнодушно, в нем не было ни страха, ни стыда.

Рэйф стоял рядом с отцом, не сводя глаз с матери и ее любовника.

Мужчина соскочил с кровати и принялся суетливо натягивать брюки. Чарльз узнал его.

— Вон из моего дома, Лоусон!

Лоусон не заставил повторять дважды, он быстро оделся и исчез.

— Рэйф, ступай в свою комнату, — приказал Чарльз, не отводя пристального взгляда от жены. — Мне надо поговорить с твоей матерью.

— Но...

— Иди! — взревел Чарльз.

Рэйф выбежал из родительской спальни. Он заперся у себя в комнате, но разгневанные голоса родителей доносились до него даже через плотно закрытые двери. Рэйфа охватил ужас. Все, во что он верил, все, что любил, оказалось ложью. Он чувствовал, что рухнули сами основы его жизни.

— Ну, Чарльз, скажи же что-нибудь наконец, — насмешливо проговорила Аланна.

— Что тут еще говорить?

— Тогда сделай что-нибудь. Толку от слов, и верно, никакого. Может быть, ты, дорогой, закончишь то, что Джон начал, а? — Она хрипло засмеялась.

— Я не прикоснулся бы к тебе, даже если бы ты осталась единственной женщиной на земле.

— Ну перестань, Чарльз, иди ко мне. Я помогу тебе забыть про все на свете.

— И давно это, Аланна? — Чарльз задыхался.

— Что давно?

— Давно ты мне изменяешь? Сколько мужчин здесь побывало?

— Ах, Чарльз, до чего же ты глуп! — расхохоталась Аланна.

— Действительно, я был глуп и слеп, потому что любил тебя.

— Любил меня? Ты просто смешон со своей любовью. Да я и не считала тебя никогда настоящим мужчиной! У меня было много любовников за все эти годы. Как ты думаешь почему? Я вышла за тебя только ради денег. Это единственное, что было мне нужно от Чарльза Марченда.

— Завтра же утром ты покинешь мой дом. Поняла?

— Я всегда тебя прекрасно понимала. Даже слишком. — Она опять рассмеялась. — Можешь не волноваться. Я никогда, слышишь, никогда не вернусь сюда и не пожалею ни о чем.

— Теперь о нашем сыне.

— А что Рэйф?

— Подумай хорошенько, что ты ему скажешь.

— Я не собираюсь ничего ему говорить. С какой стати? Ты сам все скажешь. Ведь я никогда не хотела иметь ребенка.

Рэйф застыл посреди своей комнаты, не в силах пошевелиться. Руки его сжались в кулаки. Он обожал мать и только теперь понял, почему она всегда держала его на расстоянии, была холодна с ним.

Она не хотела, чтобы он родился... Она никогда не любила его.

Дверь в спальню родителей открылась, потом вновь захлопнулась. Рэйф услышал тяжелые шаги отца, тот прошел мимо и спустился вниз. Мальчику хотелось догнать его, утешить, но он не решился.

Так он и остался стоять посреди комнаты, не замечая хлынувших из глаз слез.

На следующий день отец отправил соседям, их добрым друзьям, роскошный подарок — арабского жеребца. Потом собрал все вещи жены, вытащил их из дома и сжег. Он коротко сообщил Рэйфу, что мать уехала и больше не вернется, и заперся в своем кабинете.

Прошла неделя, а отец так и не вышел из кабинета. Мальчика охватило отчаяние и ужас, он чувствовал себя одиноким, никому не нужным в этом мире.

— Что мне делать, Джордж? А вдруг он умрет? — Рэйф обратился за помощью к Джорджу.

Добрая крепкая рука преданного слуги легла на плечо мальчика.

— Теперь вы должны быть сильным и терпеливым, мастер Рэйф.

Мальчик нахмурился и посмотрел на него:

— Не понимаю.

— Ваш отец слишком сильно любил вашу мать. — Джордж вздохнул. — Он любил ее больше, чем саму жизнь.

— И она нарочно причинила ему боль! — Взгляд Рэйфа стал тяжелым от горьких воспоминаний. — Ненавижу ее! Ненавижу за все, что она сделала! Я рад, что больше не увижу ее.

— Но ваш отец, я думаю, никогда не сможет возненавидеть миссис Марченд.

— После всего, что случилось?!

— Иногда, мастер Рэйф, мы бываем невластны в своих чувствах.

Рэйф нахмурился. Он пытался понять отца, но не мог.

— Пойдем со мной, Джордж, давай попробуем вместе вызвать его из кабинета. Сколько можно сидеть взаперти?!

Они отправились наверх.

— Мистер Чарльз? — постучал в дверь Джордж. — Мастер Рэйф хочет поговорить с вами.

Тишина. Он постучал еще раз.

— Мистер Чарльз!

— Поди прочь! Я никого не хочу видеть! — наконец раздался раздраженный голос.

— Мне очень нужно поговорить с тобой, папа.

Рэйф испугался: этот сиплый чужой голос не мог принадлежать отцу.

— Я не желаю видеть ни тебя, ни кого-либо другого, — последовал ответ.

— Папа... прошу тебя... пожалуйста... — Мальчик не верил своим ушам. Как же так? И отец тоже не хочет его видеть? Значит, и ему не нужен сын?

— Мистер Чарльз, мы никуда отсюда не уйдем, пока вы не откроете дверь, — настойчиво повторил Джордж. Отчаяние, охватившее Рэйфа, придало ему смелости.

Наконец за дверью раздались шаги, в замке повернулся ключ, дверь открылась, и на пороге комнаты появился Чарльз Марченд, вернее, то, что осталось от него. Этот заросший щетиной, с всклокоченными волосами, пахнувший перегаром человек еще больше испугал мальчика.

— Папа?

Чарльз повернулся спиной и, не говоря ни слова, поплелся к столу. Он тяжело опустился в кресло и уставился на сына мутным взглядом.

— Что надо?

Рэйф не узнавал его. Мужчина с загнанным безжизненным взором, потерянный, опустившийся. Таким отец никогда не был.

— Мне плохо без тебя, папа. Ты мне нужен.

На какое-то время взгляд Чарльза прояснился. Он внимательно посмотрел на сына:

— Нет! Ни к чему это! Я тебе не нужен. И никто не нужен! Никогда не привязывайся к людям. Тогда они не смогут причинить тебе боль.

— Нет! С такими мыслями нельзя жить! — воскликнул Рэйф.

— Ты прав, мой мальчик. Ты даже не догадываешься, насколько верно ты сейчас сказал, — безжизненным голосом произнес Чарльз. — Твоя мать никогда не вернется.

— Ну и что?! — взорвался Рэйф. Он ненавидел ее за то горе, которое она причинила отцу. — Зачем нам она? Мы прекрасно обойдемся без нее. Станем жить вдвоем, и все у нас будет хорошо.

Чарльз печально смотрел на сына. Бедный мальчик не сможет помочь ему. Господи! Как он любил эту женщину! Он обожал, боготворил ее. И эта всепоглощающая любовь сломала его, уничтожила, раздавила. Господь свидетель, если бы Аланна вошла сейчас в эту дверь и попросила разрешить ей остаться, он согласился бы. Одна-единственная неделя без нее показалась ему вечностью. Но мучительных воспоминаний не вычеркнуть. Лицо, искаженное похотью, руки другого мужчины ласкают ее тело... Чарльз вздрогнул.

— Хорошо, что она не нужна тебе, Рэйф, но... — Голос его сорвался. Он не смог договорить:

«...я без нее не смогу жить». — Джордж, уведи отсюда Рэйфа. Я хочу остаться один.

— Но папа...

— Иди, сын.

Это был приказ.

Рэйф посмотрел на Джорджа с отчаянием, но дворецкий лишь покачал головой и молча вывел его из кабинета. Дверь за ними закрылась, ключ повернулся в замке.

Наступила долгая ночь. Рэйф лежал без сна и все думал об отце. Вдруг тишину разорвал резкий звук выстрела. Мальчик бросился к кабинету отца. Там он застал Джорджа. Отчаяние придало им сил, они взломали дверь и ворвались в комнату.

Увидев отца, Рэйф закричал. Этот страшный крик Джордж не мог забыть всю оставшуюся жизнь. Старый слуга понял в ту минуту, что чистого и доброго мальчика больше нет, он умер вместе с отцом. Рэйф оттолкнул Джорджа и подбежал к неподвижному телу. На полу лежал листок бумаги с несколькими словами: «Я не могу жить без Аланны».

На похоронах Рэйф держался отчужденно. Он наблюдал, как мать играет роль безутешной вдовы. Она сидела рядом с ним, время от времени роняя слезы и поднося платок к лицу, и Рэйф не мог избавиться от ощущения, что мысли ее не здесь, а рядом с очередным любовником. На сына она почти не обращала внимания, впрочем, он был только рад этому.

Через неделю после похорон Рэйфа отправили в частную закрытую школу, подальше от дома. Он не протестовал, радуясь тому, что будет видеть мать редко. Но она вообще ни разу не приехала навестить его и не написала ни строчки.

Когда несколько лет спустя Рэйфу сообщили, что мать погибла в дорожной катастрофе, в нем ничего не дрогнуло.

БРЕНДА

Натчез, 1848 год

Две босоногие девчушки в стареньких платьицах крались в темноте через пышный цветущий сад к роскошному особняку.

— А вдруг нас поймают? — испуганно прошептала Мэри Мэджи, вцепившись в руку подружки.

— Тс-с! — Бренда О'Нил приложила палец к губам, а потом еле слышно ответила: — Сегодня здесь бал, и мне страх как хочется посмотреть на богатых господ.

— Да с чего ты взяла? Ты что, раньше здесь бывала? — удивилась Мэри. Что могла делать обитательница бедного квартала из Нижнего Натчеза среди этих богачей?

Бренда кивнула:

— Ага, я часто прихожу сюда тайком. Просто так, посмотреть. Когда-нибудь и я стану богатой. — В голосе ее звучала уверенность. — Настанет время, и мы с мамой будем жить в таком же большом и красивом доме. Представь только: куча модных платьев, горы еды, а еще слуги на каждый случай — чтобы одеть, обуть, накормить, подать, принести. Красота!

Мэри усмехнулась и покачала головой:

— Выдумки это! Ты никогда не станешь настоящей леди!

— А вот и стану! Может, тебе нравится твоя теперешняя жизнь, а мне нет. Я не хочу так жить! Моя мама заслуживает лучшей жизни. С тех пор как умер папа, она надрывается из последних сил, работает даже больная, обшивает всех в округе, чтобы хоть как-то перебиться. Когда я вырасту, она никогда больше не возьмет в руки иглу.

— А что ты сделаешь?

— Пока точно не знаю, но что-нибудь сделаю непременно. А теперь пойдем.

— А вдруг нас поймают?

— А ты поменьше болтай, тогда никто и не заметит нас.

Бренда снова осторожно двинулась вперед через аккуратно подстриженный и ухоженный сад. Чем ближе они подходили к дому, тем яснее становилась слышна музыка.

— У них правда какой-то праздник, — шепотом вымолвила Мэри.

Бренда кивнула:

— Смотри.

Она раздвинула ветки куста, и девочки увидели балкон. Через открытые высокие двустворчатые двери был виден ярко освещенный зал, по которому кружились красивые, элегантно одетые мужчины и дамы в роскошных туалетах.

Мэри чуть не задохнулась от восторга.

Бренда смотрела на этот сверкающий мир широко открытыми глазами, забыв об убогой комнатушке в грязном квартале, кишащем крысами, о том, что она не ела толком уже несколько дней. Она следила за кружащимися парами и верила: пройдет еще совсем немного времени — и мечта ее станет явью.

Глава 1

1857 год

Состояние собравшихся в игорном салоне парохода «Слава Нового Орлеана» можно было определить словами «напряженное ожидание». Все эти состоятельные господа были наслышаны о красивой даме по имени Бренда, профессионально играющей в покер на борту «Славы», и сейчас им не терпелось взглянуть на нее.

— Я уже больше часа выслушиваю ваши рассказы про эту Бренду! По всему получается, что она просто необыкновенная женщина: молодая, красивая, да еще и умная, — говорил Кевин Берра, привлекательный молодой человек, направлявшийся на север, в верховья реки. — Таких женщин просто-напросто не бывает.

Дэн Лесседж, молодой, но уже известный адвокат из Сент-Луиса, считавший себя знатоком женщин, тут же откликнулся:

— Бренда не просто необыкновенная женщина, она великолепна, непревзойденна, восхитительна!

— Вот спасибо, Дэн, — раздался глубокий волнующий голос, и сама героиня появилась в салоне.

— Я говорю чистую правду. — Дэн галантно поклонился вошедшей девушке.

Бренда была действительно дивно хороша. Черные как смоль локоны обрамляли выразительное лицо с сияющими зелеными глазами. Атласное бордовое платье с глубоким декольте облегало безупречную фигуру.

— Добрый вечер, господа! — промурлыкала Бренда, останавливаясь у своего любимого столика. Она обвела взглядом собравшихся и, убедившись, что мужчины не сводят с нее восхищенных взоров, довольно улыбнулась. — Кто желает сыграть партию в покер?

Господа бросились к столу и чуть не передрались за право сидеть рядом с красавицей.

Час спустя стало очевидно, что эта девушка не только красива, но и отменно играет в карты. Этот факт сильно задел самолюбие некоторых джентльменов, до сего момента полагавших, что нет на свете такой женщины, которая могла бы обыграть их. И вот теперь их кошельки значительно похудели.

— Вот же черт, прошу прощения, мадам. Вы великолепно играете, мисс Бренда. — Сэм Фостер не скрывал восхищения.

Сэм был прожженным игроком, можно сказать, провел за картами полжизни и теперь был вынужден признать, что молва нисколько не преувеличила способностей этой молодой особы. Она ловко обыграла его, причем совершенно честно, оставив практически без цента.

— Как, неужели вы выходите из игры, Сэм? — с милой улыбкой спросила Бренда. Ей понравилось, с какой непринужденностью он признал поражение.

— К сожалению, моя дорогая. Миссис Фостер не понравится, если я каждый день стану проигрывать суммы, равные сегодняшней.

— Какая мудрая женщина ваша жена.

— Да, очень, — согласился Сэм Фостер и с улыбкой поднялся из-за стола. — Благодарю вас за очаровательный вечер.

— Я тоже получила громадное удовольствие, — ответила Бренда, и это было истинной правдой: за час она выиграла у бедняги Сэма несколько сотен долларов.

На освободившееся место тут же сел другой желающий испытать судьбу.

Игра закончилась далеко за полночь. Бренда огляделась по сторонам и, отыскав взглядом капитана парохода Бена Роджерса, стоявшего у стойки бара, улыбнулась ему.

— Добрый вечер, Бен.

Капитан дружелюбно посмотрел на девушку:

— Ты сегодня прекрасно выглядишь, впрочем, как и всегда.

— Благодарю вас, сэр. Экий вы хитрец, знаете, как вскружить голову девушке, — засмеялась Бренда. Этот высокий седовласый человек был ее другом, настоящим другом.

— Ты как, закончила?

— Да, пожалуй, на сегодня достаточно. Не проводишь меня до каюты?

— С удовольствием. — И Бренда в сопровождении Бена вышла из салона.

Они познакомились, когда Бренде было четырнадцать лет. Однажды рано утром Бен Роджерс оказался в районе Нижнего Натчеза, и в одном из переулков на него напали двое грабителей. С Беном справиться нелегко, но они навалились на него вдвоем и принялись жестоко избивать. Шум услышала маленькая Бренда. Жители квартала, привыкшие к подобным сценам, не обращали внимания на уличную потасовку, даже и не думая вмешиваться, но Бренда подняла всех на ноги, привела хозяина дома, в котором они с матерью снимали крохотную комнатушку, и головорезы, решив, что им уже ничего не обломится, убежали. Бен едва стоял на ногах, лицо его было разбито в кровь, глаз заплыл. Бренда с матерью отвели его к себе, ухаживали за ним весь день и всю ночь, и на следующее утро он ушел от них почти здоровым, если не считать болевшей головы и нескольких синяков. Бен видел, в какой бедности, если не сказать нищете, живут его спасительницы, и предложил заплатить за уход, но мать и дочь отказались от денег.

— Вы спасли мне жизнь, — сказал Бен. — И если когда-нибудь, Бренда, вам понадобится помощь, любая, ты только позови меня. Я приду и помогу.

Бренда запомнила эти слова, но пришла к Бену, лишь когда здоровье матери стало совсем никудышным, а денег почти не осталось. Однако пришла она не с просьбой, а с предложением — организовать на его судне игорный салон и позволить ей стать там постоянным игроком.

Играть в карты Бренда научилась у бывшего игрока с маленького речного пароходика, жившего в том же доме, что и они с матерью. Это был старый больной человек, но перед смертью он успел обучить ее всем премудростям и тонкостям своего искусства.

Бренда оказалась способной ученицей. Она была уверена: если Бен согласится на ее предложение, она сможет неплохо зарабатывать и обеспечить достойную жизнь для своей матери. А если откажет... об этом даже страшно думать.

Сначала Бен и слышать ничего не хотел, говорил, что игра в карты — не женское занятие, к тому же небезопасное. Но Бренда нарисовала перед ним заманчивую перспективу: необычная молодая леди привлечет пассажиров на «Славу», станет ее достопримечательностью. В конце концов Бен Роджерс согласился.

Бренда оказалась права. О «Славе Нового Орлеана» и о мисс Бренде заговорили по всей реке, и пароход всегда был полон пассажиров.

— Как прошел вечер? Удалось заработать что-нибудь? — спросил Бен, когда они остались вдвоем на палубе.

— Мои партнеры сегодня были легкомысленны и беспечны, — рассмеялась Бренда. — Даже неинтересно играть.

— Сама-то ты когда в последний раз проигрывала? Погоди, в прошлую? Нет, в позапрошлую поездку!

Бренда была сильным и талантливым игроком. Она помнила все ходы, сброшенные карты и точно угадывала, у кого из партнеров что осталось на руках.

— Да, и мне это совсем не понравилось.

Бренда нахмурилась, вспомнив тот неудачный вечер, затем слегка вздрогнула и мечтательно посмотрела вдаль.

Лунная дорожка, бегущая по спокойной глади реки, вела к огромному дому, в окнах которого мерцали огоньки. Бренда улыбнулась, снова тихонько вздохнув.

— Что случилось? — спросил Бен.

— Все в порядке. Просто я вспомнила о своей детской мечте.

— Что за мечта?

— Теперь кажется, что это было так давно... В другой жизни. Мне всегда хотелось жить в большом доме, как вот этот, и чтобы у меня были верные слуги, красивые наряды и много всякой еды.

— Бывало, моя мать говорила: если уж мечтать, то мечтать о великом, — хмыкнул капитан.

— Когда мне было десять лет, я обнаружила потайную тропинку, ведущую в сад, что окружал большой красивый дом в Натчезе, и потом часто пробиралась туда поздно вечером, просто взглянуть, что там происходит. Иногда хозяева устраивали приемы, съезжались гости: роскошные дамы, представительные мужчины.

— Тебе повезло, что ты не попалась, — усмехнулся Бен.

— Точно. — Бренда рассмеялась, вспомнив, как сидела в зарослях и дрожала от страха, все боялась, что вот сейчас ее обнаружат. — Суровая действительность разрушает детские мечты, верно?

— Верно-то верно, только вот сама, Бренда, никогда не отказывайся от них, милая, не сдавайся и не опускай рук. У человека должна быть в жизни цель: она заставляет сердце биться чаще, мозг — рождать идеи, руки — творить. В жизни нужно вдохновение.

— Единственное, в чем мне сейчас нужно вдохновение, это в игре. Побеждать гораздо приятнее, чем проигрывать.

— К тому же выгоднее.

— Как ты верно подметил, — опять засмеялась Бренда. Бен хорошо знал, как развеселить свою собеседницу.

— Как поживает матушка?

Бренда отвернулась от реки. Воспоминания о детских фантазиях, сладостные и немного грустные, растаяли.

— Сейчас лучше. Я неплохо зарабатываю. Недавно сняла для нее маленький домик и даже наняла служанку. Так что теперь мама не скучает в одиночестве, дожидаясь меня.

— Передай ей привет. — Бен искренне радовался, что у Бренды дела пошли на лад.

— Спасибо, обязательно передам.

Бен проводил Бренду до каюты, пожелал спокойной ночи, подождал, пока она закроет дверь на замок, и только потом ушел. Судьба не слишком ласково обходилась с малышкой Брендой, но по крайней мере он, капитан Роджерс, будет рядом с ней и защитит ее, если понадобится.

— Терпеть не могу эту Синтию Голтье! — прошипела Лотти Демерс, увидев, что мужчина, в которого она была влюблена, танцует с другой.

— Естественно, — отозвалась Рэйчел, младшая сестра Лотти, разглядывая танцующую пару. — Синтия молода, привлекательна, богата, к тому же танцует с мужчиной, на которого ты имеешь вполне определенные виды. Что в ней может тебе нравиться?

— Замолчи! — раздраженно оборвала ее Лотти. — Я создана для Рэйфа Марченда и буду ему прекрасной женой.

— Это ты так думаешь. А его мнение ты спросила? Говорят, этот джентльмен упорно избегает брачных уз.

— Пусть себе болтают. Я знаю одно: я и только я смогу сделать его счастливым. — Лотти помолчала. — Если только он мне позволит.

Она громко вздохнула, глядя, как объект ее неразделенной любви кружится в вальсе. Вот бы оказаться сейчас на месте этой выскочки Синтии! Лотти мечтательно закрыла глаза... Рука лежит на широком, сильном плече Рэйфа, другая — в его горячей ладони, их тела движутся слаженно, в такт музыке... Легкий румянец окрасил щеки Лотти, сердце учащенно забилось, во рту пересохло. «Я завоюю его во что бы то ни стало», — подумала она и решительно тряхнула головой.

— Надо заставить его жениться на мне.

— А тебе не кажется, сестричка, что эта задача тебе не по зубам? Ведь вы почти не знакомы. Едва ли он помнит, даже как тебя зовут.

— Неправда, мы с ним недавно танцевали, — вспыхнула Лотти.

— Это ты на него набросилась, а он не успел увернуться, — заметила Рэйчел.

— Ну и что? Я всегда добиваюсь того, что хочу. Сейчас я хочу Рэйфа Марченда. — В зеленых глазах Лотти вспыхнули огоньки.

— Ладно, не злись. Лучше подумай, как окрутить его.

— Одно плохо: завтра мы уезжаем в Мемфис, и я не увижу его долго, несколько недель.

Лотти задумалась.

Рэйчел ничего не ответила ей. Она слишком хорошо знала сестру: если уж упрямой избалованной девице что-то взбрело в голову, ее ничто не остановит, а хватка у нее была бульдожья. Остается только пожелать Рэйфу Марченду удачи.

Рэйф Марченд вальсировал с хорошенькой Синтией Голтье, и на лице его сияла довольная улыбка. Они составляли чудесную пару. Она — белокурая и светлокожая красавица, он — высокий, смуглый, статный. По правде говоря, танец не доставлял Рэйфу никакого удовольствия, хоть партнерша великолепно танцевала. Хорошенькая Синтия была обычной охотницей за мужем, а Рэйф менее всего стремился к брачным узам. Брак его родителей закончился катастрофой, и повторять их опыт он не стремился. Поэтому с молодыми особами, мечтающими о браке, ему всегда было несколько тягостно.

Музыка наконец закончилась. Вежливо поблагодарив девушку за танец, Рэйф проводил ее на место и, поклонившись, отошел. Синтия лишь растерянно посмотрела ему вслед, и торжествующе-счастливое выражение на ее лице сменилось гримаской разочарования.

Рэйф вышел на веранду. Благоухание жимолости наполняло ночной воздух, и он с наслаждением вдохнул густой медовый аромат. На Миссисипи раздался гудок парохода. Вот и он тоже завтра утром сядет на корабль и отправится на север, подумал Рэйф. Хорошо бы прямо сейчас оказаться на борту, мелькнула у него мысль. Местное общество и прелестницы уже порядком надоели.

— Рэйф! Я весь вечер пыталась улучить минуту, чтобы поговорить с тобой наедине. — Из тени вынырнула Мирабелла Чандлер.

Не дожидаясь ответа, Мирабелла прильнула к Рэйфу.

— Я так скучала, — нежно проворковала она, ласкаясь к нему.

Похоже, весьма вольное, если не сказать больше, поведение Мирабеллы не удивило Рэйфа. Тридцатидвухлетняя вдовушка была страстной и неутомимой любовницей, и он обычно не отказывался от возможности провести с ней часок-другой.

Ему нравились такие женщины: они всегда знают, что нужно мужчинам, и стараются угодить, ничего не требуя взамен.

— Я был занят.

— Так занят, что не нашел времени даже для меня?

Рэйф напрягся:

— Я никогда ничего тебе не обещал, Мирабелла, — жестко заметил он.

Слова были обидными, но Мирабелла постаралась ничем не выдать своих чувств. С самого начала их знакомства Рэйф дал понять, что о браке не может быть и речи. Он время от времени делил ложе с белокурой Мирабеллой — но не больше.

— Я уже была замужем, родной, одного раза вполне достаточно, — с непринужденной легкостью ответила Мирабелла, хотя у нее заныло сердце.

Рэйф рассмеялся, его раздражение словно рукой сняло.

— Пойдем потанцуем?

— По правде говоря, танцы в душном зале меня не очень интересуют, — улыбнулась она, а потом, немного понизив голос, продолжила: — Я надеялась на чудный танец наедине... — Мирабелла медленно гладила его плечи и грудь. — Давай уедем прямо сейчас. — И она страстно поцеловала Рэйфа, возбужденно прижавшись к нему всем телом.

Рэйф почувствовал горячий поток энергии, исходивший от нее. Нет, не сегодня, решил он.

— Дорогая, не сегодня. Завтра рано утром первым пароходом я и Марк отправляемся в Сент-Луис.

— Жаль. Мы с тобой отлично «танцуем», — искренне огорчилась Мирабелла.

— Рэйф! — Голос Марка Лефевра нарушил их уединение.

— Желаю тебе приятного путешествия. Увидимся, когда вернешься, — шепнула она и направилась к освещенному залу.

— Привет, Марк, — бросила она высокому светловолосому мужчине, шедшему навстречу.

— Добрый вечер, Мирабелла.

— Я не слишком помешал? — понимающе улыбнулся Марк, подойдя к Рэйфу.

— Нет, Мирабелла уже собиралась вернуться в зал.

— Смотрю я на тебя, и сердце прямо кровью обливается! Вот ведь тяжелая доля — быть самым завидным женихом в округе. Все местные красотки так и вешаются тебе на шею. Там, в зале, по меньшей мере три девицы спят и видят, как бы притащить тебя к алтарю.

— Так женись на какой-нибудь из них! И мне, глядишь, полегче станет, — добродушно парировал Рэйф.

Веселая улыбка сползла с лица Марка. Почти год прошел с тех пор, как умерла его любимая жена Дженнет, но боль утраты не утихала.

— Я слишком сильно любил Дженнет, — тихо ответил он. — Нет на свете женщины, которая сможет занять ее место.

— Да, Дженнет была необыкновенной женщиной, — согласился Рэйф.

— Вот и тебе нужна такая. Хорошая жена сделает тебя счастливым, — поддразнил друга Марк.

— Ваш счастливый брак с Дженнет — редкое исключение, а не правило.

— Может быть. Но вот там, среди гостей, есть несколько славных девушек, которые мечтают доказать, как сильно ты ошибаешься. На свете много счастливых пар.

Марк искренне верил в святость брачных уз.

— Мы можем спорить на эту тему всю ночь, но никогда не придем к согласию.

— Ты несносный тип, Рэйф!

Рэйф пожал плечами.

— По-моему, единственное, что толкает мужчину на вступление в брак, — это желание иметь детей. Но я пока не готов надеть себе петлю на шею.

— Но ведь когда-нибудь ты захочешь ребенка? Ты всегда с такой радостью возишься с Мэрайей и Джейсоном...

— Да, я хочу детей. Тут без жены не обойтись, и меня этот вопрос сильно беспокоит.

Марку очень хотелось помочь другу. Он знал о трагедии, которую тому пришлось пережить в детстве, и понимал, что вряд ли сможет изменить его отношение к браку. Марк решил сменить тему разговора и заговорил о том, для чего, собственно, разыскивал его по всему дому:

— Мы собираемся сыграть в покер. Не желаешь присоединиться и облегчить свой кошелек?

— Желаю, — усмехнулся Рэйф. — Но проигрывать не собираюсь ни тебе, ни кому другому. Я играю в карты, чтобы побеждать.

— Все надеются на победу, — ответил Марк, хотя прекрасно знал, что Рэйф — отличный игрок. — Ну ладно, пойдем. Нас уже заждались.

Глава 2

Карета Лефевров остановилась у пристани в Нижнем Натчезе. Кучер соскочил на землю и принялся сгружать чемоданы.

— Я так рада, дядя Рэйф, что мы отправляемся в путешествие все вместе: и я, и Джейсон, и папа, и ты, — счастливо щебетала четырехлетняя Мэрайя, дочь Марка.

Ее глаза сияли, а хорошенькая мордашка прямо-таки светилась от удовольствия. На самом деле Рэйф не был ее дядей, но Мэрайя всегда звала его так, потому что очень любила. Если бы ей предложили выбрать себе дядюшку, то из всех мужчин в мире она выбрала бы Рэйфа. А для него в этой девчушке воплотилось все самое лучшее в мире, самое чистое и светлое. Она была славным ребенком, совершенно неизбалованным, бесхитростным и неэгоистичным.

Рэйф взял малышку на руки и осторожно поставил на землю.

— Я тоже рад, милая моя. Нам будет весело вместе.

— Знаю. Я так не люблю, когда ты уходишь куда-нибудь, а меня с собой не берешь. — Крепко схватив его за руку, Мэрайя продолжала щебетать: — Мне хотелось бы всегда и везде быть с тобой.

— И мне тоже, Мэрайя. Только вот твой папа, он ведь станет возражать. А ты разве не будешь скучать без него?

Мэрайя взглянула на отца.

— Буду, — задумчиво протянула она, словно решая сложную задачу: как бы устроить жизнь так, чтобы и самой было хорошо, и всем близким.

— Догоняйте нас, — крикнул Марк, уже направившийся с шестилетним Джейсоном и няней детей Луизой к трапу парохода, на котором им предстояло добраться до Сент-Луиса. Это было уже знакомое нам судно «Слава Нового Орлеана».

Мэрайю словно осенило:

— Все просто, папа. Пусть дядя Рэйф переезжает жить к нам. Вот мы и будем все время вместе, — звонко объявила девочка. Она так легко разрешила эту сложную проблему, что расцвела от гордости.

Рэйф, слушая серьезные рассуждения крохи, с трудом сдерживал улыбку. Что ж, думал он, у друга Марка растет энергичная, решительная дочка, с сильным характером и живым умом.

Они уже почти поднялись по трапу, как с грузовой тележки, которую толкали впереди грузчики, сорвалась тяжелая бочка и покатилась прямо на Рэйфа и Мэрайю.

— Осторожно! — раздался крик.

Рэйф едва успел схватить девочку на руки и отскочить от катившейся бочки.

— Дядя Рэйф! — Мэрайя зашлась в плаче.

Бочка ударилась о контейнеры, стоящие на причале.

— Ну что ты, родная, все в порядке, — успокаивал Рэйф девочку. При мысли, что с ней могло случиться несчастье, он похолодел.

Вся дрожа, Мэрайя прижалась к Рэйфу. Такая маленькая, беззащитная, доверчивая. В этот момент Рэйф понял, как сильно дорожит этой крошкой.

— Рэйф! Мэрайя! — бросился к ним Марк.

— Не волнуйся, все в порядке, — успокоил друга Рэйф.

К ним подбежал испуганный грузчик.

— Как вы, сэр?

Марк пришел в ярость. Только сейчас он осознал, какая опасность грозила его маленькой дочке.

— Твое счастье, что все обошлось! В другой раз привязывай как следует. А то и в самом деле покалечишь всех вокруг!

— Слушаюсь, сэр. — И грузчик благоразумно убрался подальше.

— Точно все в порядке? Не обманываете? — снова спросил Марк.

— Не переживай, папа, дядя Рэйф меня спас. — Мэрайя с обожанием посмотрела на Рэйфа.

— Значит, он у нас сегодня герой?

Мэрайя согласно кивнула головой, и троица двинулась по трапу на пароход.

Бренда направлялась к своей каюте, когда услышала грохот и испуганный возглас грузчика. Она подбежала к трапу как раз в тот момент, когда высокий темноволосый мужчина спас маленькую девочку от, казалось бы, неминуемой смертельной опасности. Сцена, происходившая внизу, умилила и очаровала ее. Слов Бренда не слышала, но увиденное поразило ее до глубины души: мужчина заботливо прижимал к груди девчушку и тихонько покачивал ее, а малышка обняла его и поцеловала. «Наверное, это ее отец», — решила Бренда и даже немного позавидовала такой сердечной привязанности взрослого и ребенка. Отец Бренды умер, когда она была совсем маленькой, но она до сих пор помнила то ощущение безопасности и теплоты, которое исходило от него, помнила сильные руки и добрые глаза.

Рэйф и Марк с детьми ужинали в ресторане. Ужин был великолепным, стол изысканно сервирован, а еда достойна наивысших похвал. Наконец дети управились с десертом, встали из-за стола и, пожелав всем спокойной ночи, в сопровождении Луизы отправились в свою каюту.

Когда няня и дети ушли, Кевин Берра и Дэн Лесседж, сидевшие рядом с этой веселой компанией, заговорили с Рэйфом и Марком.

— Вы еще не были в салоне? — обратился к ним Кевин Берра.

— Пока нет, — ответил Рэйф.

— Значит, впереди вас ждет истинное удовольствие, — многообещающе заявил Кевин.

— И что же такое особенное нас ожидает?

— Сегодня вечером вы познакомитесь с Брендой.

— Это еще кто такая? Что за Бренда? — удивился Марк.

— Вы не слышали о мисс Бренде? О самом лучшем игроке в покер на всей Миссисипи? —

вступил в разговор Дэн Лесседж. На его лице сияла улыбка. — Я вчера проиграл ей почти две сотни долларов.

— Кажется, вас это радует, — хмыкнул Рэйф. Этот Дэн не показался ему любителем проигрышей, наоборот, он выглядел как человек, привыкший побеждать.

— Вот познакомитесь с ней, тогда поймете.

— Похоже, эта дама — весьма интересная особа.

— И не просто интересная, гораздо больше. А впрочем, почему бы нам всем вместе не спуститься сейчас в салон? Она вот-вот должна там появиться, если уже не пришла. Увидите сами.

Какой мужчина откажется от игры? И Рэйф с Марком без колебаний согласились. К тому же Марк, изрядно проигравшийся накануне, надеялся на реванш.

По дороге в салон Кевин и Дэн рассказали то немногое, что знали о таинственной Бренде.

— Все в этой женщине загадочно, — говорил Кевин. — О ее прошлом почти ничего не известно.

— Многие мужчины пытались добиться ее благосклонности, но все напрасно. Бренда держится подчеркнуто отстраненно и все подобные предложения сурово отклоняет, — добавил Дэн.

Рэйф был заинтригован. Что ж, подумал он, путешествие до Сент-Луиса обещает быть интересным.

В салоне уже собрались игроки и любопытствующие. Внимание всех собравшихся было приковано к столу, стоявшему в дальнем конце зала.

— Она уже здесь, — сказал Кевин.

Рэйф и Марк со стаканами бурбона в руках присоединились к наблюдавшим за игрой.

Неудивительно, думал Рэйф, разглядывая Бренду, что мужчины, проигрывая ей, млеют от счастья. Такая красота собьет с толку даже самого опытного игрока.

Некоторое время он наблюдал за игрой таинственной незнакомки и в конце концов решил, что молва нисколько не преувеличила ее достоинств. Бренда и в самом деле отменно играла. Неожиданно эта мысль раздосадовала Рэйфа, и он дал себе слово не позволить какой-то дамочке, пусть и с хорошенькой мордашкой, обыграть его в покер.

— Ты будешь сегодня играть? — Голос Марка вывел его из задумчивости.

— Ни за что в жизни не пропущу такого случая, — почти злобно усмехнулся Рэйф.

Всю партию Бренда чувствовала на себе чей-то пристальный взгляд. Этот взгляд отвлекал ее, мешал сосредоточиться на игре, и, когда партия наконец закончилась, она с раздражением оглядела окружавших ее людей. Вот он, синеглазый незнакомец. Да это же тот человек, что сегодня утром на пристани спас ребенка! Бренда сразу же узнала его. Однако сейчас мягкость и нежность, которые так восхитили ее утром, бесследно исчезли. Напротив, от него веяло неуловимой опасностью. Бренда незаметно оглядела его. Он красив, несомненно красив. Прекрасно сложен, более шести футов роста. Отлично сшитый костюм подчеркивал широкие, мускулистые плечи. Его жене очень повезло, неожиданно подумала Бренда, она счастливая женщина.

— Добрый вечер, — улыбнулась Бренда незнакомцу.

— Добрый вечер, Бренда, — тут же в один голос откликнулись Кевин и Дэн, решившие, что приветствие адресовано им.

Рэйф в ответ едва кивнул головой. Марк, стоявший за его спиной, с улыбкой наблюдал за этим обменом приветствиями. Девушка понравилась ему. Она действительно необыкновенна, решил он, и, похоже, начавшийся вечер обещает быть интересным.

— Как дела? — обратилась Бренда к Кевину и Дэну, с трудом отведя взгляд от незнакомца.

— Отлично. Вы, как всегда, восхитительны, Бренда. Похоже, ваши дела тоже идут неплохо, — сказал Кевин, поглядывая на кучу денег, лежащую перед ней.

— Удача пока улыбалась мне, но вечер только начался, а удача, сами знаете, — особа капризная.

— Во-во, и я о том, — недовольно пробурчал Том Джексон, туповатый субъект с глазами-бусинками и реденькими седыми волосенками. Он уже успел изрядно набраться и проиграть незначительную сумму. — Что-то меня эта капризница совсем сегодня забыла.

— Да и меня тоже. — Господин, сидевший напротив, поднялся из-за стола. — Спокойной ночи, Бренда.

— Всего доброго, Джеймс.

Освободившийся стул занял Рэйф. Посмотрим кто кого, думал он.

— Вы любитель покера, мистер?.. — заговорила Бренда, тасуя колоду. Ее маленькие руки двигались уверенно и ловко.

— Марченд. Рэйф Марченд. И да. Всегда рад составить вам компанию, — любезно ответил Рэйф.

— Что ж, делайте ставки, господа. — И Бренда первая подвинула свои деньги на середину стола.

Рэйф и еще четыре игрока, сидевших за столом, внесли свою часть в банк, и игра началась.

Рэйфу удалось выиграть лишь в одной партии. Но больше всего его раздражало даже не это, а то, что он был вынужден признать: Бренда действительно превосходный игрок.

Еще один джентльмен вышел из игры, и на освободившееся место сел Марк.

— Рада вас видеть. Добро пожаловать к нам, — приветствовала его Бренда, решив, что он славный и честный человек. — Можно прикупить пять карт, — пояснила она, изучив свои карты.

— И давно вы этим занимаетесь, Бренда? — Марк взял карты.

— Играть я научилась, когда была совсем маленькой. Но здесь, на «Славе», я всего около шести месяцев.

— И все мы очень этому рады, — вставил один из присутствующих.

— Благодарю. Мне тоже здесь нравится. Ну скажите, где еще мне удалось бы проводить каждый вечер с такими необыкновенными людьми? — кокетливо улыбнулась она.

За столом завязался легкий разговор, господа стремились блеснуть красноречием и остроумием, и эта полушутливая беседа доставляла всем участникам истинное удовольствие. Всем, кроме Джексона. Он был мрачен, что-то бурчал себе под нос, постоянно прикладывался к рюмке и... проигрывал.

— Ну так что, мисс Бренда, вы согласны прогуляться со мной по палубе сегодня вечером? — спросил Джон Бойер, буквально пожирая Бренду глазами. Он страстно желал остаться с ней наедине с тех пор, как в первый раз увидел ее. Шесть стаканов виски придали ему храбрости, и он наконец решился произнести свое предложение вслух.

— Мистер Бойер, поверьте, ваше предложение весьма лестно для меня, но у меня есть правило, от которого я не отступаю: я не общаюсь с пассажирами в свободное время.

— Детка, мы прекрасно проведем время. — Бойер решил, что запросто уговорит ее передумать.

Бренда с трудом удержалась, чтобы не сказать, куда ему следует катиться с его прекрасно проведенным временем. Она уже не раз замечала жадный, похотливый взгляд этого грубияна и прекрасно понимала, что одной прогулки господину будет мало.

— Вы так любезны, сэр, что я уверена: вы подарили бы мне очаровательный вечер, но я никогда и ни для кого не делаю исключений. Я здесь для того, чтобы играть в карты, и ни для чего более. Прошу вас понять это.

— Ну вот, я же говорил, — шепнул один из зрителей заинтересовавшей всех сцены.

— Спросить-то можно, это же не грех, — добродушно развел руками Бойер. — Разве можно за это винить мужчину? Обычно я пользуюсь успехом у женщин, — самодовольно добавил он.

— Уверена в этом, сэр, — согласилась Бренда и, чтобы разрядить обстановку, обратилась к Рэйфу: — Как и мистер Марченд, если судить по той сцене, которую я наблюдала сегодня утром на пристани. Скажите, для вас обычное дело — спасать из беды юных леди?

— Вы видели? — улыбнулся Рэйф.

Улыбка преобразила его: на какое-то неуловимое мгновение тщательно оберегаемая отчужденность исчезла.

— Эта юная леди просто обожает вас. Должно быть, вы замечательный человек, раз смогли вызвать к себе такую нежную привязанность.

— Да, у меня есть некоторые положительные качества, — усмехнулся Рэйф.

— А что? Что случилось-то? — нетерпеливо спросил Бойер, испугавшись, что он пропустил нечто необычное и любопытное.

— Ничего особенного. Просто сегодня утром одна молодая леди поцеловала мистера Марченда на пристани прямо на глазах у изумленной публики. И мне показалось, нет, я даже уверена, ему это очень понравилось.

— Действительно, понравилось, — ответил Рэйф. — А скажите, какой мужчина откажется от поцелуя прелестной особы?

— Похоже, она очень любит вас.

Бойер прислушивался к их разговору со всевозрастающим интересом.

— Наше чувство взаимно. Для нее я готов на все. — По лицу Рэйфа пробежала тень, и он с горечью продолжил: — Такие невинные, чистые красавицы, как Мэрайя, — редкие сокровища.

В его голосе послышалась горделивая нотка.

— Вот заявление настоящего отца!

— Отца? — Бойер в замешательстве раскрыл рот.

— Крестного отца, — поправил Рэйф. — Будь моя воля, я не отпускал бы от себя Мэрайю ни на минуту, но, думаю, у Марка иное мнение на этот счет.

— Я и сам ее очень люблю, — откликнулся Марк.

— Ей очень повезло с вами обоими.

— Отец? Крестный отец? Да сколько же лет этой Мэрайе? — растерянно брякнул Бойер.

— Моей дочери четыре года, — с гордостью заявил Марк.

Собравшиеся вокруг покерного стола грохнули от смеха. Бойер недоуменно хлопал глазами. Один Джексон никак не реагировал на эту веселую болтовню: его слишком захватили печальные мысли о собственном проигрыше.

— Вы что, так и собираетесь проболтать всю ночь? Или мы все же будем играть? — раздраженно потребовал он. К нему наконец пришли приличные карты, и он хотел отыграться.

— Ну конечно, мистер Джексон, — улыбнулась Бренда, изучая свои карты.

Джексон глотнул виски, резким движением отставил стакан в сторону и сделал ставку.

Страсти накалялись. Ставки росли.

Бренда сосредоточилась на игре. Она точно угадывала настроение каждого из игроков, видела малейшие изменения в выражениях лиц, подмечала мельчайшие детали поведения, запоминала, кто как раздумывает, перед тем как сбросить карту. Важно, как игрок держит свои карты, как смотрит на них — словом, Бренда учитывала и анализировала все происходящее за карточным столом, и ее метод почти никогда не подводил.

Бурчание Джексона означало, что у него почти не осталось денег. Бренда наблюдала за ним из-под опущенных ресниц. По-хорошему этому господину давно следовало выйти из игры, но она знала: азартные игроки практически не умеют останавливаться.

Когда Бойер бросил свои карты, Бренда в душе похвалила себя за проницательность, потому что именно этого она и ожидала.

Наконец последняя ставка была сделана, и Бренда выложила перед собой карты. Она опять выиграла.

Рэйф разглядывал ее карты, с раздражением осознавая, что эта девушка разбила его в пух и прах.

— Благодарю вас за игру, господа. — Бренда потянулась, чтобы придвинуть к себе банк. — Поверьте, я ценю вашу щедрость.

— Ну-ка погоди, женщина! — прорычал Джексон. Он резко вскочил, с грохотом отодвинув стол и уронив стул.

В салоне повисла тишина.

— Ты надула нас всех! Наглая мошенница! — набросился на Бренду Джексон. — Я знаю, я все видел! Это мои деньги! — И он положил руку на кобуру револьвера.

— На вашем месте я не стала бы себя так глупо вести, — ледяным тоном проговорила Бренда, и в ту же минуту в ее руке появился маленький пистолет. Дуло его было направлено прямо в сердце разбушевавшегося Джексона.

Реакция Бренды была молниеносной, никто даже не заметил, откуда у нее появилось оружие.

— Что за чертовщина? — застыл в недоумении Джексон, не успевший вынуть револьвер из кобуры.

— Настоящая чертовщина вас ждет, если вы не прекратите делать глупости, мистер Джексон. — Бренда холодно смотрела на него. — Я не обманывала. Мне незачем это делать. А теперь бросьте дурить. Не то я выстрелю. И будьте уверены, не промахнусь.

— Но это мои деньги! У меня было две пары!

— Это не ваши деньги. У меня была тройка. И мои карты побили ваши, как, впрочем, и карты всех остальных за этим столом. А если вам нечем платить, то нечего садиться играть.

— Почему вы так нагло разговариваете со мной? — И он огляделся по сторонам, надеясь найти моральную поддержку. Но его никто не поддержал.

— Игра была честной, Джексон, — уверенно заявил Рэйф. Рука его скользнула к кобуре. — Мне приходилось иметь дело с шулерами раньше, но эта леди не из их числа. Она играла по правилам.

Джексон буквально клокотал от бешенства:

— Дрянь! Шлюха, вот кто ты! Это надо, такое вытворять?! Так нагло обманывать приличных людей!

— Заткнитесь, Джексон! — рявкнул Рэйф.

Марк узнал этот грозный тон. Не стоило доводить Рэйфа до подобного состояния.

— Все мы проиграли, Джексон. Не один вы, — строго сказал Марк, складывая карты. — Лучше пойдите прогуляйтесь по палубе.

— Да ведь она...

Бренда взвела курок.

Много лет назад старый игрок научил ее играть в покер и открыл один секрет: никогда не следует шутить с оружием, но если уж достала пистолет, то будь готова выстрелить.

Присутствующие замерли.

— Итак, Джексон? Что будем делать? — нарушила молчание Бренда.

Глава 3

Джексон уставился в дуло направленного на него пистолета.

— Но мои деньги...

— Это теперь не ваши деньги, — жестко повторила Бренда. — Надо было прекратить игру раньше, пока вы были в выигрыше.

— Выигрыш? О чем ты говоришь? Как у тебя только язык поворачивается?! — снова разъярился Джексон. Он не просто просадил все свои деньги — какая-то фитюлька взяла его на мушку, и это было еще более сильным унижением. — Да ведь я потерял все!

— Вы пока живы, не так ли?

— Что здесь происходит? — В салоне появился капитан Роджерс с двумя матросами. Ему уже доложили, что в игральном салоне произошла ссора, и он поспешил на помощь к своей любимице Бренде.

— Что происходит? — переспросила Бренда, взглянув на Бена и по-прежнему держа Джексона на мушке. — Не беспокойтесь, капитан, все в порядке. Правильно я говорю, мистер Джексон?

Джексон понял, что побежден. Сначала он потерял деньги, а теперь и честь.

— П-правильно. — Он отступил на шаг.

— Ну вот и отлично. — Бен не сводил взгляда с пьяного пассажира. — А теперь скажите, где вас лучше высадить на берег. Не люблю, когда на моем корабле неудачники хватаются за оружие, крушат мебель и скандалят.

Бен и двое его могучих помощников вывели Джексона, проклинающего весь свет, из салона.

Бренда была напряжена, как туго натянутая струна. Ее начала бить мелкая дрожь, но все же она выдавила из себя улыбку.

— Зато вечер прошел необычно и волнующе.

Мужчины, пораженные ее выдержкой, с уважением смотрели на девушку, сумевшую усмирить пьяного мерзавца. Они в один голос хвалили ее сообразительность, ловкость и отвагу.

— Ничего не поделаешь, издержки профессии, господа, — заявила она с кажущейся небрежностью. В душе Бренда понимала, как близко сегодня подошла к роковой черте, и знала, что до утра не сомкнет глаз. — Будем продолжать игру? Теперь, когда мистер Джексон покинул нас, за столом освободилось место.

И вечер продолжился, будто ничего особенного не произошло.

— Ну, что вы скажете о нашей Бренде? — поинтересовался Кевин у Рэйфа и Марка, когда Бренда ушла.

— Она превзошла ваши похвалы, — вздохнул Рэйф. — До сих пор не могу поверить, как ловко она управилась с Джексоном. Не так-то просто усмирить пьяного негодяя. Но она смогла!

— Да, и даже не испугалась, — подхватил Дэн.

— А какая реакция! — покачал головой Кевин.

— Она точно знала, что и как надо делать, — вставил Рэйф.

— Этот Джексон — порядочный мерзавец, — сказал Марк.

— Не то слово. Надеюсь, капитан при первой же возможности высадит его, — отозвался Дэн.

— Об этом не беспокойтесь, — вмешался в их разговор бармен. — Капитан Роджерс теперь не спустит с Джексона глаз, пока не избавится от него. Он очень серьезно относится к безопасности мисс Бренды.

Было уже далеко за полночь, когда Дэн и Кевин отправились спать. Марк и Рэйф допивали последний стакан бурбона.

— Знаешь, Рэйф, — наконец заговорил Марк, и глаза его загорелись, — кажется, я знаю, как решить твои проблемы.

— Какие проблемы? — озадаченно посмотрел на него Рэйф. Он явно не понимал, о чем ведет речь приятель. У него есть плантация, куча денег, верные друзья. Какие такие проблемы? Вроде все в порядке.

— Понимаешь... это... в общем, тебе нелегко живется, потому что женщины вешаются тебе на шею. — Он умолк, совершенно ошеломленный гениальностью посетившей его мысли.

— И что же ты предлагаешь?

— Я считаю, — объявил Марк с величайшей серьезностью, — ты должен жениться на Бренде.

Сначала Рэйф подумал, что ослышался. Затем он решил, что друг сошел с ума. Потом ему пришла в голову другая мысль:

— Скажи-ка, приятель, что ты пил сегодня вечером, кроме бурбона?

— Ничего. Ты только представь, как это будет здорово — ты и Бренда, оба молодые и счастливые. — И Марк мечтательно улыбнулся.

— Ага, тогда пойдем срочно отыщем капитана. Уговорим его провернуть это дельце завтра, с утра пораньше, — ехидно поддакнул Рэйф. — Только вот есть одна маленькая сложность. Так, ерунда какая-то. Надо бы спросить мнение невесты...

— Помолчи немного и лучше послушай меня, — протестующе поднял руку Марк. — Во-первых, и это не требует никаких доказательств, нет ни одной женщины в сотне миль вокруг Натчеза, которая превосходит Бренду в красоте и обаянии. Она само совершенство!

— Ну и что? Какое мне дело до ее смазливого личика?

— Бренда не просто хороша собой, она умная, честная, порядочная и, наверное, самая храбрая женщина на свете. К тому же она чертовски хорошо играет в покер. Как она тебя сегодня обставила, а? И не один раз! — Марк расплылся в улыбке. Он-то знал, как Рэйф не любит проигрывать.

— Ну, это еще ничего не значит, сегодняшний вечер — первый, — возразил Рэйф. — До Сент-Луиса путь неблизкий, и я успею взять реванш.

Рэйф твердо решил никогда больше не проигрывать этой особе.

— Да говорю тебе, она будет отличной женой, вы с ней прекрасно поладите.

— Ну да. И сразу, как поженимся, устроим притон для любителей азартных игр. Это произведет на всех неизгладимое впечатление!

— С каких это пор тебя волнует, что подумают люди?

— А меня это нисколько не волнует. Ведь я и не собираюсь жениться.

— Да ты погоди, послушай меня, — упрямо продолжал убеждать друга Марк. — У Бренды есть еще одно неоспоримое достоинство. — Марк многозначительно помолчал. — Она отлично управляется с пистолетом.

— А зачем мне это? — Рэйф удивленно посмотрел на Марка.

Марк, изо всех сил пытаясь сохранить серьезное выражение лица, торжественно ответил:

— Все дело в том, мой друг, что она сможет использовать это свое умение, когда надо будет отогнать подальше женщин, не дающих тебе прохода.

— Точно! Я просто вижу, как Бренда держит наготове свою пушку на званом вечере, ожидая появления Мирабеллы или какой-нибудь моленькой красотки.

Марк расхохотался.

— Допустим, Бренда не великосветская леди, она немного грубовата, но, черт возьми, если она может блефовать за карточным столом, почему не сможет проделать то же самое на светском приеме?! Обман, он везде обман. Все, что ей нужно, — это соответствующие наряды и несколько уроков этикета. И она одурачит всех на свете.

— Я не хочу жениться.

— Понял. Но если ты вздумаешь найти себе жену, помни: лучше Бренды не сыщешь, — заключил Марк и влил в себя остатки виски. — Подумай о моих словах.

— Непременно. — Рэйф был готов пообещать все на свете, лишь бы только Марк прекратил этот глупый разговор.

— Вот и славно. — Марка распирала гордость: ведь именно ему пришла в голову такая грандиозная идея.

Бренда лежала в кровати, безуспешно пытаясь уснуть. Перед глазами стояло искаженное красное лицо Джексона, его свинячьи глазки, в ушах звучал злобный пьяный голос. Наконец она сдалась. Тихонько встала, оделась и вышла на палубу, надеясь, что звездное небо, плеск воды и крики ночных птиц на берегу отвлекут от тяжелых мыслей и помогут успокоиться.

На ней было простое, скромное платье, на лице не осталось и следа косметики, и сейчас в ней почти невозможно было узнать ту экстравагантную особу, которая совсем недавно играла в покер в салоне.

Теплый ночной воздух казался бархатистым. Бренда стояла у борта, всматриваясь в глубокую черноту ласковой летней ночи.

Вдруг судно замедлило ход и повернуло к берегу, к сверкающим огням маленького городка. Здесь пароход никогда не останавливался, но Бренда догадалась, что происходит: Бен высаживает Джексона на берег.

На нижней палубе раздались громкие мужские голоса.

— А мне наплевать, что вы тут говорите! Эта тварь — лгунья и шлюха! — истерично вопил Джексон.

— Лучше помолчите, Джексон, и не вынуждайте меня попросту выкинуть вас за борт. А там добирайтесь до берега вплавь.

— Черт тебя побери! — Джексон рванулся к Бену. — Да ты небось спишь с этой сучкой! Она сейчас лежит в твоей постели, греет тебе местечко и дожидается, пока ты вернешься...

Послышался глухой звук удара, потом какое-то хрюканье и стон.

— Я же предупреждал, чтобы вы попридержали язык, — прорычал капитан. — Бренда мой друг, и вам придется с этим считаться. Вам и всем остальным.

Пароход причалил к берегу, матросы быстро спустили трап.

— Убирайтесь прочь, Джексон! Вам нечего делать на «Славе»!

Бренда, услышав грязную ругань и мерзкие проклятия, которыми разразился Джексон, спускаясь на глинистый берег, благоразумно отступила в тень, чтобы никто не увидел ее здесь и не догадался, что она была свидетельницей этой неприятной сцены.

— Ничего-ничего! Когда-нибудь все вы получите по заслугам! И та сучка тоже! Дайте только срок! Вы у меня еще попляшете! — Вопли Джексона глухим эхом отзывались в ночи.

— Поднимайте трап, ребята. Уходим отсюда, — коротко приказал Бен.

Мерзкие и нелепые обвинения Джексона больно задели Бренду. Конечно, Бен защитил ее и всегда будет защищать, но запретить думать о ней то, в чем заподозрил ее Джексон, он не сможет. Наверное, все на «Славе» рассуждают точно так же, подумала она, и сердце ее заныло от боли.

Распрощавшись с Марком у дверей его каюты, Рэйф направился к себе. В это время судно причалило к берегу, и Рэйф слышал всю перебранку между Джексоном и капитаном. Судя по всему, помощь капитану не требовалась, и Рэйф собрался было уже скрыться в каюте, как его внимание привлекла одинокая женская фигурка. Странно, подумал он, что эта женщина делает на палубе одна среди ночи.

— Что-нибудь случилось, мадам? — вежливо спросил он, подойдя поближе.

Голос Рэйфа прозвучал неожиданно: Бренда настолько увлеклась происходящим внизу, что не заметила его приближения.

— Ой, мистер Марченд... вы испугали меня.

— Бренда? — Рэйф разглядывал Бренду, ошеломленный и очарованный ее внезапным преображением. Та женщина, с которой он целый вечер играл в карты, выглядела изощренной искусительницей. А эта, стоящая сейчас рядом, похожа на настоящую благородную южанку, и оттого, что исчезло ярко накрашенное лицо и обтягивающее платье, показалась ему еще лучше, желаннее и милее.

— Почему вы одна? Ведь это опасно, — заботливо спросил он.

— Вы так считаете, мистер Марченд? — возразила Бренда, внутренне удивляясь внезапно охватившему ее волнению. Сердце ее бешено колоти-

лось. Наверное, потому, что он испугал ее, подумала
она, вот и все.

— Зовите меня просто Рэйф, прошу вас.

— Ну хорошо, Рэйф. Нет, я не боюсь гулять в
одиночестве. — Бренда взглянула на него, легкая
улыбка тронула ее губы.

А он как завороженный не мог отвести глаз
от ее ротика, думая только о том, как сладостен
и свеж будет поцелуй, сорванный с этих губ.
Потом вспомнил правило Бренды — никогда не
заводить роман с пассажирами — и усмехнулся:
вот если бы стать тем мужчиной, который заставит красавицу нарушить обет.

— Да, я видел сегодня, как ловко вы обращае-
тесь с пистолетом.

— Знаете, я ведь ни разу в жизни не стреляла
в человека. Обычно достаточно продемонстриро-
вать, что у меня есть оружие, но Джексон не умеет
достойно проигрывать, вот в чем дело.

— Это слишком мягко сказано, — отозвался
Рэйф. — Жаль, что капитан не отправил его до
берега вплавь.

— И мне тоже, — со смехом согласилась Бренда.

— Что ж, нарушитель спокойствия удален с
корабля, и вам больше не о чем беспокоиться.

— Мне просто повезло на этот раз. А если бы
он и в самом деле выхватил оружие? Кто-нибудь из

нас наверняка оказался бы убитым. И все из-за денег. — В ее словах слышалась искренняя боль и какая-то беззащитность.

Рэйф почувствовал странное ощущение где-то в области сердца. Нечто вроде легкого укола. Мнение, сложившееся было у него об этой девушке, поколебалось. Учитывая способ, которым она зарабатывала себе на жизнь, Бренда должна была быть жесткой, даже жестокой, изворотливой особой. И вдруг эти слова... Нет, эта женщина гораздо сложнее и необычнее, чем кажется на первый взгляд. Ему стало совестно за недавний разговор с Марком, за свои слова и недобрые мысли.

— Что ж, пожалуй, мне пора идти, — промолвила Бренда, когда пароход вновь вышел на середину реки.

— Позвольте, я провожу вас до каюты, — мягко предложил Рэйф.

— Спасибо, я сама. Спокойной ночи. — И Бренда растворилась в ночи, ни разу не оглянувшись.

Рэйф растерянно смотрел ей вслед. Обычно женщины искали его внимания, и он был просто уверен, что девушка с радостью согласится и, может быть, предложит нечто большее, как только они доберутся до дверей каюты. Но на этот раз он ошибся. Бренда отказала решительно и бесповоротно. Настроение Рэйфа резко испортилось. Ни разу, ни разу не обернулась посмотреть на него!

Нахмурившись, он направился к себе.

Заснул он под утро. Воспоминания об удивительном превращении Бренды и словах Марка не давали ему покоя.

Этой ночью на пароходе не спал еще один человек. Бренда лежала без сна в своей каюте и смотрела в потолок. Сначала Джексон учинил скандал, думала она, потом еще этот Рэйф Марченд. Бренда хорошо знала, как вести себя с мужчинами, подобными Джексону, а вот с Рэйфом... Она чувствовала колдовскую силу, исходившую от этого человека.

Ее влекло к нему, как мотылька к губительному пламени свечи. Она буквально заставила себя уйти от него. Никаких романов с пассажирами, повторила себе Бренда и решительно повернулась на бок. Но сон к ней так и не пришел.

Глава 4

Все утро Бен не находил себе места, пока Бренда не проснулась и он не убедился, что с ней все в порядке.

— Как ты? — тревожно заглянул он ей в глаза, когда она открыла дверь на его стук.

— Все хорошо, — лучезарно улыбнулась Бренда.

Бен и Бренда часто завтракали вместе, сегодняшнее утро не стало исключением.

— Прошлой ночью я высадил Джексона на берег, — сообщил Бен, как только они уселись за отдельным столиком.

— Знаю. Я все слышала.

— В самом деле?

Бренда кивнула:

— Мне не спалось, и я вышла на палубу немного подышать воздухом.

— Жаль, тебе пришлось выслушать все эти гадости. Премерзкий тип этот Джексон.

— Спасибо тебе, Бен, что защитил меня. — Бренда с благодарностью посмотрела ему в глаза.

— Ему надо было хорошенько всыпать, — сердито заявил Бен, — чтобы он понял свою ошибку. Ты — настоящая леди, и я заставил его запомнить это.

— Судя по тому, что мне удалось услышать, ты действовал довольно напористо, — улыбнулась Бренда.

— Есть такой тип мужчин, которые не понимают простого английского языка. Зато, если, так сказать, расставить ударения, они быстро все уясняют.

— Остается только надеяться, что мы больше никогда в жизни не встретимся с мистером Джексоном.

— И все же тебе стоит быть осторожнее, — нахмурился Бен. — Есть типы гораздо более опасные, чем Джексон. Он всего лишь тупой жалкий пьянчужка. Даже не сомневаюсь, сегодня утром он протрезвеет и будет очень сожалеть обо всем, что натворил и наговорил ночью. А вот те — совсем другое дело, с ними тебе следует быть крайне осторожной. Запомни хорошенько мои слова.

— Запомню, Бен. Я не хочу неприятностей.

Бен понимал, что сказать гораздо проще, чем сделать: ведь никогда не знаешь заранее, с кем играешь. Сегодня Бренда справилась с нахалом, а завтра?

Ранним солнечным утром Марка разбудил стук в дверь. Джейсон и Мэрайя звали его с собой на завтрак. Марк, ответственный и внимательный отец, с усилием поднял себя из уютного тепла кровати и отправился в ресторан.

После завтрака они все вместе вышли прогуляться по палубе. Вот там-то Джейсон и увидел капитана. Глаза мальчугана стали совершенно круглыми от восторга, когда он понял, что этот удивительный человек командует всеми на большом корабле. Не дожидаясь разрешения отца, Джейсон бросился к нему.

— Вы капитан? — спросил он, с благоговением рассматривая красивую форму.

Бен очень серьезно ответил:

— Да, я капитан этого судна. Капитан Бен Роджерс к вашим услугам. А кто вы такой?

— Я Джейсон. — Мальчуган весь сиял от неожиданной удачи: ему удалось познакомиться с настоящим, живым капитаном! — Я никогда в жизни не встречал настоящих капитанов. А вы на самом деле командуете здесь всеми?

— Да, Джейсон. Правда, больше всего мне нравится беседовать с пассажирами. Мне всегда приятно слышать, что им хорошо на борту моего парохода. А вам нравится здесь?

— Да, сэр. Такой огромный и красивый корабль.

— Рад, что вам понравилось. — Искренность мальчика позабавила Бена.

— Капитан Роджерс, прошу прощения, если Джейсон побеспокоил вас, — подошел Марк. — Мадам, — поклонился он даме, стоявшей рядом с капитаном, и, вглядевшись в нее, удивленно протянул: — О, доброе утро, мисс Бренда.

— Доброе утро, мистер Лефевр. — Бренда с улыбкой смотрела на Марка, его детей и розовощекую нянюшку. А вот и та малышка, которую Рэйф спас на пристани в Натчезе.

— Рад вас видеть, — еще раз поклонился Марк. — Ну что, Джейсон, нам пора идти, у капитана, должно быть, очень много дел. Не будем ему мешать.

— Нет, нет. Все в порядке, он мне нисколько не мешает. Я как раз сейчас подумал, может, Джейсон захочет пройти со мной в рулевую рубку? Что вы на это скажете, молодой человек?

— А можно? — Джейсон вопросительно посмотрел на отца.

— Он вас не будет отвлекать от дел? — Марку не хотелось, чтобы сын докучал капитану.

— Вовсе нет. Наоборот, мне будет очень приятно. Хотите пойти вместе с нами? Бренда? Может, и ты присоединишься к нам?

— Спасибо, я лучше почитаю на палубе, — мягко отклонила предложение Бренда.

— Я рад, что вы в добром здравии, мисс Бренда, — сказал Марк. И это была чистая правда. Он весьма смутно помнил свой ночной разговор с Рэйфом, помнил лишь, что настойчиво советовал ему жениться на ней, и сейчас, увидев Бренду при ярком свете солнца, еще раз поразился ее красоте и прирожденному аристократизму. Вчерашняя идея, возникшая в его голове под влиянием алкоголя, уже не казалась ему безумием. Эта девушка достойна лучшей участи, чем развлекать подвыпивших мужчин игрой в покер.

— Мы с Джейсоном скоро вернемся, Луиза.

— Хорошо, сэр. Мы с Мэрайей погуляем здесь.

— Так, значит, эта хорошенькая девочка и есть Мэрайя? — Бренда присела возле малютки на корточки.

— Мэрайя, эту славную симпатичную леди зовут мисс Бренда. Поздоровайся с ней, — сказал Марк и отправился вслед за капитаном и Джейсоном.

Мэрайя серьезно и внимательно смотрела на Бренду, словно изучала свою новую знакомую.

— Вы очень красивая и добрая, — произнесла она наконец.

— Спасибо. И ты тоже. Неудивительно, что твой крестный отец так любит тебя.

— Вы знаете дядю Рэйфа?

— Мы познакомились с ним вчера вечером.

— Он замечательный, чудесный.

— И он говорит, что ты необыкновенная девочка.

Мэрайя расцвела от этих слов.

— Когда вырасту, я выйду за него замуж, потому что он самый лучший на свете и я очень его люблю, конечно, после папочки. Но дядя Рэйф всегда смеется и говорит, что он слишком старый для меня.

— Так твой дядя не женат?

— Нет. Папа говорит, что дядя Рэйф и не собирается жениться, никогда-никогда. Но уж если он все-таки женится, то наверняка на мне.

— А почему он не хочет жениться? — удивленно спросила Бренда.

— Не знаю, — просто ответила малышка, — а вот мне кажется, что выйти замуж или жениться очень здорово и весело.

— И мне тоже, Мэрайя. Знаешь, я сейчас принесу книжку. Хочешь почитать со мной? — Бренда вопросительно взглянула на Луизу, и та согласно кивнула головой.

— А у вас есть книжки с картинками? — спросила девочка.

— Конечно, есть. Ты любишь читать?

Мэрайя кивнула:

— Папа много мне читает. Я люблю рассматривать всякие интересные картинки. И еще люблю отгадывать, что обозначают разные слова.

— Тогда подожди меня здесь с няней, а я пойду поищу для тебя книжку.

Ждать Мэрайе пришлось недолго. Бренда скоро вернулась.

— Мне кажется, что эта книжка тебе очень понравится, — сказала Бренда, усаживаясь рядом с девочкой.

Это была любимая книга Бренды — детская Библия с красивыми иллюстрациями. Когда Бренде было столько же лет, сколько сейчас Мэрайе, эту книгу подарила ей матушка, и с тех пор Бренда никогда не расставалась с ней.

Они сидели близко-близко, медленно переворачивали страницы, рассматривали яркие картинки с нарисованным Ноем и его ковчегом, ангелами и дьяволом.

— Папа говорит, что наша мамочка теперь стала ангелом.

— Твоя мама на небе?

Мэрайя кивнула, и в глазах ее появилось такое выражение, будто это была не маленькая девочка, а умудренная опытом и уставшая от жизни старуха.

— Она умерла год назад. Теперь мне кажется, что это было очень давно. Иногда я даже не могу вспомнить ее лица.

— Я понимаю.

— Правда?

— Да, мой папа умер, когда я была совсем маленькой, и мы остались вдвоем с мамой. Мне иной раз его очень не хватает.

— Я тоже буду очень скучать без папочки и дяди Рэйфа, если с ними когда-нибудь что-нибудь случится. Вам, наверное, одиноко.

— Иногда. Но ведь у меня есть мама.

— Мамы все такие добрые и хорошие.

— Точно. Вот моя — самая лучшая на свете, я ее очень люблю.

— А вы хотите стать мамой?

— Ну, не сейчас, — ответила Бренда, сдерживая улыбку. — Когда-нибудь мне, конечно, этого захочется, но сначала надо влюбиться и выйти замуж, а уж потом становиться мамой.

— До чего сложная штука жизнь, правда? — вздохнула Мэрайя.

Она говорила так, будто думала над этим вопросом уже лет сорок. На этот раз Бренда не выдержала и громко рассмеялась.

— Уверяю тебя, все это не так уж сложно, и у тебя впереди много времени, чтобы все мечты сбылись.

— А вы?

— Раньше часто мечтала. Вот как раз вчера вечером я рассказывала капитану Роджерсу, как в детстве мечтала жить в большом доме.

— А сейчас вам этого не хочется?

— Нет, больше не хочется. Кроме того, теперь я работаю у капитана Роджерса и почти все время плаваю по реке. Такая жизнь, пожалуй, даже интереснее.

В глазах Мэрайи зажглись огоньки.

— Вы теперь живете на этом огромном корабле? Вот здорово! Вы бываете в разных городах, видите много-много людей.

— Верно, — согласилась Бренда.

Время летело незаметно, и не успели Бренда с Мэрайей досмотреть книжку, как вернулся Марк с Джейсоном.

— Мэрайя, капитан Бен пригласил нас сегодня поужинать с ним за одним столиком!

Эта новость привела девочку в восторг.

— А мисс Бренда может пойти с нами? Она славная. И очень мне понравилась.

— Ну, конечно, может, — ответил Марк.

Бренда была тронута детской непосредственностью Мэрайи, так быстро привязавшейся к ней, да и искреннее расположение Марка ее тоже приятно удивило.

— Если только капитан Бен согласится принять меня в вашу компанию. — Бренда шутливо посмотрела на капитана.

— Всегда рад видеть вашу светлость за моим столиком. Вы можете украсить своим присутствием любое общество, — церемонно поклонился Бен и, сославшись на дела, попрощался до вечера.

— Дядя Рэйф! Отгадай, что у нас случилось? Капитан пригласил нас всех сегодня на ужин. Ты пойдешь с нами? — затараторил Джейсон, увидев подходящего к ним Рэйфа.

— Так, значит, ты познакомился с капитаном?

Джейсон взахлеб начал рассказывать Рэйфу про капитана Бена, про его форму, про экскурсию в рубку. Новости буквально переполняли его. Перед таким заразительным потоком восторга устоять было просто невозможно, и Рэйф согласился пойти вечером с ними.

— Тебе-то хорошо, ты сегодня выспался, — заметил Марк, когда няня увела детей.

— Зато вчера я лег спать гораздо позже тебя, — возразил Рэйф. — Вчера ночью, после того как мы расстались, я наблюдал занятную сцену. Капитан высаживал пьяного Джексона, а тот ругался во всю глотку. — И Рэйф подробно описал ночное происшествие. — А сразу после этого я столкнулся с Брендой. Как видно, она тоже все слышала.

— Должно быть, ей нелегко приходится. Непросто жить, сознавая, что люди думают о тебе подобные мерзости.

Рэйф пожал плечами.

— Никто не заставляет ее делать то, что она делает.

— Все это, конечно, так, но вот что, дорогой, я хочу сказать тебе. Я оказался прав.

— В чем?

— Бренда не просто чертовски привлекательна, в ней есть врожденный аристократизм. Если ее научить как вести себя в обществе, то ни один человек не догадается, что эта девушка зарабатывала себе на жизнь игрой в покер. Она проведет всех. Да, кстати, она сегодня ужинает вместе с нами.

Рэйф промолчал.

* * *

Над рекою уже сгустились сумерки, когда ужин, которого с таким восторгом ждали Джейсон и Мэрайя, начался. Джейсону отвели место по правую руку от капитана, и мальчик просто сиял от гордости. Бену нравился этот пытливый мальчишка, и он терпеливо выслушивал его бесчисленные вопросы и отвечал на них.

Появление в ресторане Бренды привлекло всеобщее внимание. Пока она шла через зал к столику капитана, глаза всех присутствующих мужчин были устремлены на нее, а «приличные» дамы злобно шушукались.

— Добрый вечер, Мэрайя... Господа... — приветствовала Бренда собравшихся за столиком.

Ее усадили по левую руку от капитана.

— Здравствуйте, мисс Бренда, — радостно прощебетала малютка Мэрайя и незамедлительно сообщила: — Дядя Рэйф тоже ужинает с нами.

Бренда была готова к встрече с ним.

— Мистер Марченд, — довольно холодно поздоровалась она, скользнув по нему взглядом и, остановившись на Марке, улыбнулась: — Мистер Лефевр.

Рэйф оценивающе рассматривал ее через стол. Эта девушка затмила всех присутствующих дам.

Мэрайя полностью завладела вниманием Бренды, а Джейсон — капитана. Он засыпал его вопросами о пароходе, о реке, о матросах, и казалось, этим вопросам не будет конца.

Рэйфа поразили искренний интерес и внимание, с какими Бренда выслушивала девочку. Женщины из общества, которых он знал, обычно не слишком много времени уделяли детям. Их гораздо больше волновали светские сплетни да модные фасоны. А дети... Дети казались им надоедливыми и шумными существами. Честно говоря, Рэйф и сам так считал раньше, пока не появились Джейсон и Мэрайя. Их детская непосредственность, искренность и пылкость были гораздо приятнее набивших оскомину лицемерных правил поведения в «приличном» обществе.

Когда подали десерт, поток вопросов у Джейсона иссяк. Дети принялись уплетать сладости, и, когда они наконец почти обессилели от впечатлений и всяких вкусностей, Луиза увела их спать. За столом остались одни взрослые, и Марк задал вопрос, уже давно вертевшийся у него на языке:

— Капитан Роджерс, как вы познакомились с Брендой?

— Когда-то много лет назад Бренда и ее матушка спасли мне жизнь. С тех пор я их вечный должник. — И капитан рассказал историю этого знакомства.

— А как Бренда оказалась здесь, на вашем корабле? Это была ваша идея или ее?

— Моя, — ответила Бренда. — Примерно девять месяцев назад я пришла к Бену с просьбой позволить мне работать на его «Славе». Поначалу он даже слышать об этом не хотел.

Марк снова обратился к капитану:

— А почему? Ведь это превосходная мысль. Такой человек на судне, несомненно, должен привлечь пассажиров.

— Вот и она твердила мне то же самое, но я-то понимал, что не все будет легко и гладко. И вчерашняя история тому подтверждение. — Капитан Роджерс вздохнул. — В конце концов Бренда сумела уговорить меня, и, надо сказать, до сих пор все было спокойно. Вынужден признать, отличная оказалась идея.

— А почему вы решили зарабатывать деньги игрой в карты? — обратился Марк к Бренде.

— Моя матушка серьезно заболела, и понадобились деньги. А где еще можно заработать столько? В карты я научилась играть давно, когда была маленькой, а Бен — мой друг, и я знала, что на его «Славе» буду в полной безопасности.

— А почему вы не рядом с больной матерью? — вмешался Рэйф, уж больно неправдоподобной показалась ему эта история.

Бренда вспыхнула. Сердце ее сжалось при мысли о матери, но уже через мгновение чувство вины сменилось раздражением. Она разозлилась: на себя — за то, что оказалась в неловкой ситуации, и на него — за то, что усомнился в серьезности причин, побудивших ее сделать такой шаг. Да как он смеет так пренебрежительно и высокомерно разговаривать с ней?!

— У нас больше никого нет, поэтому я должна работать. — Бренда поднялась из-за стола. — Прошу прощения. — И ушла, гордо подняв голову Никто не успел даже слова сказать.

Бен неодобрительно посмотрел на Рэйфа:

— Мне очень не нравятся люди, которые непочтительны с Брендой. Вы не имеете ни малейшего представления о том, как она жила, а смеете судить ее. Доброй ночи, джентльмены.

И Бен ушел.

Марк укоризненно посмотрел на Рэйфа:

— Как ты мог сказать такое?

— Да что особенного я сказал? Просто спросил, почему она не рядом с больной матерью.

— Она же говорила, что должна зарабатывать на жизнь. У Бренды нет отца или мужа, которые бы о ней заботились, и, если она не будет работать, на что они будут существовать?

— А почему она не вышла замуж? Ведь она окрутит любого мужчину, если только пожелает, — не унимался Рэйф.

— Может, она просто не хочет связывать себя узами брака, как и еще один мой знакомый, — парировал Марк.

Рэйф нахмурился.

Глава 5

Судьбе было угодно распорядиться таким образом, что семейство Демерсов отправилось в Мемфис все на той же «Славе Нового Орлеана», и сейчас Демерсы ужинали в ресторане парохода.

— Смотри, Рэйчел! Прямо глазам не верю! Рэйф Марченд! — Лотти в волнении вцепилась в руку сестры.

— Вот же совпадение! А ты все страдала, что не сможешь лицезреть его несколько недель. Интересно, куда он направляется? — отозвалась Рэйчел.

— Должно быть, сама судьба свела нас вместе. Ну разве это не знак свыше, папа? — Лотти взглянула на отца.

— Похоже на то! — согласился Джеймс Демерс, мечтавший о том, чтобы богатый плантатор стал его зятем.

— Он такой чудесный, папочка, — вздохнула Лотти. — Он танцевал со мной на балу перед нашим отъездом. — Воспоминания о сильных руках Рэйфа, о его крепких объятиях до сих пор давали обильную пищу для фантазий Лотти.

— Лотти хочет выйти за него замуж, — заговорщически сообщила родителям Рэйчел.

— Из него вышел бы очень неплохой зять. — Хелен Демерс хищно прищурила глаза. — Белрайв — великолепное поместье. — И она заулыбалась, представив свою дочку хозяйкой богатого и гостеприимного дома.

— Говорят, что, помимо плантации, хороший доход ему приносят акции крупных предприятий на Севере, — добавил Джеймс.

— Но что мне делать, папа? Я готова на все, лишь бы стать его женой.

— Нужно проявить терпение, дочка, — предупредил Джеймс.

— Я думаю, вы скоро встретитесь на очередном балу, и ты сможешь поговорить с ним, — сказала Хелен. — Тогда уж не упусти шанс.

Лотти вздохнула, пожирая взглядом Рэйфа, уже выходящего из ресторана.

— Мне кажется, его надо подтолкнуть немного, — проговорила она.

Джеймс Демерс задумался.

— Вот что, — наконец сказал он, — для начала отправляйтесь-ка прямо сейчас вместе с сестрой на палубу, погуляйте там.

Лотти вскочила:

— Идем, Рэйчел.

— Увидимся позже, девочки.

Родители были довольны: кажется, дочь все понимала без лишних слов. Может, их Лотти и не самая хорошенькая, зато весьма сообразительна.

— Ну, что ты скажешь, дорогой? Сможем мы уговорить Рэйфа Марченда жениться на нашем сокровище? — спросила Хелен.

— Судя по тому, что я слышал о нем, этот молодой человек не особо торопится жениться. Если только... если только он не будет вынужден это сделать.

Изощренный ум Хелен уже заработал в нужном направлении, выискивая возможности поймать на крючок богатенького зятя.

— Рэйчел, что мне делать? — вполголоса спросила Лотти, увидев на палубе Марка и Рэйфа. — Может, так и сказать: женитесь на мне, сэр?

И обе захихикали.

— Да, тебе предстоит настоящее сражение. Мирабелла вцепилась в него мертвой хваткой, да и Синтия положила глаз...

— У меня есть значительные преимущества перед ними: во-первых, я девственница в отличие от Мирабеллы, во-вторых, я гораздо богаче Синтии. Господи, как же сделать так, чтобы он женился на мне! От первого танца на балу до алтаря слишком большое расстояние.

— А вдруг он тебя не любит?

— А при чем тут любовь? — усмехнулась Лотти. — Ему вовсе незачем влюбляться в меня прямо сейчас. Когда поженимся — полюбит, а пока достаточно того, что я его люблю. Только это и имеет значение.

Сестры замолчали, мысли их крутились вокруг одного и того же. Внезапно Рэйчел осенило.

— Кажется, я придумала!

— Что?

— Если папа с мамой согласятся, то нам надо сделать вот что... — И она шепотом рассказала Лотти, как добыть мужа, о котором она мечтает дни и ночи.

— Ну, что скажешь?

— Ты думаешь, это сработает?

— А почему нет?

— Но он может возненавидеть меня!

— Зато он станет твоим мужем, а через некоторое время, поверь мне, все забудется, и вы станете жить счастливо, — закончила Рэйчел, потом вздохнула, восхищаясь собственной гениальностью.

— Хороший план, — согласилась Лотти, — только мне немножко страшно.

— Ты в самом деле хочешь выйти замуж за Рэйфа?

Лотти не нужно было долго раздумывать над ответом.

— Да. И у меня все получится, — решительно и убежденно заявила она.

Всю ярость, клокотавшую в душе, Бренда выплеснула в игре и победила. Она обошла Рэйфа Марченда, сорвав несколько раз довольно приличный банк, и испытала чувство огромного удовлетворения, заметив раздражение, сверкнувшее в его взгляде. Вообще вечер прошел успешно. Все были внимательны и любезны с ней, осыпали ее комплиментами. Бренда чувствовала себя свободно и легко, и одно только тревожило ее — изучающий взгляд Рэйфа, который она все время ловила на себе.

Вернувшись в каюту, Бренда взяла в руки небольшой портрет матери. Потом тяжело вздохнула и прижала его к сердцу. Больше всего на свете ей хотелось бы сейчас оказаться дома и никуда не уезжать... Но она не может этого сделать. Она должна работать, чтобы жить, и игра в карты на этом корабле — единственная возможность заработать деньги. Мама, конечно, все понимает, но сознание этого не уменьшало чувства вины.

Ведь тебе нравятся карты, сказала себе Бренда. Тебе нравится риск. Тебе интересно блефовать, проверяя свою выдержку и крепость нервов, нравится оставлять богатых мужчин без гроша. Эти господа, усмехнулась про себя Бренда, почитают за благо быть побежденными, соперничают друг с другом в остроумии, только чтобы очаровать ее. И все же, горько продолжала размышлять она, ты для них — всего лишь служанка, в обязанности которой входит развлекать богатых гостей. Бренда никогда не лгала себе. Да, ей нравились красивые платья, нравилось быть центром внимания, а особенно — выигрывать, потому что именно это давало ей уверенность в том, что она нисколько не хуже этих беззаботных господ, хотя бы в одном деле. Но всегда в глубине души жил хрупкий образ мамы, больной и одинокой, ожидающей возвращения дочери.

Единственная слезинка скатилась по щеке Бренды, она поставила портрет на туалетный столик и легла спать. Что ж, изменить ничего нельзя.

Весь следующий день прошел тихо и спокойно. Бренда провела его в своей каюте, лишь рано утром вышла немного прогуляться по палубе. Наступления вечера она ждала с нетерпением, особенно того момента, когда в игру вступит Рэйф Марченд. Она победит его, обязательно победит.

Сегодня Бренде хотелось выглядеть просто ошеломляюще. Не слишком разбираясь в причинах такого желания, она долго занималась собой. Тщательно уложила волосы, затем терпкими духами тронула нежную кожу на запястьях и висках. Новое платье, которое она выбрала, облегало ее точеную фигуру словно вторая кожа, подчеркивая каждый совершенный изгиб тела. Серьги из горного хрусталя и ожерелье завершили костюм. Оглядев себя в зеркале, Бренда осталась довольна.

Смело и уверенно вошла она в игорный салон.

— Добрый вечер, господа, — раздался ее мягкий голос.

В ответ посыпались многочисленные приветствия, и несколько десятков глаз устремились на нее. Бренда прошла на свое место за столиком, взяла карты, проворно перетасовала их и сдала, успевая при этом отвечать на остроумные реплики. Не увидев Рэйфа, она почувствовала легкий укол разочарования, но потом взяла себя в руки и сосредоточилась на картах.

Игра шла довольно гладко, лишь один парень-фермер нагло пялился на нее.

— Та-ак, мисс Бренда, если вы опять прикупили пару, как в прошлый раз, то вам просто чертовски везет! Наверное, неспроста... — И он расхохотался во всю глотку над собственной шуткой.

Окружающие неодобрительно посмотрели на него, но он не обратил никакого внимания на их укоризненные взгляды.

Бренда вздрогнула, но не проронила ни слова и продолжила игру с присущим ей спокойствием.

Грубиян-фермер выиграл эту партию. Бренда очень огорчилась, но скрыла свои чувства чарующей улыбкой.

— Мое, мое, мое. — Он с вожделением осмотрел ее. — Раз я выиграл, то, может, и пятая дама станет моим призом?

— Замолчите, Джонс! Не смейте разговаривать с Брендой подобным тоном, — одернул его один из присутствующих.

— Я буду разговаривать с ней так, как захочу. Раз заявилась в игорный салон, то нечего строить из себя недотрогу. Она прекрасно знает, о чем ее просят, и понимает, что может получить за маленькую услугу. — И перегнувшись через стол, он схватил Бренду за руку. — Ну, что скажешь, сладкая моя? Чем наградишь меня?

Бренда с трудом подавила желание влепить ему пощечину.

— Ваша награда — деньги, сэр.

— А я-то думал, что выиграл кое-что еще. — Он сильнее сжал ее запястье, чтобы добыча не вырвалась.

— Вам и так повезло, что присутствующие здесь господа согласились принять вас за свой стол.

От такого оскорбления лицо Джонса свело судорогой.

— Послушай, детка... То же мне, дама... Я сейчас тебе покажу приличного господина...

— Дама права, сынок. — Тишину прорезал жесткий голос Рэйфа. — А теперь убери от нее свои грязные лапы.

Нешуточная угроза, звучавшая в словах Рэйфа, остановила Джонса. Оглянувшись, он наткнулся на взгляд, в котором прочел твердое обещание расправиться с ним, не подчинись он приказу.

Войдя в салон и увидев вышеописанную сцену, Рэйф пришел в ярость.

— Немедленно, — повторил он.

Джонс разжал пальцы и свирепо уставился на незнакомца, посмевшего помешать ему.

— Но я выиграл эту партию.

— Это все, что ты выиграл. А теперь, раз не умеешь вести себя как настоящий мужчина, убирайся отсюда к чертовой матери!

Потом Рэйф взглянул на Бренду.

— Добрый вечер, Бренда! — поздоровался он и снова обернулся на Джонса: — Ну что, остаешься играть или выметаешься прочь?

Джонс пришел в бешенство. Он сгреб свой выигрыш и выкатился из салона.

— Благодарю вас, Рэйф, — кивнула Бренда. Ей ужасно неприятно было от мысли, что теперь она обязана этому человеку.

— Вы играете? — обратилась она к Рэйфу.

— Да.

— Что ж, господа, не хотите ли сыграть покрупному? — Бренда оглядела сидящих за столом.

— Как скажете, мисс Бренда, — заговорили они. — Никто из нас не доставит вам никаких неприятностей.

— Думаю, что сегодня вечером игра мне очень понравится, — усмехнулся Рэйф.

Ответ Марченда прозвучал так странно, что сердце Бренды упало.

— Итак, начнем, — сказала она, улыбнувшись ему в ответ.

Несколькими часами позже, когда подкравшаяся ночь окутала пароход темнотой, игра закончилась. Вечер оказался удачным для Бренды, и она удалилась весьма довольная собой.

* * *

Лотти и Рэйчел потратили не один час, чтобы разработать безупречный план, и теперь, когда вся семья собралась за завтраком, собирались рассказать о нем родителям.

— Лотти, вчера вечером в баре я столкнулся с Рэйфом Марчендом. — Джеймс Демерс первым вспомнил о Рэйфе.

— Правда? Он говорил что-нибудь обо мне? Что он делал? Как выглядел? — заволновалась Лотти, ей не терпелось узнать все подробности.

— Выглядел он прекрасно, но о тебе не сказал ни слова.

— О-о-о! — вздохнула Лотти. Сердечко ее заныло: она так надеялась, что любимый спросит о ней.

— Я рассказал ему, что мы путешествуем всей семьей вверх по реке, а он ответил, что рад будет присоединиться к нам после ужина.

Джеймс обожал своих дочерей и всегда их баловал. Он выполнял их малейшие прихоти и пожелания.

— Вот здорово! Мне нужно понравиться ему. Поразить его в самое сердце. Мама, папа, знаете, мы с Рэйчел тут кое-что придумали, но нам нужна ваша помощь.

— Да? — Глаза Хелен вспыхнули.

Лотти рассказала родителям о ловушке, в которую собиралась поймать Рэйфа.

Джеймс, выслушав дочь, рассмеялся:

— Бесстыдница! Но если план сработает, то уже на следующий день ты притащишь его к алтарю.

— Мне нужен Рэйф Марченд, папа, я хочу заполучить его во что бы то ни стало и для этого пойду на все.

— Ну хорошо. Мы поможем, — согласилась Хелен.

— Теперь, девочки, слушайте меня внимательно, — начал Джеймс. — Вот что нам надо сделать...

Когда он закончил излагать свой вариант, слушательницы просияли.

— Папочка, ты умница!

— Спасибо на добром слове.

Джеймс радовался. Скоро, очень скоро Лотти подцепит себе муженька, а у него появится богатый зятек.

— Значит, сегодня вечером? — спросила Хелен, волнение охватило и ее.

— Да. Я буду в игорном салоне. Как только он уйдет, подожду еще минут двадцать, а потом выйду за ним. У тебя, дочка, будет достаточно времени. Справишься, Лотти?

— Я получу его, папа.

— Моя дочка! Все получится! Я в тебе уверен.

Перспектива сделать Рэйфа Марченда членом семьи показалась Джеймсу и Хелен весьма заманчивой. Они были уверены: со временем возмущение Рэйфа стихнет, и жизнь станет прекрасной!

После ужина на «Славе» устроили танцы в большой гостиной. Рэйф хотел было отправиться с Марком в бар, но Джеймс Демерс перехватил его и завел деловой разговор. Он расспрашивал Рэйфа, как тот переоборудовал конюшни у себя в Белрайве, когда к ним присоединились дамы.

— Мои дочери, Лотти и Рэйчел, и моя жена Хелен. Помните их, Рэйф?

— О, конечно, приятно видеть вас снова, мадам.

— Мы тоже рады, — едва выговорила Лотти, с трудом сдерживая волнение и пожирая глазами своего избранника. Все, о чем только можно мечтать, собрано в этом мужчине. — Пригласите меня на танец. Мне так нравится эта мелодия, — неожиданно дерзко предложила она.

— С удовольствием, — ответил Рэйф, потому что ничего другого ему, как истинному джентльмену, не оставалось.

Лотти была на седьмом небе от счастья. Они кружились по залу, и она млела от восторга. Ну конечно, конечно, ее чувства не безответны! Он тоже влюблен! Она подняла глаза в надежде встретить его взгляд. Увы, он смотрел по сторонам. Решив завладеть его вниманием, Лотти принялась болтать:

— Для чего вы едете в Сент-Луис, Рэйф?

— По делам.

Неуклюжие попытки завязать разговор казались Рэйфу утомительными и скучными. Он как раз увидел в другом конце зала Бренду с капитаном и только хотел понаблюдать за ней, как Лотти начала молоть всякий вздор.

— Какая жалость! Сент-Луис славный город, я люблю его. Там столько всего интересного... Вы навестите нас? — И Лотти взмахнула ресницами.

— Может быть, если будет время. Но судя по всему, я буду очень занят.

— Договорились. Если у вас найдется свободная минутка, я буду счастлива видеть вас.

— Благодарю, мисс.

Наконец, к огромной радости Рэйфа, музыка закончилась, и он отвел Лотти к отцу.

— Благодарю вас за танец, Лотти. А теперь прошу прощения, я вынужден откланяться.

— Конечно, — выдохнула Лотти, не в силах унять восторг. А когда Рэйф удалился на достаточное расстояние, повернулась к отцу, и глаза ее решительно сверкнули: — Я. выйду за него замуж, папа.

— Значит, сделаем все так, как договорились.

— Сегодня?

— Сегодня.

Лотти радостно заулыбалась, представив себе, что должно вскоре произойти. У Рэйфа Марченда нет ни единого шанса спастись! А уж когда он попадется на крючок, она постарается стать для него замечательной женой.

Рэйфу все-таки удалось сбежать в игорный салон. Он сел за стойку бара и, с наслаждением потягивая бурбон, принялся разглядывать собравшихся. Появилась Бренда. Он остался сидеть у бара, наблюдая за игрой на расстоянии. После танца с прилипчивой и назойливой Лотти ему было очень хорошо здесь, будто удалось глотнуть чистого воздуха. Спустя немного времени он присоединился к играющим.

— Добрый вечер, Бренда.

— Привет, Рэйф, — ответила она, стараясь не вспоминать о своих ощущениях в тот момент, когда увидела его танцующим с незнакомой девушкой. — Ваш друг Марк давно здесь, и, похоже, у него сегодня удачный вечер. Он выигрывает третью партию подряд.

— Да пора уж, — засмеялся Марк. — После вчерашнего я было подумал, что мне вообще не следует играть в покер.

— Почему это не стоит? Очень даже стоит, — заметил Рэйф, поглядывая на кучу денег, лежащую перед ним. — Помнится, у меня тоже вчера игра не клеилась. Ну-ка, давайте посмотрим, может, удача наконец повернулась ко мне лицом и я немного облегчу ваши карманы.

Карты раздали, игра снова началась.

Еще через час Марк откинулся на спинку стула.

— Так, пожалуй, сегодня я собрал неплохой урожай из ваших кошельков. Для одного вечера очень неплохо, — с довольным смешком объявил он.

— Может, дашь нам возможность отыграться? — предложил Рэйф, хотя отлично знал, что Марку действительно пора спать, ведь Мэрайя и Джейсон утром поднимут его ни свет ни заря.

— Завтра, все завтра. Мисс Бренда, благодарю за восхитительный вечер.

— Доброй ночи, Марк.

Оставшиеся игроки порадовались его уходу, надеясь, что теперь фортуна окажется на их стороне.

Однако уход Марка оказался на руку одному лишь Рэйфу. Именно он победил в следующем круге и сидел теперь довольный, улыбаясь в душе и потирая руки. Несколько последних вечеров он изучал стиль игры Бренды и достиг некоторых успехов. Он научился видеть малейшие изменения в ее поведении. Когда у нее на руках была выигрышная комбинация карт, она особым образом распрямляла спину и будто становилась выше и отстраненнее. Победа в этой партии дала ему блестящее подтверждение разработанной теории. Теперь можно будет легко вернуть все проигранное и немного опустошить ее кошелек.

— Похоже, Марк передал вам свою удачу. Хотелось бы и мне иметь такого верного друга, — заметила Бренда.

— Да и мне тоже, — добавил один из игроков, безрадостно изучая свои карты.

Рэйф лишь рассмеялся, подвигая к себе деньги:

— Я передам ему ваши пожелания.

Наконец Рэйф закончил играть и примерно в полночь ушел из бара. Напоследок он выпил виски, но не захмелел, а просто почувствовал приятную легкость во всем теле.

Бренда продолжала играть. Пока есть те, кто горит желанием проиграть ей свои деньги, что ж, она будет счастлива оказать им эту любезность.

Она заметила, что господин по имени Джеймс Демерс ведет себя довольно странно. Весь вечер он много пил и глаз не спускал с Рэйфа, словно стерег его. Когда Рэйф ушел из салона, он ужасно разволновался и стал каждую минуту смотреть на часы. Взглянув на стрелки очередной раз, господин Демерс что-то сказал бармену и сам же расхохотался над своими словами, затем высоко поднял стакан с виски и радостно выпил. Бренда не слышала, что именно он сказал, потому, когда партия закончилась, она, извинившись перед партнерами, поднялась из-за стола и подошла к бармену. Они отошли в сторонку, чтобы никто не услышал их разговора.

— Что случилось, Бренда? — удивился тот: обычно Бренда не секретничала.

— Ничего особенного. Над чем это так смеялся Демерс?

— Да, ерунда какая-то. После того как я налил ему виски, он достал часы и заявил, что завтра в это же время у него появится богатый зятек. И выпил. А я все никак не могу взять в толк, что за чертовщину он нес?

— А имен он не называл?

— Нет. Он что-то мямлил, что его дочка влюбилась и что в скором времени они поженятся.

Вспомнив, как Рэйф танцевал сегодня с какой-то девушкой, Бренда нахмурилась. Интуиция подсказывала ей, что во всем этом есть нечто странное.

— Мне показалось, этот Демерс ужасно раз-
нервничался, когда господин Марченд ушел из
бара. А ты не заметил?

Бармен согласно закивал головой.

— Похоже, пришло время вернуть долг мистеру Рэйфу Марченду, — сказала Бренда. — Ведь
он тоже мне помог с Джонсом. Кажется, его ожидает очень неприятный сюрприз. Извинись за меня
перед страждущими проиграть мне денежки и
скажи, что я буду ждать их завтра.

— Думаю, они не обрадуются.

— Налей им за мой счет.

— Как скажешь.

Глава 6

На палубе не было ни души. Рэйф вошел в каюту, откинул покрывало с кровати и принялся раздеваться. Снял пиджак, медленно расстегнул пуговицы на рубашке. Только он успел стянуть ее с себя, как в дверь постучали. Должно быть, это Марк, решил Рэйф и, бросив рубашку, открыл дверь.

Никого, кроме Марка, Рэйф не ожидал увидеть. И уж никогда бы и подумать не мог, что у его дверей в этот час может оказаться Лотти Демерс. Но тем не менее это была она. Рэйф опешил.

— Лотти?

— Добрый вечер, Рэйф, — нежно проворковала Лотти.

— Извините, минуточку...

Он отступил в каюту, намереваясь надеть рубашку, но девица оказалась проворнее его. Не успел он добраться до стула, на котором лежала его одежда, как она прошмыгнула в каюту и захлопнула за собою дверь.

— Лотти! Что вы делаете? Вам нельзя здесь находиться! Уже слишком поздно.

— Мне очень нужно поговорить с вами, Рэйф. Это очень, очень важно, — задыхаясь твердила она.

— Вы выбрали не слишком подходящее время и место для разговора. Не подобает такой славной молодой особе посещать одинокого мужчину. Если ваш отец застанет нас вместе, он может подумать Бог весть что! Потом хлопот не оберешься!

— Но, Рэйф, прошу вас, — с каким-то отчаянием Лотти протянула к нему руки. — Мне очень надо поговорить с вами наедине. Пожалуйста... Всего несколько минут...

— Нет. Не сейчас. Я буду рад встретиться с вами завтра утром. Но не сегодня и не в моей каюте.

Лотти поняла, что так ничего не добьется и их прекрасный план вот-вот рухнет. Она должна затащить Рэйфа в постель, и это надо сделать именно сейчас! Прочь стыд и условности! Лотти начала расстегивать пуговицы на платье.

— Рэйф... Я должна рассказать тебе о своих чувствах... Я больше не могу...

— Лотти! Я хочу, чтобы вы немедленно ушли отсюда! — предостерегающе сказал Рэйф.

— Я знаю, это какое-то безумие... Но... Я люблю тебя! — выпалила Лотти.

— Сейчас же уходите! — не терпящим возражений тоном приказал Рэйф.

Всякий другой человек после таких слов смутился бы. Но только не Лотти. Она-то чувствовала, что счастье почти в руках и завтра утром она может стать женой обожаемого мужчины! Как только здесь появится папочка, все пойдет как надо!

— Рэйф... Я хочу тебя...

Рэйф попятился к двери. Он готов уже был просто удрать от сумасбродной девицы, как дверь внезапно распахнулась и в комнате появилась Бренда. Быстро оценив обстановку, она упала в его объятия, совершенно не обращая внимания на ошеломленное и настороженное выражение его лица.

— Слава Богу, ты ждал меня! — воскликнула она, обвивая руками его шею и притягивая его к себе. И торопливо шепнула: — Ну, подыграйте же мне!

— Бренда, я... — начал было Рэйф, которому страшно хотелось узнать, что она здесь делает.

Но времени на разговоры не было. Бренда впилась поцелуем ему в губы, чтобы заставить замолчать. Столько страсти и огня было в их объятиях, что Лотти не могла поверить своим глазам.

— Как вы можете? Вы предпочли ее?! — Она чуть не задохнулась от ужаса: мужчина ее мечты обнимает другую. — Рэйф, да это же просто смешно! Это же обычная потаскушка!

В этот драматический момент в комнату ворвался Джеймс Демерс, а следом за ним еще какой-то тип из бара. Любящий папаша рассчитывал застать свою дочь в объятиях Марченда, но вместо этого он обнаружил другую обнимающуюся парочку, а Лотти стояла в сторонке и заливалась слезами.

— Что здесь происходит? — рявкнул Джеймс.

Он и его спутник никак не могли прийти в себя от неожиданности.

Бренда оторвалась от Рэйфа и лукаво взглянула на него:

— О, мистер Демерс? Что вы здесь делаете?

— Именно об этом я хотел спросить вас! Моя дочь...

— Ваша дочь как раз собралась уходить, — громко и отчетливо произнес Рэйф. — И на вашем месте я бы внимательнее присматривал за ней. Молодая леди очень своевольна и может навлечь на свою голову кучу неприятностей.

— Но она в вашей комнате, а вы полураздеты!

— Женщина, которая нужна мне, в моих объятиях, — спокойно ответил Рэйф. — А Лотти вошла сюда без приглашения.

— Рэйф знал, что я должна появиться с минуты на минуту. Он совсем не хотел смущать невинную душу юной девушки. — Бренда говорила очень убедительно, вкладывая особый смысл в каждое слово, чтобы ни у кого не осталось сомнения в том, что здесь произошло. — Вы только подумайте, какой удар будет нанесен по репутации Лотти, если вдруг станет известно, что она была в комнате Рэйфа одна.

Джеймс побледнел.

— Но моя дочь скомпрометирована...

— Ваша дочь сделала глупость, заявившись сюда незваной. Рэйф ждал меня. Поймите, от ее доброго имени не останется даже следа, если хоть одно слово просочится наружу, — заключила Бренда.

— Как и от вашего.

Бренда пожала плечами, будто ее собственная репутация не имела значения:

— В жизни мне приходилось сталкиваться кое с чем похуже сплетен. Но вот Лотти...

Джеймс заскрежетал зубами. Такой замечательный план рухнул! Лотти все сделала правильно. Она вовремя пришла в каюту к Марченду, да и сам он действовал строго по намеченному плану. Но все сорвалось! Теперь нет никакой возможности заставить Марченда жениться на Лотти. Прежде Джеймсу даже в голову не приходило, что между Брендой и Рэйфом что-то есть, но теперь он своими глазами увидел ее в объятиях этого ловеласа.

— Пойдем отсюда, Лотти. Порядочной девушке здесь нечего делать!

Совершенно раздавленная, Лотти вышла из комнаты, опираясь на руку отца, следом за ними выкатился свидетель. Дверь за ними закрылась, и Рэйф с Брендой остались одни.

Бренда немедленно высвободилась из рук Рэйфа. Его поцелуи неожиданно взволновали ее. Ей слишком хорошо было в его объятиях, и это испугало ее.

— Все, довольно. Теперь мы в расчете. Вы помогли мне избавиться от Джонса, а я помогла вам выпутаться из ловушки, расставленной этой нахальной барышней. Теперь я только подожду пару минут, чтобы они ушли, а потом избавлю вас от своего присутствия.

Бренда на цыпочках подошла к двери и прислушалась.

— Подождите. Откуда вы все узнали?

— А я и не знала ни о чем — я лишь предположила. Демерс вел себя слишком странно в течение всего вечера, и особенно после того, как вы ушли. Похоже, они все это спланировали заранее. Скорее всего Лотти до смерти хотелось выйти за вас замуж, и, чтобы притащить вас к алтарю, они и задумали это представление.

— Но Демерс нас застал вместе! Откуда мне знать, что вы не являетесь частью их плана? Какая вам выгода от всего этого?

— Моя? — Она посмотрела на него оскорбленно. — Почему вы решили, что мне от вас что-то нужно?

— Каждой женщине что-то нужно, — цинично заявил Рэйф.

— Уж поверьте мне, господин Марченд, мне ничего, слышите, абсолютно ничего не нужно от вас. Между нами ничего не было. Даже если пойдут какие-нибудь слухи, ничего страшного, об этом скоро забудут. Не беспокойтесь, мистер Марченд. В отличие от Лотти я пришла сюда вовсе не для того, чтобы заставить вас жениться на мне. Вы мне ничего не должны.

И она удалилась, не сказав более ни слова.

Рэйф растерянно смотрел на закрывшуюся дверь. До чего же удивительная женщина Бренда! Непостижимая и необыкновенная! Пожертвовала своим добрым именем и появилась здесь, словно ангел возмездия. А он как отблагодарил ее? Оскорбил. Рэйф вспомнил ее лицо. Гордость и вызов сверкали в ее глазах, когда она заявила, что ничего не хочет от него.

Рэйф мерил шагами каюту, не в силах успокоиться. Потом остановился, внезапно осознав, что его сегодня чуть было не поймали. Устало провел рукой по волосам. Потом глубоко вздохнул. Если бы он был женат, ничего подобного, конечно, не случилось бы. Но связывать свою жизнь с женщиной он не хотел. Никогда. Лишь одна мысль заставляла его иногда задумываться о браке — желание иметь детей, сына или дочь. Тут он представил веселого малыша, такого же сообразительного и отважного, как Бренда. Не ребенок, а чудо, загляденье, предмет восхищения и обожания всех окружающих.

«Странные все же мысли приходят мне в голову», — опомнился Рэйф и помрачнел. Бренда не желает иметь с ним ничего общего. Она достаточно ясно дала это понять.

Рэйф растянулся на кровати. Интересно, как поведет себя Демерс после сегодняшнего вечера. Если он не полный дурак, то не станет трепать языком. Репутация Лотти будет погублена окончательно и бесповоротно, если хоть слово, хоть намек о происшедшем просочится наружу и станет достоянием публики. Но ведь никогда нельзя быть уверенным, что может прийти в голову другому человеку. Если он в ярости, оттого что его планы разрушили, он может попытаться отомстить Бренде. До сих пор, несмотря на невысказанные подозрения, репутация Бренды была незапятнанной — до сих пор! Теперь же, если Демерс захочет, может очень сильно осложнить ей жизнь.

Чем больше Рэйф думал об этом, тем большее беспокойство им овладевало. Бренда выручила его, спасла от женитьбы на Лотти Демерс и ничего не пожелала получить взамен. Даже сама мысль об этом вызвала у нее презрительное негодование. Значит, она единственный человек, которому, может быть, придется заплатить за его спасение.

«Она не должна пострадать, я обязан найти способ обеспечить ей полную безопасность», — решил Рэйф.

Глава 7

Бренда сдавала карты, когда увидела входящего в салон Рэйфа. Она кипела от негодования со вчерашнего вечера, с тех пор как ушла из его каюты. Да как он посмел заподозрить ее в нечестной игре! Как мог подумать, что она в сговоре с Джеймсом Демерсом?!

Бренда решила про себя, что сегодня за покерным столом он заплатит за то оскорбление, которое нанес вчера ночью: «Я проучу его, он получит по заслугам!»

Она старалась ничем не выдать своих чувств и мыслей, но все же Рэйф заметил, как сверкнули и сузились ее глаза при виде его. Этот вечер обещает быть весьма интересным, решил Рэйф. Он рвался в бой. Он думал о случившемся целый день и теперь точно знал, что делать дальше.

Как удачно, что господин, сидевший напротив Бренды, собрался закончить игру. Рэйф небрежным движением подвинул стул и присоединился к играющим.

— Добрый вечер, Бренда.

Она сумела выдавить из себя фальшивую улыбку.

— Мистер Марченд, приятно видеть вас снова среди нас, — выговорила она.

— И я очень рад, поверьте, — ответил Рэйф. Так оно, впрочем, и было. Он рассказал Марку о том, как Бренда спасла его из подстроенной ловушки, но ни словом не обмолвился о своем собственном плане действий. Придет время, и Марк все узнает. А сейчас Рэйф просто собирался сделать то, что должен сделать. — Как идет игра сегодня?

— Пока по нулям, — коротко ответила Бренда. Ей больше не хотелось шутить с этим человеком. Теперь она точно знала, что он из себя представляет — высокомерный, самовлюбленный индюк. Неприятный субъект! Фу, мерзкий тип! Она даже жалела, что помогла ему вчера ночью. Похоже, он и эта дочка Демерса вполне достойны друг друга.

Бренда ловко сдала карты, перебрасываясь веселыми замечаниями с другими игроками. Никто не заметил ее раздражения, и это ее порадовало. В конце концов, она здесь работает и поэтому не должна давать волю чувствам.

Игра началась. Настоящую опасность здесь представлял только Рэйф, справиться со всеми остальными не составит труда. Слева сидел Моррисон, простак, все написано у него на лице. Если на руках у него была пара дам, левый глаз начинал подергиваться. Справа — Уильямс, и Бренда всегда точно знала, когда он блефует, потому что он начинал нервно покашливать. Еще один игрок, Хаган, похитрее, разгадать его поведение труднее. Единственное, что она заметила, когда к нему приходили хорошие карты, —у него белели суставы на пальцах. А четвертым был Рэйф, серьезный, осторожный и сильный игрок. Никогда она не могла отгадать, какие у него карты, — ни по выражению лица, ни по манере поведения. Сегодня вечером он казался еще более непроницаемым и сдержанным, делал ставки уверенно и спокойно.

Бренда проиграла несколько партий. Ничего страшного, успокоила она себя. К проигрышу надо быть готовой и относиться спокойно. Это профессиональный риск, и Бренда всегда его учитывала. Она снова сдала. Карты пришли неплохие: три дамы, семерка и четверка. Рэйф прикупил одну карту и поднял ставку. Уильямс бросил карты. Моррисон тоже. Бренда снесла семерку и четверку и прикупила туза и тройку. Конечно, не самые сильные карты за сегодняшний вечер, но ничего, тройка — достаточно сильная комбинация.

Народ столпился у стола в ожидании. В воздухе повисло напряжение. Похоже, сейчас произойдет нечто необычное.

Рэйф опять поднял ставку. Хаган ответил. Рэйф кротко посмотрел на Бренду:

— Ваша очередь.

Бренде почудилось, что в его прямом, немигающем взгляде мелькнула тень волнения, но она не придала этому значения. Она делала ставки, не отставая от него ни на доллар. Выигрыш стоил этого риска.

В конце концов Хаган бросил карты, решив, что ему не выиграть.

— Ставлю пять тысяч, — спокойно, с легкой улыбкой объявил Рэйф, отсчитал и положил деньги на середину стола, пристально глядя на Бренду.

Зрители ахнули.

Дрожь пробежала по спине Бренды. Она смотрела на своих трех дам. Ее шансы совсем невелики, хуже того, они ничтожно малы, но в случае победы она сорвет такой куш! Хватит на много месяцев безбедной жизни. К тому же страшно не хочется проигрывать именно этому человеку. Нет, он не заставит ее сдаться. Раз решила не уступать ему ни доллара — так и будет. Бренда посмотрела на Рэйфа, но на его лице ничего невозможно прочитать. Она сделала глубокий вдох и решилась.

— Согласна, и давайте откроемся, — с неприязнью сказала она, уверенная в своем выигрыше.

— А деньги у вас есть? — спросил Рэйф.

— Если я проиграю, — она подчеркнула это «если», — то смогу их найти.

Рэйф улыбнулся. Все получилось именно так, как он рассчитал. Теперь она никуда не денется.

Джеймс Демерс стоял среди собравшихся вокруг стола, с интересом наблюдая за игрой.

— Кому как не вам, Марченд, знать, что эта дама сумеет достать денег? — невнятно пробормотал он и, спотыкаясь, побрел обратно к бару, продолжая бубнить себе под нос: — Марченд всегда сможет с ней договориться.

Рэйф смотрел прямо в глаза Бренды, не отрываясь, дерзко, с вызовом.

— Я верю, что вы оплатите свой долг, — сказал он тихим, спокойным голосом. — Давайте посмотрим, что там у вас есть.

Бренда кивнула и разложила карты на столе. Рэйф сидел молча, не нарушая напряженной тишины. Потом радостно улыбнулся:

— Стрит старше тройки.

И разложил свои: червовый стрит, старший — король.

Бренда сильно побледнела, но не проронила ни звука.

Гул одобрения пронесся по комнате. Наблюдавшие тоже делали ставки, кто на Бренду, кто на Рэйфа, и теперь расплачивались друг с другом.

— Похоже, вы выиграли, мистер Марченд, — невозмутимо проговорила Бренда, пытаясь не выдать охватившего ее ужаса.

— А вы еще сомневаетесь? — Рэйф быстро пересчитал деньги, чтобы точно знать, сколько она должна ему.

У Бренды засосало под ложечкой. Впервые она так сокрушительно проиграла. В душе она ругала себя: нельзя поддаваться эмоциям в игре. Ей отчаянно хотелось обыграть его, а теперь придется платить, дорого платить, за проявленную слабость.

— Вы должны мне пять тысяч долларов. Когда я смогу получить свои деньги? — поинтересовался Рэйф. Он совершенно намеренно торопил ее.

— Завтра, — глухо ответила она. — Я заплачу вам завтра.

Он кивнул, стараясь поймать и удержать ее взгляд.

— Извините, господа. — Бренда поднялась из-за стола.

Столпившиеся вокруг галдели, поздравляли ее с великолепной игрой. Бренда отшучивалась и старалась не показывать своего огорчения, понимая при этом, что попала в практически безвыходное положение. В каюте у нее шестьсот долларов, но это все, чем она располагает. Больше нет ни цента. И что теперь делать, она даже не представляла.

Та ночь оказалась самой длинной, самой кошмарной, самой тяжелой за всю ее жизнь. Бренда не спала, ходила по каюте и думала, думала, где раздобыть денег, чтобы вернуть долг Рэйфу Марченду. Ведь он не знает жалости. У него нет сердца. Он ждет платы. Так ничего не придумав, в полном отчаянии посреди ночи она вышла из своей каюты и направилась к капитану Роджерсу.

— Что случилось? — спросил Бен встревоженно.

— Сегодня я совершила непростительную, страшную ошибку, — призналась Бренда, вся дрожа от волнения. — Я играла в карты с Рэйфом Марчендом. Ставки были высокими, очень высокими. Мне надо было вовремя остановиться и выйти из игры. Но я думала, что смогу победить.

Ей не хотелось признаваться Бену, что она хотела выиграть именно у этого человека.

— Сколько тебе нужно? — Бен сочувственно посмотрел на Бренду.

За все время работы на его судне она ни разу не просила помощи, и теперь Бен рад был выручить ее из беды. Он видел, как Бренда и Рэйф схлестнулись за ужином, и понял, что мира между ними не будет. Он и сам подумал тогда, что этого субчика надо хорошенько проучить и что Бренда с этим отлично справится.

— Почти пять тысяч.

Бен открыл рот от удивления.

— Я мог бы наскрести тысячу, ну от силы полторы. Но это все, что у меня есть.

— Понятно, — тихо сказала Бренда, все ее надежды вмиг рухнули. — А у меня есть шесть сотен. Осталось шесть сотен. — Она подняла измученный взгляд на Бена.

— Может быть, он...

Она прервала его, догадавшись, что́ он собирается сказать.

— Даже не думай об этом. Рэйф Марченд не из тех людей, которые прощают долги.

Они долго вместе ломали голову над тем, что делать.

— Не надо было мне продолжать игру. Ведь я же видела, что он как-то странно ведет себя. Он действовал решительно и хладнокровно. Будь я внимательнее, сразу бы догадалась, что ему только

того и надо, ч   ить меня в пух и прах. И
ему это удалось.

— Тебе надо   с ним. Обязательно.
Может быть, он со   остепенные выплаты. Я могу одолжить   оольшую сумму, чтобы
ты снова встала на ноги. Ты заработаешь деньги и
расплатишься с ним.

— Ты слишком добр ко мне, Бен.

— Я всегда опасался, что с тобой может случиться нечто подобное, но не думал, что причиной
твоего несчастья станет Рэйф Марченд.

— Разве не от таких типов ты всегда предо-
стерегал меня?

Бен кивнул, лицо его было озабоченным и серьезным.

— Он безжалостный человек. Будь с ним ос-
торожна.

— Хорошо.

— Хочешь, я пойду с тобой?

Она покачала головой. И без того неприятно
унижаться перед Марчендом, а при свидетеле делать это вдвойне тяжело.

— Я схожу к нему утром. Может, он согласится на постепенные выплаты.

Она взялась за ручку двери, но Бен удержал ее:

— Не переживай, все будет в порядке. Возможно, он тяжелый человек, но ведь не чудовище!

— Надеюсь, ты окажешься прав.

— Вот, возьми мои деньги. — Бен заставил ее взять деньги, что-то около девятисот долларов. Даже если к ним добавить ее собственные шестьсот, все равно этого слишком мало. — Если он согласится подождать, я достану еще некоторую сумму, когда вернемся в Новый Орлеан.

— Спасибо тебе. — И Бренда, неловко улыбнувшись, ушла.

Бен тяжело опустился на кровать и обхватил голову руками. Такое может случиться только в кошмарном сне. Этого-то он и боялся. Именно потому пытался отговорить Бренду. Он слишком рано успокоился, решив, что напрасно волновался, все идет нормально. Как он ошибся! А теперь уже слишком поздно. Остается надеяться, что Марченд — порядочный человек. Но уверенности в этом у него не было.

Рано утром раздался стук в дверь. Рэйф ждал этого. Если история Бренды про больную мать не выдумка, у нее нет пяти тысяч долларов и ей придется выполнить его условия. Может быть, вчера вечером она не слышала бормотания Демерса, но другие на его странные слова, несомненно, обратили внимание. Предстоящий разговор,

Рэйф это понимал, будет не слишком приятным, но это его почти не волновало. Он точно знал, что именно хочет получить от Бренды вместо пяти тысяч долларов, и собирался добиться своего во что бы то ни стало.

Рэйф открыл дверь. На пороге стояла Бренда. От макушки и до кончиков туфелек истинная леди.

— Можно войти?

Рэйф широко распахнул дверь, пропуская девушку. Взяв себя в руки, Бренда шагнула через порог.

— Я ждал вас. Вы принесли деньги? — Рэйф не собирался тратить время на ненужные любезности.

Бренда открыла сумочку, которую держала в руках, и достала из нее деньги. Поначалу Рэйф остолбенел. Он был больше чем уверен, что поднял ставки слишком высоко и разорил ее. А теперь...

— Вот, — Бренда протянула пачку денег, — здесь полторы тысячи долларов. Через несколько месяцев я верну вам остальное.

Рэйф перевел дух. Он выиграл! Какое пьянящее чувство — чувство победы. Она согласится на его условия, нравится ей это или нет. При мысли об этом он улыбнулся. Но это была не добрая улыбка, это была улыбка победителя, наслаждающегося триумфом.

— Боюсь огорчить вас, но так не пойдет. Когда вы делали ставку, насколько мне помнится, вы уверяли, что сможете достать всю сумму.

— Я достану. Дайте мне всего несколько месяцев, чтобы заработать остальное, — с усилием выговорила Бренда. Она так надеялась, что он согласится сразу и ей не придется торговаться. Она и без лишних напоминаний вернет долг, ей нужно только время.

— Я не банк и кредитов не даю. По-моему, вы сами однажды сказали Джексону: «Не умеете проигрывать — нечего и играть!» — Лицо Рэйфа было мрачно.

— Я понимаю.

— Значит, вы сейчас не в состоянии заплатить всю сумму? — Он хотел, чтобы она вслух призналась в своей несостоятельности.

— Да, у меня нет таких денег. Только вот это.

Рэйф молча смотрел на нее. Даже доведенная до отчаяния, оскорбленная, она была прекрасна как никогда.

— В таком случае у меня есть предложение.

Бренда судорожно сглотнула. Страх охватил ее. Бен старался оградить ее от подобных людей, безжалостных, хищных и жестоких, добивающихся своей цели всегда, даже если для этого надо идти по трупам. Никакого сомнения, Рэйф собирается предложить ей стать его любовницей. Это ужасно! Несмотря на кажущуюся легкомысленность и сомнительный в глазах «приличных» дам образ жизни, Бренда была невинна. Она никогда даже не влюблялась.

— И что же это за предложение? — Она вскинула подбородок и в упор посмотрела на него. Как скрыть этот позор от мамы, точила ее мысль. — Слушаю вас.

— С тех пор как я достиг совершеннолетия, женщины не давали мне прохода, пытаясь сделать из меня мужа. Вы сами были тому свидетельницей прошлой ночью.

— Какое это имеет отношение ко мне? — в замешательстве спросила Бренда.

— Вы должны мне приличную сумму, а денег у вас нет. Потому я хочу предложить вам...

— Что?

— Выходите за меня замуж.

Глава 8

Бренде показалось, что она оглохла и потому не расслышала его слов.

— Я хочу, чтобы вы вышли за меня замуж.

— И все? И тогда мы будем в расчете?

— Нет, дело не в этом. — В его словах прозвучало насмешливое презрение.

У Бренды похолодели руки. Она ждала самого худшего, хотя ничего более мерзкого, чем нежеланный брак с нелюбимым и нелюбящим мужчиной, представить себе не могла.

— А в чем?

— Я хочу иметь ребенка.

— Чего вы хотите? — Теперь она действительно была потрясена. — Я не совсем поняла.

— Это же очень просто, — сухо продолжал Рэйф. — Ни вы, ни я не склонны связывать себя узами брака. Наверное, это нежелание — единственное, что нас с вами роднит. Но, независимо от того, какие чувства я питаю к сей почитаемой всеми традиции, я всегда хотел иметь детей. Итак, я предлагаю вам следующее. Мы женимся, супружеское ложе я буду делить с вами до тех пор, пока вы не забеременеете. Вы выносите и родите мне ребенка, а потом можете считать себя свободной. Мы будем в расчете. Я буду считать ваш долг полностью выплаченным.

— Сумасшедший... — Бренда с недоверием смотрела на него.

— Вовсе нет, моя дорогая Бренда, я просто практичен. Надо вам сказать, я отношусь к этой ситуации как к обычной сделке. Мне больше не придется беспокоиться о том, что меня заставят жениться, и у меня будет ребенок. Вы расплатитесь со мной полностью, а когда мы расстанемся, я дам вам приличное содержание. Ведь матери моего ребенка не пристало зарабатывать себе на жизнь игрой в карты со скучающими путешественниками. Ну, что скажете?

— Что за ерунда? — Бренда никак не могла взять в толк, чего же ему от нее надо. — Вы хотите иметь ребенка, а его мать... Я ничего не понимаю.

— А вам ничего и не нужно понимать. Лишь принять мои условия: как только ребенок родится, он станет только моим. Вы откажетесь от всяких прав на него и можете идти куда захотите.

В комнате воцарилось молчание. Мысли в голове у Бренды перепутались. Как же можно так хладнокровно делать подобное предложение?!

— Ну, что скажете? — настойчиво спросил Рэйф.

— Неужели вы говорите серьезно? Может быть, все-таки лучше вы возьмете у меня сейчас те деньги, которые есть, и позволите расплатиться окончательно через некоторое время?

— Вы слышали мои условия. Соглашайтесь или...

— Или что? — Бренда отчаянно искала выход. Он предлагает ей невозможное, невероятное, недопустимое! Связь матери с ребенком так сильна, с этим нельзя шутить! И если вдруг, ну допустим, вдруг так случится и она действительно забеременеет и родит ребенка, то никогда не сможет бросить его. Но что ей еще остается делать? Только согласиться! Это ловушка, и из нее невозможно вырваться.

— Неужели вы не догадываетесь, мадам? Говорят же, не можешь заплатить — терпи последствия.

— Вы не смеете так... — Ее голос сорвался до яростного шепота.

— Смею, и не только это, Бренда. Но вы слышали мои условия. Каким будет ответ?

— Мне нужно время... — в полном отчаянии взмолилась она.

— Нет, я хочу услышать ваш ответ сейчас, — раздраженно ответил Рэйф. Господи, кто бы мог подумать? Из всех женщин в мире он выбрал именно эту. И вот теперь ее приходится уговаривать, заставлять, вынуждать выходить за него замуж. — Так вы согласны стать моей женой или нет? Если да, то все приготовления к свадьбе мы сделаем, пока будем в Сент-Луисе. Ну а если нет, тогда...

Полный презрения и ледяной ярости взгляд остановил Рэйфа. Выйти замуж, родить ребенка, а потом исчезнуть, уйти! Отвратительная идея, рожденная нездоровым воображением. Что же произошло в жизни этого человека? Почему он решил, что женщина может с легкостью бросить свое дитя, свою плоть и кровь? У него, наверное, вообще нет сердца.

— Вы говорите серьезно?

— Я никогда в жизни не был более серьезным. — В его голосе слышался металл. — Так вы согласны заключить сделку или нет?

Бренда была сражена:

— Я согласна...

— Мудрое решение, моя дорогая невеста. — На его бесстрастном лице не мелькнуло даже тени улыбки.

Бренда вздернула подбородок.

— Я еще не договорила, — оборвала она его негромким, но полным ярости голосом. — Я согласна, но только в том случае, если вы примете мои условия.

Рэйф насмешливо поднял одну бровь:

— Мне кажется, что вы не в том положении, чтобы диктовать условия.

Он загнал ее в ловушку, но не смеет унижать. Нет, она не сдастся. Он не станет победителем.

— Я согласна принять ваше предложение при одном условии...

— А именно?

— Вы должны позволить моей матери жить вместе с нами, пока будет действовать наш договор.

— О Господи, опять ваша мама! И как это я забыл? — безо всякого выражения, совершенно равнодушно проговорил Рэйф. — Делайте как вам будет угодно, лишь бы я никогда не видел и не слышал ее.

— В вашем доме для нее найдется комната?

— Да.

— Тогда я согласна на ваши условия.

Лишь теперь он позволил себе улыбнуться.

— Хорошо. Надеюсь, с этой минуты вы будете вести себя как и подобает истинной леди.

— Я всегда веду себя достойно, — возмутилась Бренда.

— Кстати, о приличиях. Теперь вы не должны посещать игорный салон. Порядочной девушке это не пристало.

— Вы мерзавец! — Ярость, клокотавшая в душе, вырвалась наружу. Всю жизнь с ней обращались как с существом низшего сорта. И какое дело было всем этим господам до того, что она из кожи вон лезла, чтобы сохранить свою чистоту и жить по совести. Куда проще было продаться в какой-нибудь бордель или пойти прислуживать в баре! И все равно ей постоянно напоминали, что ее занятие недостойно порядочной женщины. Она занесла руку, чтобы ударить его.

Рэйф был настороже. Он схватил Бренду за запястье и рванул к себе:

— Моя дорогая, не стоит таким экстравагантным способом отмечать наше обручение.

— Вы!.. — Бренда уткнулась носом в его широкую мощную грудь. Еще никогда в жизни она не чувствовала себя такой раздавленной и беспомощной. И ей это не нравилось. Ей это совсем не нравилось.

— Ах, ах, ах, — ухмыльнулся Рэйф, а потом добавил довольно сурово: — Первый урок для вас — учитесь держать себя в руках. Вам следует быть со мной полюбезнее.

— Это почему?

— Потому что я могу превратить вашу жизнь в сущий ад, если только захочу.

— Вы уже это сделали.

Рэйф смотрел на нее сверху вниз, глаза в глаза, и видел возмущение, негодование, обиду и ненависть. Он даже почувствовал жалость, но быстро отогнал прочь предательские мысли. Ему вовсе не нужна ни

ее привязанность, ни ее преданность. Любая эмоцио-
нальная зависимость только усложнит положение дел.
Все, что ему нужно от этой женщины, — это ребенок.
А потом пусть идет куда хочет.

Внезапно Рэйф вспомнил тот поцелуй, что она
подарила ему прошлой ночью, и в нем поднялась
горячая волна желания. А стоит ли ждать, почему
бы прямо сейчас не устроить маленький праздник,
мелькнула у него мысль. Он наклонился, чтобы
вновь ощутить сладость ее губ, но Бренда решительно высвободилась из его объятий.

— Если мне предстоит стать леди, я должна
быть ею всегда, а не только на публике. Мне кажется, порядочная девушка, настоящая южанка,
никогда не придет в комнату к своему жениху одна,
без компаньонки. Не так ли?

Рэйф даже смешался от такого отпора, а потом
против воли рассмеялся. Вот он, ее характер, пора-
зивший его с самого начала.

— Вы абсолютно правы, любовь моя, — слад-
чайшим голосом промолвил он и отвесил шутливый
поклон. — Да, вот еще что. Я очень хочу, чтобы
вы хорошенько запомнили одну вещь.

— Какую? — Бренда подозрительно посмотрела на Рэйфа.

— Я хочу, чтобы все вокруг думали, будто мы
с вами без ума друг от друга. Зарубите себе это на
носу. И еще — нам пора перейти на ты, дорогая.

Она метнула на него испепеляющий взгляд:

— Я устала от всех этих волнующих событий, и мне необходимо отдохнуть. Не каждый день женщины получают столь романтические предложения.

Эта язвительная тирада не произвела на Рэйфа никакого впечатления. Он с усмешкой взглянул на нее:

— Позволь мне проводить тебя до каюты, радость моя.

— В этом нет необходимости. — Бренду задевали его бесконечные насмешки, а самой ей было вовсе не смешно.

— Но я настаиваю, дорогая.

Бренда поняла, что возражать бессмысленно.

Рэйф распахнул дверь каюты, и рука об руку они вышли на палубу.

— Ты поужинаешь сегодня со мной? — Это было не предложение, а приказ.

— Конечно! — ответила Бренда. На языке у нее так и вертелся вопрос, а нельзя ли как-нибудь избежать этого мероприятия, но ответ был известен заранее. Она продала свою душу дьяволу, и этим дьяволом был Рэйф Марченд. Она снова вспомнила условия чудовищной сделки. Надо любым способом раздобыть денег и выплатить ему долг!

До каюты Бренды они дошли молча.

— До вечера, — поклонился Рэйф на прощание.

— До вечера.

Совершенно опустошенная и обессиленная. Бренда захлопнула дверь каюты, повернула ключ в замке и лишь потом поняла, как глупо было запирать дверь перед носом Рэйфа. Теперь его невозможно вычеркнуть из жизни, он стал хозяином, завладел ее душой и телом.

Брендой овладела слабость. Она легла на кровать не раздеваясь и погрузилась в тяжелый, беспокойный сон без сновидений. Проснувшись днем, она не почувствовала себя отдохнувшей.

На палубе Рэйф встретил Марка.

— Ну как, Бренда отдала тебе деньги?

— Да. Мы поговорили с ней сегодня утром и все уладили.

— Странно, не думал, что она сможет найти такую большую сумму. Судя по ее рассказам, у нее не должно быть таких денег.

— А у нее их и нет.

— Значит, ты простил ей долг? — удивился Марк.

— Не совсем. Мы заключили соглашение.

— Интересно. И что же это за соглашение? — Марк внимательно смотрел на друга.

— Мы с Брендой решили пожениться.

— Что? Что вы решили? — Марк не верил своим ушам. Чего-чего, а такой новости он никак не ожидал услышать. Он смотрел на Рэйфа, словно видел его в первый раз в своей жизни. — Вы собрались пожениться?! Но почему?

У Рэйфа язык не повернулся рассказать Марку правду, и он отделался общими фразами:

— Достаточно того, что она красивая женщина. Я предложил. Она согласилась. Мы поженимся в Сент-Луисе.

Марк недоверчиво покачал головой.

— Вы поженитесь?.. — повторил он, с подозрением глядя на Рэйфа, потом внезапно просветлел лицом и рассмеялся: — Ты внял моему совету! Единственный раз в жизни ты меня послушался! Поздравляю, Рэйф! Лучшего выбора ты не мог бы сделать. Уверен, вы оба будете счастливы. — Он похлопал Рэйфа по спине. — Пойдем-ка выпьем по этому поводу.

— Прошу тебя, пока никому об этом не рассказывай. Ни слова. Мы с Брендой еще должны обсудить некоторые детали.

— Достаточно того, что я это знаю. Ну, пойдем же, я угощаю!

В игорном салоне было пусто. Они устроились за столиком в глубине зала, чтобы спокойно, без свидетелей поговорить.

— Ты хорошо все обдумал?

— Вполне. После истории с семейкой Демерсов я понял, что надо срочно принимать меры.

Самый верный путь — жениться, как ты мне и советовал, и гораздо лучше сделать этот шаг самостоятельно, чем попасться в чью-то ловушку.

— Н-да, тебе повезло. Если бы не Бренда...

— Именно так.

— И ты сделал предложение.

— Да.

— А она согласилась без всяких колебаний?

— По правде говоря, она поставила кое-какие условия.

— Например? — заинтересовался Марк.

— Ее мать.

— А что ее мать?

— Бренда хочет, чтобы ее мать жила с нами.

— А ты? — удивленно спросил Марк: после трагедии, пережитой в детстве, Рэйф даже к слову «мать» относился с подозрением.

— Я согласился.

— Ну ты даешь! Вот удивил так удивил! Я, грешным делом, и не думал, что ты вообще когда-нибудь женишься. Не говоря уж о том, что согласишься жить вместе с тещей.

Лицо Рэйфа стало жестким, взгляд тяжелым.

— Я сказал Бренде, что буду рад, если мое общение с ее матерью сведется к минимуму. В Белрайве достаточно комнат, и я не хочу, чтобы у меня под ногами путалась старуха.

— Бренда знает про Белрайв?

— Нет.

— Значит, она ничего о тебе не знает, кроме того, что скоро станет твоей женой?

Рэйф усмехнулся:

— Думаю, я настолько неотразим, что все остальное ее мало беспокоит.

— Это верно, — протянул Марк. — И что ты теперь собираешься делать? А она будет продолжать играть, пока мы не доберемся до Сент-Луиса?

— Нет. Она больше не станет этим заниматься.

— Это известие не слишком обрадует пассажиров нашего парохода, и сегодня вечером в баре будет очень много грустных посетителей.

— Меня это не волнует. Я не желаю, чтобы моя невеста играла в карты в мужском салоне.

— Но ведь она профессиональный игрок! — несколько раздраженно сказал Марк.

— Верно. Была им, — с нажимом проговорил Рэйф. — Ты ведь сам сказал, помнишь, в самый первый вечер, что она может блестяще сыграть роль светской дамы. Теперь ей выпал шанс. Я хочу сделать из нее настоящую леди, хозяйку Белрайва. Мы представим ее как мою жену, и никто не узнает в ней мисс Бренду со «Славы».

— Допустим. Если ты хочешь, чтобы ее приняли без лишних вопросов, то должен быть уверен, что она не растеряется в любой ситуации.

— Понятно. Какие будут предложения? — Рэйф не загадывал так далеко. Он просто радовался, что заставил Бренду согласиться на его предложение. Где-нибудь через год, если все пойдет нормально, у него родится сын или дочь, и он снова будет свободен. Отличная сделка!

— Ей нужен человек, который сможет научить ее всем премудростям этикета.

— А чем мы с тобой плохи? — удивился Рэйф.

Марк криво улыбнулся.

— Да что мы с тобой знаем про эти женские штучки? Как принимать гостей. Или как вести хозяйство. Ей нужна наставница, например, такая, какие обучают молоденьких барышень в старших классах школы.

— Согласен. У нее есть примерно две недели, чтобы научиться всему этому.

Марк неодобрительно сдвинул брови.

— Пустить пыль в глаза на вечеринке — это одно, а жить абсолютно новой жизнью — совсем другое. Знаешь, Дженнет ходила в самую лучшую школу Сент-Луиса. Может, там мы подыщем кого-нибудь для Бренды.

— Ладно, заглянем в школу, как прибудем на место, — согласился Рэйф. Он только теперь начинал понимать, насколько сложной оказалась поставленная задача.

— И вот еще что...

— Ну? — раздраженно отозвался Рэйф.

— Бренде обязательно нужна компаньонка, пока вы не поженились.

— Ты говоришь так, словно речь идет о Мэрайе.

Марк рассмеялся:

— Поверь мне, если бы мы сейчас обсуждали свадьбу Мэрайи, я не подпустил бы тебя к ней ближе чем на десять миль без компаньонки.

— То есть ты мне не доверяешь?

— Ни один здравомыслящий отец не доверял бы тебе. Значит так, я назначаю себя защитником и покровителем Бренды. Если ты хочешь, чтобы она стала леди, ты должен обращаться с ней как с леди.

— Если ты настаиваешь, чтобы я играл роль джентльмена, я покоряюсь.

— Я горжусь тобой! Знаю, это будет для тебя очень нелегко, — засмеялся Марк.

— Буду стараться.

Глава 9

В дверь постучали.

— Как дела? Все в порядке?

На пороге появился Бен. С того времени как Бренда ушла, вся эта история не выходила у него из головы, и теперь, глядя на нее сверху вниз, он не мог понять по ее лицу, чем закончился разговор с Рэйфом.

— Все нормально, — ответила Бренда.

Всего на какое-то мгновение она задумалась, как вести себя с Беном дальше: рассказать ему всю правду или только часть ее.

— Что-то не верится.

— Входи, Бен.

Капитан вошел в каюту и сел возле небольшого столика.

— Ну что, согласился он дать тебе отсрочку?

— Не совсем.

— Что значит не совсем? Не понимаю.

— Просто мы заключили с ним своеобразное соглашение.

Бен вопросительно посмотрел на нее, и она продолжила:

— Я собиралась сказать тебе... Рэйф и я... — Бренда перевела дыхание. — Рэйф и я решили пожениться, как только доберемся до Сент-Луиса.

— Что? — возмущенно воскликнул капитан. — Он решил купить тебя! И ты согласилась! Мы расплатимся с ним, ты не должна...

— Ну не сердись, остынь... Я приняла его условия. — Бренда упрямо сжала губы. — Я так решила.

— Но почему, Бренда? Ты никогда ничего о нем мне не говорила и вдруг собралась замуж! Ты что, влюбилась в него, что ли?

Бренда пристально посмотрела на Бена.

— Не знаю, Бен, ничего не знаю. Кроме одной вещи: если я выйду за него замуж, мой долг будет погашен.

— Он вынудил тебя.

— У меня не было выбора. Это долг чести.

— Но ты ему должна деньги, а не свою жизнь!

— Что ты, это вовсе не жертва с моей стороны.

— Всякое может быть. Мы о нем ничего не знаем. Что он за человек? Что у него на уме? — Бен встревожился не на шутку.

— Я видела, как он обращается с детьми Марка Лефевра. Человек, который любит детей, не может быть плохим.

— Почему ты так в этом уверена? — Бен не хотел думать, что Бренде пришлось продать себя.

— Потому что он согласился, чтобы мама жила вместе с нами.

— Неужели? — Это известие озадачило Бена. Но все равно слишком уж быстро все произошло. Его это не устраивало.

— Да, разрешил. И вообще все могло быть гораздо хуже. Ты же понимаешь. Он мог заставить меня стать его любовницей! Да что угодно!

— Пусть бы только посмел! — сквозь зубы процедил Бен, волна гнева поднялась в нем при одной только мысли о подобном требовании.

Бренда обняла Бена:

— Ты мой единственный друг.

Это была правда. Кроме матери, которая сейчас слишком далеко, и Бена, во всем мире у нее не было близких людей. Но даже Бену она не могла рассказать всю правду. Правду о чудовищном требовании Марченда: родить ребенка, а потом исчезнуть из его жизни. О таком даже думать страшно — не то что говорить.

— Меня очень беспокоит все это, Бренда. — Лицо Бена было серьезным и озабоченным. —

Если ты сама желаешь этого брака, я отнесусь к твоему решению с уважением, хотя лично мне оно не по душе. Я очень сомпеваюсь в правильности твоего решения. И еще — если Марченд будет плохо обращаться с тобой, ты только скажи. Я помогу.

— Спасибо. Ты даже представить себе не можешь, как много для меня значит твоя дружба.

— Так ты решила окончательно?

Бренда опустила глаза. Долго висело в комнате томительное молчание, наконец она с усилием улыбнулась и взглянула на Бена:

— Да.

Бен ласково погладил ее по щеке и вышел.

Пусть она считает, что он вполне удовлетворен ее объяснениями и больше не беспокоится, а он еще поговорит по-мужски с мистером Марчендом. Конечно, в данный момент тот — пассажир на его корабле, то есть некоторым образом его гость, но все же ему придется выслушать не слишком приятные слова от капитана Роджерса.

Рэйф только что распрощался с Марком и направлялся к себе в каюту, когда столкнулся лицом к лицу с капитаном Роджерсом.

— Мистер Марченд, я хотел бы поговорить с вами, — проговорил Бен с совершенно непроницаемым выражением лица. В душе его бушевала буря, но внешне он оставался абсолютно спокойным. Пусть Марченд знает, думал он, если посмеет обижать Бренду, ему придется иметь дело с капитаном Роджерсом.

— Капитан, — казалось, Рэйф не удивлен такой настойчивостью, — хотите, пройдем ко мне в каюту или поговорим прямо здесь, на палубе?

— Лучше у вас. Разговор личный.

Рэйф кивнул и пошел вперед. Они не проронили ни слова, пока не очутились в каюте Марченда.

Двое мужчин стояли друг перед другом, словно два самца перед смертельной схваткой.

— Бренда сказала мне, что согласилась стать вашей женой, — Бен умолк, ожидая ответа.

Рэйф превосходно владел собой. Ни один мускул не дрогнул на его лице. В голове мелькнуло: интересно, что же именно она рассказала капитану? Похоже, о главном условии она не сказала. Это хорошо!

— Да, Бренда приняла мое предложение. Мы поженимся в Сент-Луисе.

— Не могу сказать, что такая... поспешность радует меня, — с едва различимой, но несомненной угрозой произнес Бен.

— Но Бренда так решила.

— Да, она мне сказала то же самое. И если Бренда действительно этого хочет, то тут не о чем больше говорить. Но я никак не пойму, зачем вам это нужно?

Бен знал, что Рэйф Марченд — состоятельный человек, а Бренда — всего лишь профессиональный игрок.

— Но вы же ее видели! — с легкой улыбкой ответил Рэйф. — Она очень красивая женщина. А кроме того, умница и чертовски хорошо играет в покер!

— Кроме вчерашнего вечера, — горько заметил Бен.

— Да... кроме вчерашнего вечера.

— Послушайте, Марченд. Бренда — чудесная девушка. Она заслуживает гораздо лучшей участи, чем выпала на ее долю. Я всегда заботился о ней и никому не позволю обижать ее.

Рэйф услышал неприкрытый вызов в словах капитана и напрягся:

— Вам не стоит беспокоиться. Она станет моей женой, и с ней будут обращаться с должным почтением.

Бен изучающе посмотрел на него, затем кивнул:

— Конечно, ваш брак — не мое дело, однако если я почувствую неладное... он вполне может стать и моим делом.

— Бренда находится под моей опекой и защитой, и ей ничего не грозит. Никто не причинит ей вреда.

«Интересненькое дело получается, — думал Рэйф, — оказывается, у моей дорогой невестушки гораздо больше защитников, чем она думала. Сначала Марк читал мне лекции о морали, теперь капитан Роджерс. Что за ерунда! С чего вдруг эти двое так пекутся о ней? Надо же, придумали учить меня, как обращаться с ней!»

— Мы с ней поженимся, и вам не надо будет больше тревожиться о ее судьбе. Я владею плантацией в Белрайве, кроме того, вложил деньги в кое-какие промышленные предприятия. Так что она станет обеспеченной женщиной. До свадьбы я хочу пригласить для нее компаньонку, чтобы никоим образом не повредить ее репутации.

— Ценю вашу заботу. Ей было непросто отстаивать свое достоинство на этом пароходе, и мне совсем не хочется, чтобы сейчас поползли грязные слухи.

— Кстати, мистер Роджерс, Бренда, должно быть, уже сказала вам, что больше не сможет играть.

— До Сент-Луиса осталось двое суток, так что, думаю, пассажиры переживут эту потерю.

— Прекрасно. Значит, мы друг друга поняли.

— Да. Желаю вам счастья. Бренда — замечательная девушка, — снова повторил капитан, — и надеюсь, у вас все сложится удачно.

Бен ушел от Рэйфа, так и не поняв толком, как относиться ко всему происшедшему. Но, если Бренда всем довольна, размышлял он, ему остается только радоваться ее счастью и надеяться на лучшее. Кажется, Марченд честный и надежный человек. Пусть он станет ей хорошим мужем.

К ужину с Рэйфом Бренда одевалась особенно тщательно. Она решила доказать ему, что ничем не хуже избалованных дочерей богатых южан, так же хорошо воспитана и изысканна.

Сидя перед зеркалом у маленького туалетного столика, она задумалась. Что ждет ее впереди, какая жизнь?

Ей очень нравился Рэйф Марченд. С того самого момента, когда она впервые увидела его на пристани. Но тогда даже невозможно было представить, что судьба сведет их вместе. А теперь...

Что она знает об этом человеке? Совсем немногое: он любит детей, способен делать огромные ставки в карточной игре и умеет загонять людей в угол, если ему это необходимо. Вот, пожалуй, и все. Кто его родители? Чем он занимается? Судя по всему, он далеко не бедный человек. Бренда даже смутно не могла представить, что будет дальше, и эта неизвестность пугала ее.

Бренда внимательно посмотрела на собственное отражение в маленьком зеркале и постаралась придать лицу спокойное, несколько равнодушное выражение. Потом снова вспомнила о его требовании родить ребенка и убираться на все четыре стороны, и ее охватил гнев.

От стука в дверь Бренда вздрогнула. Поднялась со стула, немного нервным движением поправила прическу и пошла открывать. У самого порога она остановилась, собралась с духом и широко распахнула дверь.

— Добрый вечер, Рэйф.

Сегодня он показался ей необыкновенно, ошеломляюще красивым.

— Добрый вечер, Бренда. Ты уже готова? — Рэйф окинул ее восхищенным взглядом. Она выглядела обворожительно.

Бренда взяла под руку своего жениха, и они направились к ресторану.

Рэйф ощутил нежное прикосновение ее руки, пьянящий аромат духов, чувственный и манящий, и поймал себя на мысли, что снова хочет ощутить сладковатый вкус упругих и требовательных губ. Но тут же остановил себя. Она совершенно правильно напомнила сегодня утром: если он желает, чтобы она стала настоящей благородной дамой, то должен обращаться с ней соответствующим образом.

— Сегодня днем я разговаривал с Беном, — начал Рэйф. — Похоже, он очень беспокоится о тебе, но я постарался развеять все его опасения.

От Бена вполне можно было ожидать подобного.

— Я пыталась убедить его, что наш брак — это именно то, что мне хочется больше всего на свете, — громко сказала Бренда и вспыхнула. — Наверное, он не слишком поверил моим словам, раз решил лично поговорить с тобой.

— Он просто хотел, чтобы я знал, как он переживает за тебя. Мне кажется, я сумел успокоить его.

— Хорошо, — отозвалась Бренда. Ей не хотелось, чтобы у Бена оставались даже малейшие сомнения. Достаточно тех, что одолевают ее саму.

Они вошли в ресторан. Их проводили к отдельно стоящему в глубине зала столику, и, когда они остались вдвоем, Бренда обратилась к Рэйфу:

— Рэйф...

Он посмотрел на нее, ожидая продолжения.

— Расскажи мне о себе. Мы едва знакомы, а ведь через несколько дней собираемся пожениться. Расскажи о своей семье.

— Мои родители умерли, братьев или сестер у меня нет. Марк — самый близкий человек, можно сказать, он и его дети — это моя семья.

— Должно быть, в детстве ты чувствовал себя очень одиноким, — заметила Бренда. Она старалась понять человека, который вот-вот станет ее мужем.

Рэйф безразлично пожал плечами:

— Нет, я этого не замечал. Всегда была куча дел. Когда жил далеко отсюда, много учился. Да и сейчас нет свободной минуты. Управление Белрайвом требует много времени и сил.

— Белрайвом? — быстро переспросила Бренда, ее сердце замерло при упоминании знакомого с детства названия.

— Я владелец плантации и имения Белрайв. Это недалеко от Натчеза. Ты, наверное, слышала.

— Конечно.

Бренда не верила своим ушам. Невероятно! Ее детская мечта скоро сбудется, но теперь мечта обернулась кошмарным сном.

— Дом построил мой отец, а после его смерти я его перестроил. Дом просторный, — продолжал Рэйф, — в нем больше двадцати комнат. Отец специально сделал его таким, чтобы под одной крышей могла жить большая дружная семья. — Рэйф умолк, воспоминания о счастливых днях всколыхнулись в душе, но он быстро прогнал их прочь. — Денег у меня достаточно. Ты ни в чем не будешь нуждаться.

Бренда не думала о деньгах. Она скоро станет хозяйкой чудесного дома из ее детских фантазий, прекрасной дамой на балу. Их брак — всего лишь фарс, одернула себя Бренда. Между ней и ее будущим мужем нет ничего похожего на любовь. Она нужна ему только для того, чтобы выносить и родить ребенка, не больше. И пока не выполнены все условия их соглашения, она действительно не будет ни в чем нуждаться. От этой жестокой правды не спрятаться и не скрыться. Потому так и болит сердце. И сколько ни притворяйся и ни разыгрывай из себя счастливую невесту, сколько ни мечтай о прекрасном будущем, легче не станет.

— Мне хочется увидеть твой дом.

— Наш дом, — поправил Рэйф.

— Да... наш, — неуверенным, каким-то чужим голосом повторила Бренда. Слова казались ей ненастоящими. Ведь она будет лишь временным жильцом в Белрайве, именно жильцом, даже не гостем.

— Кроме плантации, у меня есть еще компания, занимающаяся грузовыми перевозками. Когда-то, довольно давно, я решил, что не следует слишком полагаться на милости природы и заниматься только сельским хозяйством, и сейчас вкладываю деньги в различные предприятия, а перевозки — всего лишь одно из направлений.

Это были рассуждения сильного, уверенного в себе, чрезвычайно практичного человека.

— Теперь ты, Бренда, расскажи мне о себе, — сказал Рэйф.

— Мне в общем-то и рассказывать не о чем. Отец мой умер, когда я была совсем маленькой. Поэтому мама всю жизнь тянула меня одна, она работала швеей. А год назад совсем разболелась, и настал мой черед зарабатывать на жизнь для нас двоих.

— И тогда ты пришла к Бену?

— Нет, не сразу. Сначала я пыталась заняться шитьем, как и мать. Но не достигла особых успехов. Потом подумала, что можно наняться в услужение в богатый дом, но много денег на этом не заработаешь, на еду не хватит, не говоря уже о плате за комнату. Положение становилось просто безвыходным, и тогда-то я вспомнила все премудрости карточной игры, которым меня учил старый Сайлэс. Он всегда говорил: чтобы добиться успеха, надо много работать. Вот я и принялась повышать свое мастерство. А когда в один прекрасный день решила, что достигла вполне приличного уровня, обратилась к Бену.

Рэйф внимательно слушал ее рассказ. Теперь у него не осталось никаких сомнений в ее искренности.

— Почему ты не вышла замуж?

— Честно говоря, мне эта мысль даже в голову не приходила. Я всегда была так занята, мне нужно было заботиться о больной матери. А когда начала ходить в рейсы вместе с Беном, мы с ним решили: лучший способ общения с мужчинами — не иметь с ними никаких дел. Это сохранит мою репутацию, да и доброе имя парохода.

Рэйф слегка поднял бровь. Тот поцелуй, что она подарила ему тем странным вечером у него в каюте на глазах Джеймса Демерса и его дочери, был полон страсти, а уж по тому, как она кокетничала в салоне, он решил, что эта женщина знает, как обращаться с мужчинами.

— Что-то не так? — удивилась Бренда.

— Нет-нет... все нормально. А как твоя мать отнесется к известию о нашей свадьбе?

— Думаю, она, конечно же, удивится, но от души порадуется за меня.

— Ты считаешь, она поверит, будто мы без ума друг от друга? — Рэйф сверлил ее взглядом, ожидая ответа.

— Не беспокойся, — отрезала Бренда. — Я справлюсь с задачей: весь мир поверит в нашу страстную любовь.

— Тогда улыбнись, моя дорогая. Если ты влюблена, то и вести себя должна соответственно.

Рэйф накрыл рукой маленькую ручку Бренды. Она сжалась от этого прикосновения.

— Извини. Похоже, мне нужно время, чтобы привыкнуть.

— Надеюсь, тебе это не покажется слишком обременительным, — с улыбкой сказал Рэйф.

— Ничего, я справлюсь, — ответила Бренда, зачарованно глядя на него.

Надо же, как улыбка преобразила его лицо! Не будь их кошмарного уговора, она считала бы себя счастливейшей из женщин. Еще бы, Рэйф Марченд, красавец мужчина, — ее жених. Но никуда не спрятаться от грязной и уродливой правды. Их брак — обычная финансовая сделка, не имеющая ничего общего ни с любовью, ни с чувством долга.

— Бен и Марк очень тревожились о твоей репутации, поэтому...

— Ты рассказал Марку? — Бренда с ужасом смотрела на Рэйфа. Один из немногих действительно добрых людей, отнесшийся к ней с вниманием, узнал про ее позор!

— Я сказал Марку, что ты согласилась выйти за меня замуж. И все. Больше я ничего не говорил, — раздраженно ответил Рэйф.

«Что за дела! Я же не последняя свинья, чтобы рассказывать ему все», — подумал он про себя.

— Спасибо! — Беспокойство мелькнуло в глазах Бренды.

— Так вот, как я уже сказал, они оба тревожатся о твоей репутации, поэтому, как только мы прибудем в Сент-Луис, я подыщу для тебя компаньонку. Если повезет, то найдем даму, сведущую в правилах хорошего тона и всяких светских премудростях.

— Да, конечно, мне надлежит радовать вас своим безукоризненным видом и утонченными манерами, сэр.

— Это нужно для твоего собственного блага.

— Не лукавь, ты делаешь все только для себя, — возразила она. — Не дай Бог, я сделаю какую-нибудь глупость, заговорю не о том и не с тем или просто возьму неверный тон и навлеку позор на твое имя.

— Дело вовсе не в неверном тоне, да и мое имя здесь ни при чем, — жестко сказал Рэйф, лицо его окаменело от ее злых слов. — Понимаешь, Бренда, и в делах и в личной жизни я выработал один весьма полезный принцип: всегда ожидать худшего и быть готовым встретить это худшее во всеоружии. Это лучше, чем оказаться застигнутым врасплох.

— Ну что ж, всю мою не очень долгую жизнь я имела дело с самым худшим, что есть в мире. Так что мы прекрасно поймем друг друга, — бросила Бренда.

Ей было противно. Как он посмел думать, что она настолько невоспитанна, груба и неотесанна, что ее надо учить, как следует себя вести в обществе!

— Те люди, с которыми тебе предстоит общаться, когда мы вернемся в Натчез, не похожи на твое обычное окружение в игорном салоне. Важно, чтобы ты точно знала, как вести себя в каждом конкретном случае. Чтобы не оказаться в неловкой ситуации. Ты станешь настоящей леди, и ни одна душа не догадается о твоем прошлом.

Бренда коротко, резко рассмеялась:

— Неправда. Они никогда не поймут меня. Представляю, что говорят эти воспитанные и благородные особы, прикрываясь веерами! Но ты не волнуйся, я способная ученица.

— Не обижайся. Пойми, все эти перемигивания с мужчинами в баре ничего общего не имеют с милой беседой дам за чашечкой чая.

— Кстати, о мужчинах в баре. Они ждут меня сегодня вечером. Что мне сказать им?

— Бен все уладит.

— Почему он? Кто его попросил?

— Он предложил сам.

— Очень мило, что вы оба все решаете за меня.

— Мне подумалось, тебе, может быть, неловко объясняться самой.

— Похоже, ты собрался оградить меня даже от дуновений ветра. Сначала заявил, что наймешь компаньонку, чтобы уберечь от трудностей вхождения в светское общество, — возбужденно и довольно едко воскликнула Бренда, — а теперь выясняется, ты взялся улаживать мои дела в игорном салоне!

Вот что я скажу тебе. Если ты действительно хочешь мне помочь, то назначь срок, в течение которого я должна выплатить свой долг. Я не хочу выходить за тебя замуж.

Рэйф напрягся:

— Так, значит, ты отказываешься?

В глазах Бренды вспыхнул гнев.

— Я ни от чего не отказываюсь. Я всего лишь не понимаю и не принимаю твоего стремления все решать за меня.

— Раз ты станешь моей женой, я должен решать за нас обоих.

— Терпеть не могу говорить очевидные вещи, Рэйф, но мы с тобой еще пока не женаты. — Бренда положила салфетку на столик, поднялась и, не говоря больше ни слова, вышла из ресторана.

Глава 10

Гнев Бренды нисколько не уменьшился, когда она вышла из ресторана и поднялась на палубу. Единственное, что ей удалось, это скрыть охватившую ее ярость.

Да как он посмел думать, что может распоряжаться ее жизнью! Как посмел так бесцеремонно вмешиваться!

Мало того что придется вытерпеть все эти замечательные уроки этикета, но ей никогда больше нельзя будет играть! И эта мысль казалась Бренде просто невыносимой. Получается, она должна отказаться от своих привычек, привязанностей и представлений о жизни. И ничего не останется от настоящей Бренды. Ничего! Став женой Рэйфа Марченда, она исчезнет как личность, скроется за маской благородных манер.

Бренда остановилась у борта. Она задыхалась. Только сейчас она испугалась по-настоящему. Отказаться от всего, что знала и любила! А все из-за глупости! Да, она получила хороший урок. Только вот слишком поздно поняла это, и теперь ей придется выйти замуж за Рэйфа Марченда.

— Бренда?

Она чуть не подпрыгнула от неожиданности, услышав голос Марка совсем близко. Быстро взяв себя в руки, она с улыбкой повернулась к нему:

— Добрый вечер, Марк.

— Что вы здесь делаете? — Он огляделся по сторонам в надежде увидеть Рэйфа где-нибудь поблизости. — Да к тому же в полном одиночестве?

— Мне захотелось подышать свежим воздухом.

— Слышал приятные известия о вашей помолвке. Думаю, вы станете прекрасной женой для Рэйфа. Вы просто созданы для него.

— В самом деле? — Она изумленно взглянула на Марка. Интересно, что же сказал ему Рэйф, ведь он, похоже, говорит совершенно искренне.

— Конечно. Скажу вам по секрету: когда я в первый раз вас увидел, то сразу понял, что вы ему подходите, и постарался убедить в этом Рэйфа. Я чрезвычайно рад, что он послушал моего совета. Обычно он отмахивается.

— Приятно, что вы одобряете наше решение, — улыбнулась Бренда.

Удивительно, но ей стало легче в обществе Марка, нервное напряжение спало. Ей нравился этот человек, откровенный, честный, чуждый лицемерия и хитрости. Не то что его друг.

— Интересно, как Мэрайя отнесется к этой новости? Когда мы разговаривали с ней в прошлый раз, мне показалось, что она сама мечтает выйти замуж за Рэйфа. Она сказала, что очень надеется, что он дождется ее и, когда она вырастет, возьмет в жены.

Марк рассмеялся:

— Если уж ей придется отдавать Рэйфа, то только вам.

«Если бы вы только знали...» — с болью в душе подумала Бренда, а вслух сказала:

— Удивительно, все произошло так быстро. До того самого момента, как он... сделал мне предложение, я даже не подозревала о его чувствах.

— Рэйф совсем не такой жесткий и суровый человек, каким кажется на первый взгляд.

— Я в этом уверена, — солгала Бренда, потому что считала своего жениха самым расчетливым, хладнокровным и бессердечным существом на свете.

— Он рассказывал вам что-нибудь о своей семье?

— Да, но совсем немного. Сегодня за ужином. Судя по рассказам, его дом просто великолепен.

— И это чистая правда. А кроме того, у него самые лучшие скакуны в нашем штате. Лошадьми начал заниматься еще его отец, а Рэйф расширил конюшни, увеличил поголовье табуна.

— Сколько ему было лет, когда умерли родители?

— Ему было всего четырнадцать, когда умер отец, а через несколько лет не стало матери.

— Он был близок с ними?

— С отцом — да. А вот с матерью... — Марк замолчал, раздумывая, что можно сказать, а о чем лучше умолчать.

— Так что с его матерью?

— Чтобы не быть слишком резким, скажу так: она была далеко не блестящим образцом жены и матери. Мир не много потерял, когда она прекратила свой земной путь.

— Значит, брак его родителей был несчастливым? — Бренда почувствовала, что за словами Марка скрыта таинственная история. Но как расспросить обо всем, не проявляя излишнего любопытства?

— Не то слово. А особенно трагичным было его завершение.

— То есть? — растерялась Бренда.

— Его мать бросила семью. Поэтому я страшно удивился, когда Рэйф сообщил мне, что решил жениться. Он всегда был невысокого мнения о женщинах и о семейной жизни слышать не хотел. Я уж думал, он останется холостяком.

— Это было бы просто ужасно!

— До встречи с вами он совсем не доверял женщинам. Но вы... Вы совсем другая, — доброжелательно улыбнулся Марк.

— В каком смысле «другая», лучше?

— Несомненно! Он вам еще не говорил про компаньонку? Нам всем надо вести себя осмотрительно, чтобы ничем не скомпрометировать вас.

— Очень любезно с вашей стороны, что вы так заботитесь обо мне, — тепло улыбнулась Бренда.

Кроме Бена, Марк, похоже, единственный мужчина, который относится к ней с уважением. Она была тронута до глубины души.

— Моя жена Дженнет родилась и выросла в Сент-Луисе и ходила в самую лучшую школу для девочек. Как только доберемся до города, сходим туда и попросим помочь подобрать компаньонку.

— Вы так заботитесь обо мне...

— Марк всегда рад помочь, — раздался голос Рэйфа.

Вид непринужденно болтающих Марка и Бренды раздосадовал его. Непонятно почему, но ему неприятно было видеть, что Бренда мила и любезна с Марком.

— Всегда счастлив прийти на помощь красивой женщине, — галантно поклонился Марк.

— Если вы оба не будете против, я хотела бы сейчас пойти к себе в каюту, — сказала Бренда.

Присутствие Рэйфа вызвало у нее приступ удушья и нервной дрожи.

— Позволь, дорогая, проводить тебя. — Рэйф предложил ей руку.

— Конечно, — нежнейшим голоском промурлыкала Бренда. Все должны быть уверены, что они любят друг друга. — Доброй ночи, Марк. И спасибо вам.

— Спокойной ночи, Бренда. Жду тебя в баре, Рэйф.

Марк пошел в одну сторону, а Рэйф повел Бренду к ступенькам на верхнюю палубу, где располагалась ее каюта.

— Леди ни в коем случае не должна выходить на палубу так поздно без сопровождения, — сказал Рэйф.

— Ты неоднократно и совершенно ясно дал мне понять, что я не леди, так что эти правила меня не касаются. Правильно?

— Нет, неправильно. Теперь ты под моей защитой, — с усилием выдавил Рэйф.

Он был раздражен, но никак не хотел признаться самому себе, что беспокоится из-за этой девушки. Выйдя на палубу и увидев ее разговаривающей с мужчиной, он поначалу жутко разозлился. В темноте он не сразу узнал Марка, но и потом его раздражение не уменьшилось. Неужели она не понимает, что любой из глазевших на нее в баре мужчин может попытаться воспользоваться ситуацией, если застанет ее одну в темноте?

— Хорошо, я запомню.

Бренда доверяла только Бену, и ни одному другому мужчине, и теперь она совсем не была уверена, что ей понравится эта опека. Что же, он собирается следить за каждым ее шагом?

Несколько лет назад она мечтала о прекрасном принце, который оградит ее от горя и бед, но сделка с Рэйфом разрушила мечты.

— До завтра, — произнес Рэйф, когда они остановились перед дверью в ее каюту.

— Спокойной ночи. — И Бренда быстро скользнула в комнату, желая поскорее избавиться от его присутствия.

Погруженный в задумчивость, Рэйф отправился к Марку. Он рассчитывал, что отношения с Брендой будут ровными, спокойными и в некотором смысле приятными. В итоге он получит то,

что нужно ему, а Бренда, выполнив свои обязательства, расплатится с долгом и станет обеспеченной женщиной. Так что для них обоих это
отличный договор, несомненно здравое и обосно-
ванное деловое соглашение. Он даже разрешил ее
матери жить вместе с ними. И потому сейчас
Рэйф никак не мог понять, что ей не нравится,
почему она недовольна.

Рэйф нахмурился. Он же предупредил Бренду:
все должны поверить в их страстную любовь. А она
капризничает, показывает свой норов, дуется, оби-
жается. Значит, чтобы все прошло как задумано, он
тоже должен играть свою роль. У них в распоряжении всего один день до прибытия в Сент-Луис,
поэтому завтра же он начнет изображать нежного
и заботливого влюбленного, станет ухаживать за
ней, словно жить без нее не может, и тогда, возможно, из ее глаз исчезнет постоянное напряжен-
но-подозрительное выражение.

Рэйф вошел в бар, погруженный в решение
сложнейшей проблемы: где достать букет цветов.

Рано утром Бренду разбудил негромкий, но настойчивый стук в дверь.

— Кто там?

— Это Молли. Открой, Бренда, — раздался голос служанки, обычно убиравшей ее каюту.

— Что случилось? — Бренда распахнула дверь и буквально уткнулась носом в роскошный букет цветов. Молли почти не было видно за этой охапкой. Бренда в жизни не видела ничего подобного. От такой красоты у нее просто захватило дух. — Молли!..

— Я здесь, Бренда, — хихикнула служанка. — Это тебе. — И она протянула букет.

— От кого? Зачем?

— От мистера Марченда, — объяснила Молли, кивнув головой в сторону палубы.

Бренда нахмурилась. С какой это стати он прислал цветы, а не принес их сам? Взглянув поверх цветов, она увидела Рэйфа. Он стоял в некотором отдалении и пристально смотрел на нее. Заметив ее взгляд, слегка улыбнулся, и Бренда вспыхнула под его откровенным ласкающим взором. «Господи! — мелькнуло у нее в голове. — Да я же похожа на чучело!»

— Передай мистеру Марченду спасибо.

— Он просил узнать, сможешь ли ты позавтракать с ним.

У Бренды слегка закружилась голова.

— Передай мистеру Марченду, что я с радостью составлю ему компанию.

— Хорошо, обязательно передам. И прими мои поздравления, Бренда. Он рассказал о вашей помолвке. Это так здорово! Я за тебя рада! — мечтательно вздохнула Молли. Она наклонилась поближе к Бренде и прошептала: — А какой он красавчик!..

Эти восторженные слова вызвали у Бренды снисходительную улыбку, которую она спрятала за букетом. Оставшись одна, Бренда постояла немного, любуясь цветами, вдыхая их нежный сладковатый запах. Непонятно, как Рэйф умудрился раздобыть такой чудесный букет посреди Миссисипи. Ни один мужчина раньше не дарил ей цветов.

«Что же я стою? Он ведь ждет меня!» — эта мысль молнией сверкнула у нее в голове.

Бренда положила букет на кровать и забегала по комнате. Быстро умылась. Потом поставила цветы в кувшин, чтобы подольше сохранить их воздушную красоту. Занялась прической. Сердце ее бешено колотилось, пока она торопливо расчесывала волосы. Через полчаса Бренда наконец была готова и, бросив последний взгляд в зеркало, вышла из каюты.

— Благодарю за цветы, — проговорила она, подходя к Рэйфу.

Он расплылся в широкой, радостной улыбке:

— Рад, что тебе понравилось.

— Где ты их нашел?

В его глазах сверкнули лукавые огоньки.

— Марченд ни перед чем не остановится, чтобы порадовать свою невесту, дорогая.

Рэйф предложил Бренде руку, и они направились к ресторану.

— Красивые цветы!

— Но все же они не так хороши, как ты.

Бренда не удержалась и рассмеялась.

— Что с тобой случилось сегодня?

— А что со мной случилось? — простодушн удивился он. — Просто я влюблен без памяти.

— Ну да...

— Ведь мы собираемся пожениться. Ты моя невеста. Как же еще я должен себя вести?

— Не знаю, я раньше ни с кем не была помолвлена.

— Вот и я тоже. Но мне почему-то кажется, что влюбленные должны вести себя именно таким образом.

— А ты был когда-нибудь влюблен? — В вопросе Бренды сквозило неприкрытое сомнение.

— Нет. В этом у меня нет никакого опыта. Но кто знает, может быть, со временем...

— По-моему, ты ведешь себя безупречно, — весело рассмеялась Бренда. Ее вчерашняя злость как-то незаметно исчезла. Она и не подозревала, что Рэйф может быть таким. Обычно надменный и равнодушный, теперь он был само внимание, шутил, смеялся, расточал комплименты и любезности. Бренда даже поймала себя на мысли, что почти поверила ему.

— Спасибо на добром слове, милая, — ласково и нежно ответил Рэйф. — Прошу.

Он распахнул перед Брендой дверь, и они вошли в зал. Марк с детьми уже сидели за столиком. Увидев появившихся в зале новоиспеченных жениха и невесту, он помахал им рукой, приглашая присоединиться к их маленькой компании.

— Доброе утро всем, — поздоровалась Бренда.

— Доброе утро, Бренда, — радостно прочирикала Мэрайя. — Папа сказал, ты собираешься замуж за дядю Рэйфа. Я очень рада.

— Мне казалось, ты сама хочешь выйти за него замуж, — улыбнулась Бренда.

— Верно, я очень его люблю, всем сердцем, но папа объяснил мне вчера, что дядя Рэйф не может ждать, пока я вырасту. — Мэрайя многозначительно посмотрела на Рэйфа.

Он наклонился и чмокнул ее в щечку.

— Я бы с радостью, солнышко мое, но не могу. Ведь я встретил Бренду.

— Она такая добрая. Правда, дядя Рэйф? — заговорщическим тоном прошептала девочка.

— Да, она необыкновенная. — Рэйф пылко взглянул на Бренду.

Вот ведь лжец! Такому не захочешь, а поверишь! Если бы Бренда не знала всей подноготной, то решила бы, что этот красивый мужчина и в самом деле любит ее. Нечего забивать себе голову глупостями и пустыми фантазиями, одернула Бренда себя. Они заключили сделку, и она выполнит его условие. Исполнит роль преданной и нежной супруги, родит ему ребенка, о котором он так мечтает, и потом уйдет. Рэйфу нет никакого дела ни до нее, ни до ее чувств. Он ни капли не любит ее. Все это представление, спектакль для непосвященных.

— Спасибо, — ответила она, улыбнувшись вымученной улыбкой. — Твой дядя Рэйф и сам удивительный человек, Мэрайя. Я очень рада, что ты не против нашей свадьбы.

— Раз уж ему так надо жениться, пусть уж женится на вас. А когда свадьба, дядя Рэйф?

— Сразу, как только все будет готово. В Сент-Луисе.

— А можно мне прийти?

— Конечно, как же без тебя.

Мэрайя просто просияла от удовольствия:

— Здорово!

— Джейсон, что такое? Что тебя так развеселило? — Рэйф заметил насмешливое выражение на лице мальчика.

— Странные эти девчонки. И что тут такого особенного? Что хорошего в этих свадьбах? Почему им так нравятся эти глупости?

— Ничего не глупости, — убежденно возразила Мэрайя. — Дядя Рэйф и Бренда любят друг друга, Джейсон. Как наш папа любил маму.

Джейсон пренебрежительно хмыкнул и раздраженно, как взрослый мужчина, пробурчал что-то по поводу женских глупых мечтаний об идеальной любви.

Бренде даже стало неловко от наивного и возвышенного представления девочки об их с Рэйфом взаимоотношениях. Она почувствовала на себе взгляд Рэйфа.

— Она права, любимая. — Рэйф взял Бренду за руку. — Я никогда не встречал таких женщин, как ты.

«Ну-ну! Так я и поверила твоим лживым словам, — подумала Бренда, пристально глядя ему в глаза. — Истина-то совсем неприглядна, лучше ее скрыть от окружающих».

Удивительно, но в его взгляде она не прочла ни лицемерия, ни хитрости. Казалось, он умолял ее подыграть ему, чтобы Марк и дети не сомневались в истинности их чувств.

— А ты, Бренда? — не унималась Мэрайя. — Почему ты так быстро влюбилась в дядю Рэйфа?

— Это было совсем нетрудно, — улыбнулась Бренда. — Мы играли с ним в карты. И он победил, выиграл в покер и в придачу завоевал мое сердце.

— Все понятно. В дядю Рэйфа легко влюбиться. Он такой красивый и богатый к тому же, — простодушно заметила малышка. — Его многие девушки любят. Не то что Джейсона!

— Замолчи лучше, Мэрайя, — огрызнулся на нее Джейсон. — И хорошо, что я не нравлюсь девчонкам! Терпеть их не могу!

Бренда не могла сдержать улыбку, когда вспомнила про Лотти Демерс и ее неудавшуюся попытку притащить Рэйфа к алтарю. В самом деле, он нравится многим женщинам. Но не ей, хотя именно на ней он собирается жениться.

Она вспомнила рассказ Марка о родителях Рэйфа. Конечно, именно их несчастливый брак — причина отвращения Рэйфа к женитьбе. Чем еще можно объяснить его чудовищный план? Он судит обо всех женщинах по собственной матери.

— И они тебя тоже! — не унималась Мэрайя. — Потому что ты злюка, не то что дядя Рэйф. Дядя Рэйф — прелесть! Правда, Бренда?

Бренда еще раз посмотрела на человека, который вскоре станет ее мужем. Внешне истинный южанин, красивый, изысканно-галантный. Всем своим видом показывал, как предан своей невесте.

— Правда, Рэйф — необыкновенный человек, недаром многие женщины мечтали выйти за него замуж.

— Но только тебе удалось заполучить его. Вы будете очень счастливы вместе, я точно знаю.

— Ты и в самом деле так думаешь? — наконец вступил в разговор Рэйф.

Мэрайя кивнула.

«Чистая душа! — подумала Бренда. — Хотелось бы и мне иметь хоть капельку твоей уверенности».

В это время официант принес кофе, и разговор перешел на другую тему. Принялись обсуждать планы на день.

— А чем сегодня собираются заняться наши влюбленные голубки? — спросил Марк, когда завтрак подходил к концу.

— Пока не доберемся до Сент-Луиса, делать нечего, — ответил Рэйф.

— Это точно. А кстати, что ты намерен делать в городе? Я с радостью помогу тебе всем, чем смогу. Родители Дженнет соскучились по внукам и, думаю, с удовольствием побудут с ними без меня.

— Спасибо.

— Ты остановишься в «Плантерс-хаусе»? — спросил Марк.

Рэйф кивнул.

— У меня назначены деловые встречи. Вся неделя расписана по часам.

— А Бренда? Где остановится она?

— У меня есть каюта на «Славе». Можно жить здесь, — предложила Бренда.

— Нет, снимем для тебя номер в «Плантерс-хаусе». И надо будет срочно позаботиться о компаньонке.

— Завтра, когда прибудем в Сент-Луис, я поговорю с родными Дженнет. Может, они порекомендуют кого-нибудь.

После завтрака Бренда и Рэйф отправились на палубу. Довольно долго они прогуливались молча.

— Ты действительно думаешь, что из этой комедии выйдет толк? — спросила Бренда, когда они наконец нашли укромный уголок, где могли говорить свободно, не опасаясь быть услышанными. Она все еще надеялась убедить его, что вся эта затея — безумие. Ведь обоим совершенно ясно: он никогда не любил ее, да и никогда не будет любить.

Рэйф взглянул на нее почти ласково.

— Конечно, выйдет, — мягко проговорил он. — Мы с тобой заключили договор, не забывай.

— И все-таки мне неприятно думать о браке как о простой сделке. Для брака нужно нечто большее, чем простое финансовое соглашение.

— Ты уверена? — Голос Рэйфа звучал резко и отрывисто. — Подавляющее большинство известных мне браков, кроме, пожалуй, одного — Марка и Дженнет, — основывались на элементарной выгоде, на деньгах. Ну, сама подумай, обычно все устраивают родители, которые либо стремятся сохранить благосостояние семьи и передать дело в надежные руки, либо пытаются подцепить богатого муженька для дочки.

— За что ты так ненавидишь семью?

— Я не ненавижу. Просто честно говорю о том, что думаю. Ведь нам с тобой нечего скрывать друг от друга, мы знаем, чего хотим от этого брака.

— Истинная правда. Не волнуйся, я выхожу за тебя замуж не потому, что вбила в голову идиотскую мысль, будто ты любишь меня и мы будем жить долго и счастливо до конца наших дней.

Рэйф метнул на нее взгляд:

— И отлично! Ребяческие фантазии оставим для детей. Пусть Мэрайя мечтает. А нам вся эта ерунда ни к чему. Реальная жизнь и так достаточно трудна, нечего усложнять ее еще больше. И ты и я — мы оба знаем, чего ждать друг от друга, значит, должны прекрасно поладить.

— Да, я знаю, чего ты хочешь от меня, и не стану требовать от тебя больше, чем ты способен мне дать.

Что ж, решил Рэйф, похоже, она тоже довольна нашим соглашением. Говорит вполне разумные слова, ведет себя правильно. Так что все идет отлично!

Глава 11

После ужина на пароходе устроили танцевальный вечер. Рэйф с Брендой, стоя немного в стороне от площадки для танцев, наблюдали за парами, грациозно проплывающими мимо.

Рэйф вспомнил, как танцевал в последний раз. Держал в объятиях Лотти Демерс, а сам не спускал глаз с Бренды. Изящная и грациозная, легкая, словно перышко, она, наверное, божественно танцует.

— Давай потанцуем, дорогая, — предложил он Бренде с улыбкой.

— Нет... нет, спасибо, — быстро и как-то испуганно отказалась та, отводя глаза.

Тень пробежала по его красивому лицу, но быстро исчезла, и он опять стал мил и любезен.

— Неужели мне не удастся уговорить тебя подарить мне танец? — не сдавался Рэйф.

— У меня сегодня нет настроения. Честное слово. Если ты не против, я уйду к себе, — пробормотала Бренда и пошла прочь.

Рэйфу ничего другого не оставалась, как последовать за ней.

На палубе он догнал ее и схватил за руку.

— Как ты себя чувствуешь? Ты не заболела? — спросил он, крайне удивленный таким внезапным желанием уйти.

— Нет, все в порядке.

— Тогда почему ты не хочешь танцевать со мной?

Деваться некуда, придется все объяснять! Опять он загнал ее в угол. И почему это ему все время удается? Черт знает что такое!

Бренда резко повернулась, и в глазах сверкнули молнии, когда она прямо-таки свирепо взглянула на него.

— Да, есть, — произнесла она тихо. — А если ты сам до сих пор не понял... — Ее крайне раздражала необходимость объяснять ему, но выбора не было. — Я не умею танцевать.

Это признание нелегко далось ей. Она с вызовом и негодованием смотрела на Рэйфа, ожидая услышать презрительный смех.

— Ты не умеешь танцевать? — с недоверием повторил он. Ему и в голову не могло прийти, что на свете существуют женщины, не знакомые с простыми танцевальными па. Он всегда считал, что женщины рождаются с этим умением.

— Нет, — сухо повторила Бренда, а потом добавила с издевкой: — Может, мне крикнуть погромче об этом, чтобы всему миру стало известно...

— А почему ты не умеешь?

Невероятно! До сих пор ничего не понял? Ведь сам говорил, что ей недостает светского лоска и хороших манер! Ну ладно, черт побери, он оказался прав. Противно, конечно, соглашаться, но это чистая правда.

— У нас с мамой не было денег на уроки танцев.

Рэйф стоял неподвижно, глядя на ее освещенное лунным светом лицо. Сколько в ней достоинства, врожденного величия! Она потрясающая женщина, восхитительная, неподражаемая! Ведь Бен говорил, как тяжела ее жизнь. Как он мог забыть про это? Неожиданно для самого себя Рэйф нежно погладил Бренду по щеке:

— Прости, я не хотел обидеть тебя. Я не нарочно, — тихо сказал он, заглядывая ей в глаза. — Честное слово. Просто мне очень захотелось потанцевать с тобой.

— А-а, — только и смогла выговорить Бренда. Ласковое прикосновение взволновало ее, а настойчивый взгляд будто околдовал.

— Хочешь научиться? Прямо сейчас, — предложил Рэйф. Голос его звучал глухо и как-то хрипло. — Урок танцев мне очень хочется провести самому.

Бренда почувствовала, что краснеет. Хорошо, что ночная тьма скрыла эту предательскую слабость. Сердце ее забилось быстрее при одной только мысли, что она окажется в его объятиях. Даже голова закружилась.

Она вспомнила, как однажды видела его танцующим с Лотти Демерс, и острая зависть кольнула ее.

— Да... с удовольствием.

— Моя дорогая мисс Бренда, окажите мне честь, позвольте пригласить вас на танец, — торжественно произнес Рэйф.

Бренда не выдержала и засмеялась.

— Что ж, мистер Марченд, с радостью принимаю ваше приглашение... если только вы достаточно крепки и выносливы, чтобы выдержать мои неловкие и неумелые движения, — ответила она, намеренно растягивая слова, как настоящая южная красавица, и присела в глубоком реверансе.

— Буду счастлив вытерпеть любую боль, только бы заключить вас в свои объятия, дорогая, — галантно ответил Рэйф.

Он понимал, что Бренда не уверена в себе, нервничает, поэтому постарался быть предельно деликатным. Он притянул ее к себе, положил руку на тонкую талию. Прикосновение было очень бережным, и Бренда ощутила себя хрупким сосудом в его руках.

— Танцевать вальс совсем не трудно, — начал он урок. — Просто положи мне руку на плечо и двигайся вместе со мной. Начнем медленно, чтобы не сбиться с шага. — И они начали плавно двигаться по пустынной палубе под звуки прекрасной музыки.

Мелодия была слегка приглушена, но это лишь усиливало чувственное очарование момента. Руки Рэйфа, сильные и нежные, бережно поддерживали Бренду, и она вся отдалась романтической магии минуты.

Все эти годы она помнила ту картину, что подсмотрела однажды, когда маленькой пряталась в густом саду: красивые мужчины и прелестные женщины кружатся в вальсе по огромному залу. Ничего более прекрасного и желанного она не могла себе представить. И вот теперь она танцует на палубе корабля, залитой серебристым лунным светом, с самым удивительным мужчиной, какого только встречала за всю свою жизнь.

На мгновение Бренда забыла о том, что Рэйф не принц из волшебной сказки, не рыцарь из романа и он не украл ее из темного царства, чтобы вознести на вершину блаженства. Она просто поверила теплу его сильной руки и жару тела, обжигающему ее каждый раз, когда они случайно касались друг друга.

— У тебя хорошо получается, — сказал он тихим, ласковым голосом. — Теперь поворот... не отставай, повторяй за мной.

Движения Рэйфа были плавными и отточенными, и она легко следовала им. Лишь один раз она сбилась с шага, но Рэйф моментально подстроился под нее, уверенно продолжая вести в танце.

Бренда подняла взгляд и подумала, что сейчас перед ней совсем другой человек. Тяжелый подбородок — признак силы, а не притаившейся опасности; четко очерченные губы принадлежат не насмешливому и глумливому победителю, а тому единственному мужчине, которого она страстно мечтала поцеловать. Она встретила его взгляд, полный страстного желания, и он прожег ее до самого сердца.

И потом они уже больше не танцевали. Они стояли на палубе, крепко прижавшись друг к другу. Рэйф с удивлением и восхищением смотрел на Бренду, будто видел ее в первый раз. Удивительное создание — прекрасная, сильная, умная. Эта женщина не уступает ему ни в чем, она достойный противник, надежный партнер. И совсем не похожа на других женщин, которых он встречал ранее. Все-таки удивительно, что судьба свела их вместе таким странным образом.

Словно загипнотизированный, Рэйф склонился над ней. Он думал только о том, как страстно хочет поцеловать ее. Он должен сейчас же поцеловать или сойдет с ума.

Его руки еще крепче сжались на ее талии, и он прильнул губами к полуоткрытому рту. Он почувствовал, что Бренда задохнулась от этого прикосновения и сделала слабую попытку освободиться.

— Бренда... — Рэйф ненадолго оторвался от нее — только для того, чтобы прошептать ее имя, а потом вновь приник к ее губам.

Огромный корабль мерно покачивался на волнах. Шум двигателей и звуки музыки больше не были слышны в новом, сотканном из лунного света мире для двоих, мужчины и женщины.

О таком поцелуе иные мечтают всю жизнь. Он был опьяняющим и романтичным, отнимал все силы и в то же время придавал уверенность. Оглушенные и задыхающиеся, они отпрянули друг от друга в смущении и изумлении.

Бренда взяла себя в руки и напомнила себе: это же Рэйф Марченд — тот самый мужчина, который с помощью шантажа заставил ее согласиться на брак, и он избавится от нее сразу же, как только родится ребенок. В его объятиях нет ни капли нежности и любви — одна похоть. Нет никакого смысла обманывать саму себя.

— Мне надо идти... — выговорила Бренда осипшим голосом, с болью осознавая, какую власть он получил над ней. Она даже не предполагала, что его поцелуи могут так подействовать на нее, и теперь очень боялась этого странного и сильного влияния.

Она повернулась и убежала, оглянувшись лишь один раз, прежде чем исчезнуть в каюте.

Рэйф наблюдал за этим бегством и, честно говоря, был рад, что она ушла. Он готов был овладеть ею прямо здесь и прямо сейчас. С огромным трудом он преодолел соблазн догнать ее и только проводил взглядом, потом коротко вздохнул и отправился в бар.

Марк вышел на палубу и увидел танцующую пару, в которой узнал Рэйфа и Бренду. Он замедлил шаг, чтобы получше рассмотреть их. Прекрасная пара, подумал он, просто созданы друг для друга. Они скользят в вальсе, и аура чувственного трепета окружает их. Никто в мире не нужен этим двоим.

Марк вспомнил Дженнет, вспомнил те дорогие сердцу минуты, когда танцевал с ней. Когда его руки обнимали ее, весь остальной мир исчезал. Вот и Рэйф нашел свое счастье. Марк радовался за друга. Человек заслуживает счастья хотя бы раз в жизни, думал он.

Когда Марк увидел, как они отпрянули друг от друга, то отвернулся и ушел в другую сторону. Он не хотел смущать влюбленных, потому пошел к себе в каюту кружным путем.

Грусть подступила к его сердцу. Он потерял любовь всей его жизни, счастье растаяло как дым. Больше никогда ему не придется испытать радость обладания любимой Дженнет, никогда не коснуться ее нежного лица, не закружиться с ней в вальсе...

Долгие дни, недели, месяцы он боролся с мучительной болью, которая чуть не раздавила его, и сейчас боль притупилась, но, похоже, никогда не утихнет. Дженнет значила для него слишком много. Она была смыслом его жизни, его светом, его звездой, а судьба отняла ее у него так несправедливо, жестоко. Скорбь и опустошение поселились в сердце, но Марк знал: надо жить дальше. День за днем, день за днем. Хотя бы ради детей.

Он тяжело вздохнул и закрыл глаза, чтобы прогнать слезы.

Пароход одолел последнюю милю, и на берегу возник Сент-Луис. У причала скопилось множество больших и маленьких судов, суденышек, лодок и барж, но лоцман на «Славе» был опытным, поэтому пароход подошел к берегу без особых затруднений.

Бренда стояла на палубе рядом с Рэйфом. Ее охватило волнение, в голове билась одна мысль: в следующий раз она взойдет на борт этого парохода уже женой Рэйфа Марченда.

Бренда искоса взглянула на Рэйфа. После поцелуя на палубе она просто не знала, что и думать о нем, как его понимать. Из всех определений, какими можно было описать этого человека, наименее подходящим было слово «добрый». Во всяком случае, раньше ей и в голову бы не пришло назвать его добрым. Но вчера он казался именно таким. Неужели этот высокий молчаливый мужчина действительно обнимал ее и кружился с ней в танце по лунной дорожке? Не поднял на смех? Она была благодарна ему за терпеливое участие, но внутренний голос предупреждал: не придумывай лишнего! Танцевать надо научиться, это не подлежит обсуждению. Так кто может лучше других помочь? Только Рэйф.

— Мы с Марком должны не откладывая заняться делами. Ты побудешь пока здесь, на «Славе»? — Голос Рэйфа отвлек ее от размышлений.

— Конечно, — откликнулась Бренда.

— Я закажу для нас номера в отеле «Плантерс-хаус», но тебе не следует появляться там до тех пор, пока не будет решен вопрос с компаньон-кой. Как только уладим эту проблему, начнем готовиться к свадьбе.

— Так быстро? — чуть задохнувшись, выговорила она.

— У нас мало времени. Надеюсь, священник, венчавший Марка, не откажет и нам. Вообще-то полагается, чтобы прошло три недели перед церковным обрядом, но, может быть, мы уговорим его обвенчать нас сразу.

— Можно обратиться к мировому судье, — предложила Бренда. Ей показалось, что клятвы в вечной верности и любви в церкви будут свято-татством.

— Нет. Не хочу давать повод для сплетен о нашем браке. Мы поженимся в церкви, — заключил Рэйф не терпящим возражений тоном.

Лучше прекратить этот разговор, подумала Бренда. Если не знать всей правды, можно подумать, будто таинство венчания и впрямь имеет для него какое-то значение, но он честно сказал: нужно, чтобы досужие сплетники не болтали лишнего.

Наконец пароход пришвартовался.

На палубе появился Марк с детьми и нянькой, и Рэйф принял соответствующее выражение лица: он умильно улыбнулся Бренде и нежно сказал:

— Я скоро вернусь за тобой, дорогая.

— Хорошо, буду ждать, — ответила она. Таким преданным и смиренным голосом говорят женщины, вынужденные разлучаться с любимым на несколько бесконечно длинных часов.

— Ну что, Рэйф, готов? — бодро поинтересовался Марк, подойдя к ним.

— Да, — ответил Рэйф, и потом, немного понизив голос: — До встречи, любимая.

Малышка Мэрайя бросилась к Бренде и порывисто прижалась к ней.

— Будь умницей, радость моя, — сказала Бренда.

— Ладно, — пообещала девочка и помчалась догонять отца.

Марк завез Рэйфа в «Плантерс-хаус» и, прощаясь, сказал:

— Я заеду к Дэвидсонам, устрою детей и займусь поисками компаньонки для Бренды.

— Как только что-нибудь узнаешь, непременно дай мне знать.

— Поговорю с матерью Дженнет. Может, она порекомендует кого-нибудь или по крайней мере подскажет, где следует искать.

— Буду ждать известий.

В отеле Рэйф заказал два номера: один для себя, а другой, из двух комнат, — для Бренды и ее будущей учительницы и компаньонки.

Глава 12

Клер Паттерсон стояла у окна в своем небольшом кабинете на втором этаже школы для девочек и смотрела на спешащих мимо людей. Как муравьи в своем муравейнике, бегают по городу из одного присутствия в другое, торопятся побольше успеть.

А вот она стоит здесь. Закончился еще один учебный год... Что она сделала? Чего достигла?

Все верно, она научила выпускниц хорошим манерам, привила любовь к пению и игре на музыкальных инструментах, вытирала их слезы из-за несчастной любви, хвалила за успехи. И теперь, когда закончился учебный год, опять осталась одна. Как, впрочем, уже восемь лет подряд.

Вздохнув, Клер отошла от окна и села за стол. Методично она принялась перекладывать содержимое ящичков в небольшой саквояж. Точно так же она делала и в прошлом году, и в позапрошлом. Занятия закончились.

В целом Клер была довольна своей жизнью. Родители оставили значительное состояние, поэтому денежных трудностей она не испытывала и работала в школе просто потому, что ей нравилось это. Правда, иной раз случались дни, такие как сегодня, и она с печалью вспоминала те времена, когда сама была одной из юных, счастливых, полных надежд выпускниц школы. В такие дни она помимо своей воли начинала мечтать о чудесных приключениях, волнующих встречах. Вот и сейчас солнце светит ярко, небо синее, воздух ласков. Самое время для прогулки верхом. Но что за радость тащиться за город в одиночестве? А она одинока.

Стук в дверь оторвал ее от грустных мыслей.

— Кто там?

— Это мисс Кавендиш, — раздался голос директрисы школы. Дверь открылась, и мисс Кавендиш стремительно вошла в комнату. — Я только хотела поблагодарить вас за прекрасную работу и пожелать приятного летнего отдыха.

— Спасибо вам за добрые слова, — ответила Клер. Она искренне любила директрису. — Увидимся осенью?

— Обязательно. В августе я пришлю вам новое расписание. Отдыхайте, Клер, набирайтесь сил.

— Спасибо, вам тоже хорошо отдохнуть.

Мисс Кавендиш исчезла за дверью. Казалось, от ее энергичных движений в комнате возникли тысячи вихрей. Клер снова осталась одна. Она уныло закончила собирать вещи и невесело улыбнулась. До чего же поганое настроение! Но пора ехать домой. Она окинула взглядом кабинет — голые стены, пустой стол — и тихо закрыла за собой дверь.

— Я очень надеюсь на вашу помощь, — обратился Марк к Сюзанне и Роджеру Дэвидсон.

Они сидели в уютной гостиной просторного дома на Лукас-плэйс и пили чай. Марк с детьми приехал сюда несколько часов назад и теперь, когда суета и волнения, вызванные их приездом, улеглись, решил, что пришло время поговорить о Бренде.

— В чем дело? — встрепенулась миссис Дэвидсон, готовая угодить любимому зятю. Она обожала Марка с самого первого дня знакомства, и эту привязанность тщательно оберегала все эти годы.

— Помните моего друга Рэйфа Марченда?

— Да, конечно. Очень приятный молодой человек, — с одобрением отозвалась она.

Марк вкратце рассказал о Рэйфе и Бренде, подчеркнув, что это была мгновенная и безумная, всепоглощающая любовь.

— Они хотят пожениться в Сент-Луисе, но на репутацию Бренды не должна упасть и тень сомнения, поэтому Рэйф решил нанять для нее компаньонку, какую-нибудь достойную даму, которая помогла бы ей разобраться во всех тонкостях светского этикета. Вот я и подумал, что, может быть, вы порекомендуете кого-нибудь.

— Какая романтичная история, — с улыбкой сказала миссис Дэвидсон и оглянулась на мужа. Она задумалась и некоторое время сидела молча, сосредоточенно углубившись в решение проблемы, затем в глазах ее вспыхнули огоньки: — Ну конечно! Роджер... что ты думаешь насчет Клер?

При упоминании имени подруги детства Дженнет Роджер Дэвидсон просиял:

— Ну конечно! — согласился он. — Марк, ты должен помнить Клер Паттерсон. Они дружили с Дженнет еще со школьных времен. Думаю, вы с ней встречались раньше. Я точно знаю, она была на вашей свадьбе.

Марк нахмурил брови:

— Имя знакомое, только не помню, какая она из себя.

— Клер не слишком хороша собой, высокая и худая брюнетка. И еще она носит очки.

Марк посмотрел на тещу, и лицо его внезапно прояснилось:

— Все, теперь вспомнил. Такая тихая, всегда старалась держаться в тени. Дженнет очень любила ее, а когда мы поженились, они поначалу часто писали друг другу письма.

— Клер — прекрасный человек. Она так и не вышла замуж и сейчас преподает в школе. Учебный год закончился, так что, думаю, она должна согласиться. Давай я напишу ей записку.

— Это было бы замечательно, — обрадовался Марк, довольный, что так быстро и просто улажен вопрос с компаньонкой для Бренды.

Клер устроилась на диване в гостиной с интересной книжкой. Она с головой ушла в чтение, когда в гостиную вошла горничная Делла и вручила ей письмо.

— Это от Дэвидсонов, — объяснила она. — Слуга ждет вашего ответа.

— От Дэвидсонов? — переспросила Клер, немного удивившись, затем распечатала конверт, быстро пробежала глазами листок, потом еще раз перечитала письмо. — Передай, я с удовольствием поужинаю с ними сегодня. Буду точно в шесть.

Клер взглянула на часы. Уже почти четыре. «Надо бы поторопиться, если собираюсь успеть к ужину в назначенное время», — подумала она.

— Клер! Как я рада тебя видеть, — всплеснула руками миссис Дэвидсон.

— Миссис Дэвидсон, мне тоже очень приятно. Я так разволновалась, когда получила ваше приглашение.

Всякое могла ожидать Клер, но только не это. Сердце ее подскочило в груди и бешено заколотилось, дыхание перехватило, руки задрожали. Оставалось только молить Господа, чтобы никто не догадался о ее чувствах, когда в гостиной Дэвидсонов она столкнулась с Марком Лефевром.

Он сразу же узнал ее, она совсем не изменилась за те девять лет, что прошли со времени их последней встречи. Высокая худощавая женщина, волосы собраны в пучок на затылке. Портрет дополняли очки в тонкой оправе и немыслимое, совершенно неописуемое синее платье. С нее можно было хоть сейчас писать портрет чопорной старой девы, типичной школьной учительницы. Сюзанна и Роджер не ошиблись в выборе. Она будет прекрасной наставницей для Бренды.

— Добрый вечер, Клер, — с улыбкой приветствовал он ее. — Столько лет прошло.

— Марк?..

Клер старалась говорить спокойно. Марк здесь, в этой гостиной. Вот он стоит перед ней, такой же красивый, как в те давние времена, когда она в последний раз его видела — в день свадьбы Дженнет. Воспоминания нахлынули на нее, но она отогнала их подальше. Прошло уже девять лет... девять долгих пустых лет. Ни одной душе на свете она никогда ничего не говорила про свою любовь. Он любил Дженнет, а она его. Никакого смысла и абсолютно никакого значения ее чувства не имели.

Клер влюбилась в него с первого взгляда. Это произошло на балу. Он воплощал в себе все качества, которыми должен обладать настоящий мужчина: красивый, умный, добрый. Именно о таком спутнике жизни Клер всегда мечтала. Они даже танцевали с ним один раз. Но он так и не узнал о том, что она отдала ему свое сердце, ведь вскоре после их встречи появилась Дженнет.

Дженнет, остроумная, обаятельная, очаровательная девушка, затмила всех прелестниц Сент-Луиса. У ее ног оказались все мужчины города, но Дженнет выбрала Марка. Клер радовалась их счастью и запретила себе вспоминать о собственной любви.

И вот теперь она видит Марка вновь.

— Рад видеть тебя, — сказал Роджер Дэвидсон, подходя к Клер. — Спасибо, что пришла. — И поцеловал ее в щечку.

Она с трудом оторвала взгляд от Марка.

— Вам спасибо за приглашение. После стольких лет разлуки увидеть вас снова — счастье для меня.

Клер помолчала.

— Как ваши дети, Марк? Им, наверное, сейчас очень нелегко?

— Нам всем пришлось нелегко, но понемногу все налаживается. Джейсон уже вполне взрослый молодой человек, а Мэрайя... — Марк запнулся и посмотрел на тещу.

— Мэрайя очень похожа на свою маму, просто вылитая Дженнет, — добавила та и улыбнулась.

Клер вспомнила, каким пытливым и любознательным ребенком была Дженнет: ее интересовали такие вещи, о которых никто другой и не догадался бы спросить, она всегда радовалась жизни.

— Мэрайя, наверное, замечательный маленький человечек.

— Да. — Голос Марка дрогнул. — Сегодня они с Джейсоном уже отправились спать, но мы пробудем в городе несколько недель, так что вы успеете познакомиться с ними до нашего отъезда.

Слуга объявил, что ужин подан, и все перешли в столовую.

Клер никак не могла понять, для чего ее пригласили на ужин, и, пока за столом шла беседа, вспоминали о том, что произошло за эти годы, ее живое воображение породило совершенно фантастическое предположение: Марк соскучился по ней и захотел увидеть. Но логика и разум оказались сильнее, и Клер выбросила эту нелепость из головы. Ее позвали не просто так, а с какой-то определенной целью. Значит, придет время, и ей все объяснят.

Так и случилось. Подали десерт, Клер рассказывала разные истории про своих учениц, и тут Сюзанна Дэвидсон перешла к главному.

— Клер, нам очень нужна твоя помощь, — начала она. — Вернее сказать, Марку нужна.

Клер заметила его пристальный взгляд. «Странно, — подумала она, — зачем я ему понадобилась».

— Сюзанна и Роджер посоветовали мне поговорить с вами, — серьезно начал Марк.

От этих слов Клер совсем упала духом. Они означали, что сам он и не думал про нее, и не вспоминал; это Дэвидсоны напомнили о ее существовании.

— Мне нужна компаньонка, точнее наставница. Сюзанна с Роджером в один голос уверяли меня, что лучше вас в этом городе никого не найти. Теперь я понимаю, почему они так говорили, — сказал Марк. Комплимент получился крайне неуклюжим, но Марк ничего не заметил.

— Учитель нужен вашим детям?

— Ах, нет... — вступила в разговор миссис Дэвидсон. — Все гораздо интереснее и чрезвычайно романтично. Расскажи, Марк.

Романтичная история? О чем это они говорят? Клер непонимающе обвела глазами присутствующих:

— Кажется, я немного запуталась.

Марк рассказал про Рэйфа и Бренду.

— Бренда — чудесная девушка, достойная, с благородной душой, но ее надо научить некоторым премудростям светского общения, как принимать гостей, вести хозяйство, в общем, тому, что знают все девушки, собирающиеся выйти замуж. Вот для этого мы и хотели пригласить вас.

— Понятно. — Клер стиснула руки, лежащие на коленях, и придала лицу выражение вежливого интереса.

— Рэйф хорошо заплатит вам. Всего два-три месяца, но вам придется поехать вместе с ними в Натчез. Сюзанна и Роджер считают, что вы прекрасно справитесь, и я тоже думаю, что лучше вас никого не найти. Что скажете, Клер?

Клер не знала, плакать ей или смеяться. Хорошо хоть, она вовремя выбросила из головы свои идиотские фантазии. Конечно, Марку до нее самой нет никакого дела, ему просто нужна учительница для невесты друга.

— Расскажите мне о мисс Бренде.

— Думаю, ей примерно лет двадцать. Красивая и, уверен, очень способная. Она быстро освоит все премудрости. Ее надо научить вести хозяйство в большом доме, ну и всяким там тонкостям светского общения, — снова повторил Марк.

Клер некоторое время сидела молча. Она уже привыкла думать, что Марк навсегда ушел из ее жизни и им больше никогда не суждено встретиться. И вот... Она печально качнула головой. Еще сегодня днем она мечтала, чтобы случилось что-нибудь необыкновенное. Теперь это «необыкновенное» произошло. Если она примет предложение, ей придется уехать из родного города, она встретится с новыми людьми и, главное, будет поближе к Марку. Понятно, он никогда не полюбит ее, но по крайней мере она будет рядом с ним.

— Я согласна, — решительно сказала Клер. — Когда мне приступить к своим обязанностям?

— Завтра утром я познакомлю вас с Рэйфом и Брендой.

— Договорились.

Остаток вечера прошел для Клер будто в тумане. Никогда в жизни она не совершала таких безумных поступков, но — удивительное дело! — чувствовала она себя очень спокойно.

Ночью, без сна лежа в постели, Клер все возвращалась памятью к прошедшему вечеру. Она не скрывала от себя, почему так легко согласилась на предложение Марка: быть хоть недолго рядом с ним, слышать его смех, разговаривать с ним и любить... тайно.

Рэйф смотрел на Клер с нескрываемым интересом. Ровно в девять часов, как и предсказывал Марк, раздался стук в дверь, и в комнату вошла будущая компаньонка Бренды. По ее виду невозможно было определить, сколько ей лет, но зато с первого взгляда становилось ясно, что эта женщина — как раз тот человек, какой ему нужен — настоящая суровая и неумолимая учительница.

— Марк рассказывал нам о вас, мисс Паттерсон, а после того как я познакомился с вами, я готов согласиться с каждым его словом. Эта работа — ваша, если вы не передумали.

Клер обрадовалась и посмотрела на Бренду, ту самую девушку, с которой ей предстояло провести следующие несколько месяцев:

— А вы, мисс О'Нил? Решение за вами. Если вам кажется, что мы можем не поладить, скажите об этом сейчас.

За все время встречи Бренда не проронила ни слова. Она внимательно слушала, что рассказывала мисс Паттерсон о себе, о своих родных и близких, о работе в школе. Женщина показалась ей интересной и, к счастью, совсем не похожей на ту сладкоречивую и лживую девицу, от которой она спасла Рэйфа. Во взгляде Клер светились доброта и ум.

— Мне будет очень приятно, если вы станете моей компаньонкой.

Рэйф и Марк вздохнули с облегчением.

— Значит, решено, — с улыбкой заключил Рэйф. — Теперь, что касается вашего жалованья...

— Уверена в вашей щедрости, — прервала его Клер. На самом деле деньги ее мало волнова... Сейчас она думала о будущем, о том, что, может быть, жизнь ее наконец изменится. — Когда мне приступать?

— Сегодня, если можно. Я снял этот номер для вас и Бренды. Мой находится напротив, через холл.

— Это недопустимо, — отчеканила Клер тоном, не терпящим никаких возражений. Рэйф,

Бренда и Марк в изумлении уставились на нее. — До свадьбы Бренда будет жить у меня дома.

— Вы уверены, что именно так надо поступить, мисс Паттерсон? — нерешительно спросил Марк.

— Только в этом случае я могу гарантировать, что ее репутация останется незапятнанной. Кроме того, нам обеим будет гораздо проще заниматься дома. — Она взглянула на Бренду. — Мы можем ехать прямо сейчас.

— Мне надо забрать кое-какие вещи с парохода, я попрощаюсь с капитаном и приеду к вам уже сегодня днем.

— Хорошо, буду вас ждать по этому адресу. — И Клер написала несколько строчек на листке бумаги.

— Договорились.

— Вот еще что. Вам, вероятно, понадобится новая одежда. Есть ли у вас наличные, и если да, то какой суммой мы располагаем?

— Никаких ограничений. Покупайте все, что необходимо, — отозвался Рэйф.

— Зачем? — Бренда удивленно посмотрела на него.

— Я хочу, чтобы у тебя было все, что ты пожелаешь.

— Спасибо. — Бренду тронули его великодушие и щедрость, но тут же она охладила себя: щедрость здесь вовсе ни при чем, просто миссис Марченд должна поразить общество своей красотой и аристократизмом, а значит, он заплатит столько, сколько потребуется для безупречного гардероба.

— Итак, первым делом, которое нам предстоит сегодня, будет посещение портнихи. Все. До встречи. — И Клер ушла. До приезда Бренды ей нужно было уладить еще тысячу разных дел.

— Ну, дорогая, что ты о ней думаешь? — обратился Рэйф к Бренде, как только Клер скрылась за дверью.

— По-моему, мы с Клер прекрасно поладим, — с улыбкой ответила та. — Держу пари, она отменная учительница.

— Что ж, мне пора, — поднялся Марк. — Если я понадоблюсь, пришли записку, Рэйф. Насколько я помню, у тебя через час деловая встреча. Я могу завезти Бренду на «Славу». Мне это по пути.

— Спасибо, Марк.

Марк вышел из комнаты, оставив Рэйфа с Брендой наедине.

— Рад, что тебе понравилась Клер. Мне хотелось найти такого человека, с которым бы ты чувствовала себя спокойно и уверенно. Ты поужинаешь со мной сегодня, часов в восемь?

— Хорошо, буду готова.

***

Бен и Бренда ехали в карете к дому Клер Паттерсон.

— Ты уверена, что тебе все это нравится? Еще не поздно отказаться, — озабоченно повторил Бен. Лицо его было серьезно.

— Какой ты милый, Бен. — Бренда ласково посмотрела на него. — Не волнуйся, все будет хорошо. Я попала в отличные руки. Клер Паттерсон преподает в лучшей школе для девочек здесь, в Сент-Луисе. Она согласилась стать моей компаньонкой.

— И что, она тебе понравилась? Ты ей доверяешь?

— Да. Вот увидишь, тебе тоже она понравится.

— Как мне не хочется завтра уезжать.

— И мне тоже очень хотелось бы, чтобы ты остался и пришел на мою свадьбу.

— Я должен отправляться дальше и вернусь сюда не раньше чем через три недели. Береги себя, слышишь?

— Спасибо тебе, Бен. Просто не знаю, что буду делать без тебя. — Бренда горько улыбнулась.

В этот момент карета остановилась около дома Клер Паттерсон. Бен внимательно посмотрел на дом, в котором предстояло жить Бренде, и остался доволен. Расположенный в приличном районе города, двухэтажный кирпичный особняк выглядел ухоженным и уютным. Бен проводил Бренду до двери и дождался, пока ее откроют.

— Бренда, вы как раз вовремя, — приветливо объявила Клер, открывая дверь.

— Добрый день, Клер. Разрешите представить вам моего друга, капитана Бена Роджерса. Бен, это Клер Паттерсон, моя компаньонка и наставница.

— Мне хотелось самому убедиться, что Бренда будет здесь в полной безопасности, и я решил непременно познакомиться с вами.

— Рада, что вы пришли. Друзья Бренды — и мои друзья.

Потом Клер ушла, предоставив им возможность попрощаться. Бренда посмотрела на Бена с лучезарной улыбкой:

— Ну вот, я же говорила, она тебе понравится.

— Не то слово. Я просто поражен. Твоя мисс Паттерсон, похоже, знает свое дело. Но ты-то уверена, что все будет в порядке?

— Уверена.

— Хорошо. Ну что ж, пожалуй, мне надо идти. Если что, если я тебе понадоблюсь, ты только дай знать. Где бы я ни был, приду.

— Обязательно. Спасибо, что поехал со мной, Бен. Мне очень дорого твое внимание и забота, — сказала Бренда.

Бен бережно обнял ее и поцеловал в щеку.

— Не забывай меня.

Сердце ее разрывалось от боли, когда она прощалась с другом. Бренда проводила его взглядом, потом вернулась в дом, готовая к новой жизни.

Глава 13

— Итак, первым делом нам надо проверить ваш гардероб, посмотреть, что у вас есть, что можно оставить, а что нужно заказать, — объявила Клер, как только слуга внес чемоданы Бренды.

Впервые в жизни Бренда стеснялась женщины. Ведь Клер ничего не знает о ее прошлой жизни. Она открыла чемоданы и принялась вытаскивать свою одежду, в душе трепеща от смущения. Она достала четыре причудливых, броских платья, которые надевала по вечерам в игорный салон, и разложила их на кровати, расправив складочки на юбках. Красивые платья, она их не стыдилась, но все-таки слишком яркие и слишком открытые. Такие вещи порядочная и скромная южанка ни за что не станет носить.

— Так, понятно, — изрекла Клер, внимательно изучив платья.

— У меня есть еще несколько строгих дневных платьев, — быстро сказала Бренда.

Клер взяла одно из них в руки и одобрительно улыбнулась:

— Какая тонкая работа.

— Его сшила моя мама.

— У нее золотые руки.

— Я обязательно передам ей ваши слова. Хотя... лучше вы сами скажете ей, когда мы приедем в Натчез. Мама будет жить с нами, и вы познакомитесь с ней.

— Очень немногие мужчины согласны жить со своими тещами под одной крышей. — Клер никак не решалась задать следующий вопрос, но ей очень хотелось знать, куда Бренда надевала такие откровенные наряды, и она рискнула: — Послушайте, Бренда, а для чего вам... Я, право, удивляюсь...

— Вам, наверное, непонятно, зачем мне такие... яркие платья, — пришла ей на помощь Бренда. Она присела на краешек кровати, держа в руках платье, сшитое матерью.

— Ваши платья очень... необычны, — уклончиво сказала Клер, по ее лицу невозможно было понять, о чем она думает на самом деле.

Ни осуждения, ни высокомерного презрения Бренда не почувствовала. Простой житейский интерес.

— Когда мы с Рэйфом познакомились и полюбили друг друга, я работала на пароходе у капитана Роджерса.

— Вы работали на пароходе? — Клер неодобрительно сдвинула брови, пытаясь представить, что могла делать Бренда в таких откровенных нарядах.

— Да, — ответила Бренда. Она ждала и боялась этого момента, даже хотела оставить платья на корабле у Бена, но их шила мама, и потому они много значили для нее.

— Вы, наверное, удивляетесь, с кем это вас угораздило связаться, зато теперь вам понятно, почему Рэйф решил найти для меня наставницу. На пароходе я работала в игорном салоне. Я профессиональный игрок.

— Что? Вы играли в карты? — Глаза Клер округлились. Изумлению ее не было предела. Бренда, такая хрупкая, милая, нежная, не может иметь ничего общего с теми малоприятными особами, которые, по представлению Клер, работают в подобных заведениях: без остановки тасуют карты и наливают мужчинам рюмку за рюмкой.

— Да, и, кстати говоря, очень неплохо играла, — с вызовом ответила Бренда, хотя никакого осуждения в вопросе Клер не услышала. — Так мы с Рэйфом и познакомились, за игрой в покер.

— Никогда бы не подумала, что вы нашли друг друга таким необычным образом. Удивительно романтичная история!

— Вы так считаете? — Бренда старалась говорить спокойно, чтобы не выдать душевного волнения. Знала бы эта учительница, что все далеко не так романтично, как ей кажется.

— И теперь вы намерены распрощаться со своей прошлой жизнью и стать женой мистера Марченда, — не спрашивала, а утверждала Клер. По ее губам пробежала едва заметная улыбка, в глазах мелькнуло любопытство, и она спросила: — А как вы вообще стали профессиональным игроком?

Бренда решила, что тут скрывать нечего, и коротко рассказала Клер свою историю.

— Теперь я понимаю, почему Рэйф решил, что вам нужна наставница, — задумчиво произнесла Клер. — Хорошо, что он так заботится о вас.

— Да, все так, но мне трудно отказаться от своего «я».

— Что вы, вы не перестанете быть собой, просто проявится все самое лучшее, что в вас заложено природой, — убежденно проговорила Клер.

— Благодарю вас, — улыбнулась Бренда.

— За что?

— За то, что не осуждаете меня.

— Я думаю, у вас была совершенно удивительная, полная приключений жизнь.

— На самом деле все это не так увлекательно. Я просто зарабатывала себе и своей матери на хлеб.

— Ваша мама, наверное, гордится дочерью.

— Надеюсь, вы правы... От души надеюсь, — отозвалась Бренда, думая о том, что сказала бы мама, узнай она правду. — Но расскажите мне о себе. Расскажите мне про школу.

— Я очень люблю своих учениц, и всегда слежу за их дальнейшей судьбой, когда они заканчивают учебу и начинают взрослую жизнь. Но — увы! — одна судьба меня не устраивает, и изменить ее я не могу.

— Чья же это судьба?

— Моя собственная, — вздохнула Клер.

— Но разве занятия со мной не изменят ваш образ жизни?

— Вы правы. Именно поэтому я согласилась на предложение мистера Марченда.

— Кажется, мы с вами подружимся, Клер.

— Мне бы этого очень хотелось. Что ж, начнем. — Клер строго сдвинула брови. — Итак, мисс Бренда О'Нил, если вы намерены появиться в Натчезе в качестве миссис Рэйф Марченд, вам необходимо полностью сменить гардероб. На мой взгляд, платья для игорного салона не слишком подойдут для приема, устраиваемого каким-нибудь знатным натчезским семейством, — с озорным смешком заявила Клер.

— Не понимаю почему, — рассмеялась Бренда. — Я могла бы сказать всем, что это последние парижские модели.

— Сказать-то, конечно, можно все что угодно, только вот...

— Понятно. Вы считаете, что никто мне не поверит. Тогда придется поискать портниху, и побыстрее.

— Когда состоится свадьба?

— На следующей неделе. Рэйф должен договориться со священником о точной дате.

— Что ж, займемся покупками.

Примерно через час Бренда вышла из кареты у магазина одежды. Всю жизнь она мечтала прийти за покупками в такое дорогое, роскошное заведение, но у нее никогда не было достаточного количества денег. Чтобы не выдать охватившего ее волнения, она напустила на себя вид равнодушный, даже скучающий, будто окружающее великолепие было для нее делом привычным.

— И часто вы приходите сюда за покупками? — тихо спросила Бренда у Клер.

— Так, иногда. Все, что они предлагают, слишком смело и изящно для меня.

К ним спешила хозяйка, радушно улыбаясь.

— Добрый день, леди, добро пожаловать к нам в магазин. — Прыткая особа уже успела окинуть вошедших оценивающим взглядом и решила, что они серьезные покупатели. — Меня зовут Лорна. Чем могу помочь?

— Мисс О'Нил необходимо полностью обновить гардероб, — заявила Клер своим не терпящим возражений тоном. — Она выходит замуж.

— Как замечательно! Поздравляю!

— Спасибо, — ответила Бренда, немного ошеломленная натиском услужливого рвения. Хорошо, что рядом с ней Клер.

— А свадебное платье? Оно вам тоже понадобится?

— Ну да, — начала Бренда.

— Свадьба будет скромной, только для близких, поэтому нам надо что-нибудь соответствующее случаю.

— Конечно, у меня есть несколько отличных моделей... — И Лорна принялась носиться по всему магазину, демонстрируя ткани и образцы платьев.

— Мисс Бренде нужно все, от белья и ночных сорочек до домашних и выходных платьев. Туфли и чулки, естественно, тоже. Вы сможете предоставить нам все эти вещи?

— Конечно, — пылко уверила их Лорна. Убежденность ее голосу придали те долларовые реки, которые уже устремили свои воды в ее кассу.

— Время у нас тоже ограничено. Есть у вас готовые платья?

— У меня как раз есть то, что вам нужно: два платья готовы полностью, а другие только немного подогнать.

— Хорошо. А когда будет сделано все остальное?

— Думаю, дней через десять. Максимум через две недели.

— Нам это не подходит, — отрезала Клер своим учительским безапелляционным тоном. — К пятнице на этой неделе. В противном случае мы будем вынуждены обратиться в другое место.

— К пятнице? — вытаращила глаза Лорна. Такой выгодный заказ она терять не намерена. У этих дамочек, безусловно, водятся деньги, значит, надо срочно подыскать себе помощников и справиться с работой к назначенному сроку.

— Что, для вас это сложно? — Клер вела себя так, будто собиралась уйти.

— Нет, нет! Я все сделаю, — поспешила заверить Лорна. — Все будет готово к пятнице.

— Отлично. Итак, начнем.

— Прошу вас сюда, пожалуйста. Нам нужно снять с вас мерки, а потом посмотрим модели, и вы выберете те, что вам понравятся.

Лорна проводила их к примерочной, позвала свою помощницу Кэти, и они вместе приступили к выполнению сложнейшей задачи — созданию нового образа Бренды.

Вся одежда, какую Бренда сносила за свою жизнь, была дешевле самого простенького платья из магазина Лорны, потому она сидела молча, предоставив Клер самой обсуждать с женщинами все тонкости и детали будущих туалетов. Слушая их разговор, Бренда с удивлением отметила про себя, что у ее новой подруги тонкий вкус. Особенно странным показалось ей то, что так много знает про ткани и современную моду женщина, одетая так скромно, почти аскетично.

Лорна и ее помощница пошли за образцами тканей, и Бренда с Клер остались на некоторое время вдвоем.

— А почему вы не хотите купить здесь что-нибудь для себя? — спросила Бренда.

— Мне? Купить здесь платье? — Клер с изумлением посмотрела на нее. — Нет, что вы, я никогда не смогу надеть на себя такое.

— Но почему? Ведь как только мы приедем в Натчез, начнутся приемы, балы... Вам обязательно нужно одно или два вечерних платья, — настаивала Бренда.

Ей страшно хотелось увидеть чопорную Клер в нарядном модном платье. Она была уверена, эта невзрачная женщина будет выглядеть совсем по-другому, если подберет платье, которое подчеркнет белую, почти прозрачную кожу и оттенит волосы. То, что надето сейчас, просто убивает все ее достоинства. У Клер прекрасная фигура, чистая, нежная кожа, а легкая, ясная улыбка очарует любого мужчину. Странно, но она даже не пытается приукрасить себя.

— Ну, я не знаю...

— Если вас волнуют деньги, то покупку можно записать на мой счет. А Рэйфу мы просто скажем, что это одно из моих платьев.

— Нет, так нельзя, я не могу этого сделать. У меня есть деньги. После смерти родителей мне досталось приличное наследство. Просто дело в том...

— Тогда я не понимаю, что вас останавливает. Мне кажется, вам бы очень пошло то серо-голубое вечернее платье, помните, мы только что его смотрели, — не унималась Бренда, вспомнив, как зачарованно смотрела на него Клер.

Клер задумалась. Она вспомнила это платье, атласное, с широкими юбками, простое, но очень элегантное. Бренде оно было чуть великовато, и Клер даже немного огорчилась тогда.

— Вы выше меня на несколько дюймов. Оно должно подойти вам безо всяких переделок и подгонок. Примерьте его, пожалуйста, не ленитесь.

Почему это я одна должна страдать, терпеть бесконечные переодевания, обмеривания, булавочные уколы?

В этот момент в примерочной появилась Лорна с несколькими образцами тканей и двумя бальными платьями.

— Лорна, принесите, пожалуйста, еще раз то серое платье. Клер хочет его примерить.

Сначала на лице хозяйки магазина отразилось удивление, потом она разулыбалась.

— Вы правы. Этот цвет ей очень пойдет. Сейчас принесу, подождите минуточку.

Лорна положила рулоны ткани на столик и бросилась выполнять просьбу. Это платье она сшила для одной из своих клиенток, но в самый последний момент дама передумала и не стала его покупать. А платье, без ложной скромности, было великолепным, таким могла бы гордиться королева. Лорна не очень огорчилась, когда та женщина отказалась его забрать, потому что знала: непременно появится другая покупательница, которой оно понравится. Похоже, эта дамочка по имени Клер как раз та «другая» и есть. Лорна с уверенностью истинного профессионала могла сказать: Клер подойдет это платье.

— До чего замечательная мысль вам пришла в голову, мисс О'Нил, — говорила Лорна, помогая

Клер снимать платье. — Почему-то я сама про это не подумала. Мне кажется, мисс Паттерсон, этот цвет вам изумительно подойдет.

Клер разволновалась. Ей казалось, она уже лет сто не покупала подобных легкомысленных нарядов. Ведь она работает в школе, и ей не нужны нарядные платья. Хотя, может, Бренда и права. Она же скоро поедет в Натчез, а там ее никто не знает. Это здесь она мисс Паттерсон, преподаватель в дорогой школе для девочек, и окружающие ждут от нее соответствующего поведения: уравновешенности, твердости, скромности. А в Натчезе она может вести себя свободнее, гораздо свободнее, быть такой, какой захочет!.. Хотя бы некоторое время. Мысль о Марке молнией сверкнула в ее голове.

Клер с помощью Лорны надела платье. Нежный атлас ласкал кожу. Она уже совсем забыла это сказочное ощущение. Платье пришлось как раз впору. Лорна крутилась вокруг, расправляла юбки и приводила в порядок застежки, потому Клер не могла повернуться к зеркалу.

— Ну вот, готово, — удовлетворенно сказала Лорна и отступила на шаг, чтобы полюбоваться на творение рук своих. — Что скажете, мисс О'Нил?

— Клер! Посмотрите скорее на себя! — задохнулась от восхищения Бренда.

Она и не представляла, как неузнаваемо может преобразить одежда человека. Чудесный серо-голубой цвет словно осветил лицо Клер, подчеркнул глаза. Бренда раньше и не обращала на них внимания, они прятались за очками, и только сейчас она увидела, что глаза Клер похожи на сине-зеленые озерца. Лиф платья плотно облегал ее фигуру, подчеркивая полную, крепкую грудь и тонкую талию. Бренда смотрела на Клер, не скрывая изумления. Клер может быть просто красавицей, если хоть немного постарается.

Сама Клер никак не могла взять в толк, отчего у Бренды и Лорны так вытянулись лица и почему они растерянно переглядываются. Она повернулась к высокому зеркалу, стоявшему за ее спиной.

— Надо же, — выдохнула она. — Какое красивое...

— Да не оно красивое, — поправила ее Бренда. — А вы сама! Вы великолепно выглядите! Вы просто обязаны купить себе это платье.

— Да... — только и смогла выговорить Клер. — Да, я куплю его...

— Очень верный выбор, — поддакнула Лорна. — Я и не предполагала, что оно так пойдет вам... Вы в нем просто неотразимы. Оно словно для вас сшито. От души желаю, чтобы в тот вечер, когда вы наденете его, сбылись все ваши мечты.

Бренда улыбнулась в ответ на эти пожелания:

— Ее мечты наверняка станут явью, ведь она похожа на принцессу из волшебной сказки.

— Это вряд ли, — грустно улыбнулась Клер. Ведь, несмотря на красивое платье, она осталась все той же Клер Паттерсон, старой девой, школьной учительницей, которой судьба отвела роль компаньонки и наставницы. С усилием она оторвала взгляд от своего отражения и обратилась к Бренде: — Ну а теперь давайте решать, что будем делать с вами? Если для меня выбрали это, то для вас надо подыскать что-нибудь еще более прекрасное. Не говоря уже о свадебном платье.

— У меня есть прелестная модель, как раз то, что надо, — сказала Лорна, и женщины снова с головой ушли в решение сложнейшей проблемы.

Рэйф прислал Марку записку. Он сообщил в ней, что закончит все дела к полудню и будет у священника в четыре пополудни. Два друга встретились возле церкви, в которой в свое время венчались Марк и Дженнет, и вместе пошли к дому священника.

— Марк? Марк Лефевр? Вот так встреча! — воскликнул отец Финн, открыв им дверь. — Рад, очень рад тебя снова видеть!

— Мне тоже приятно снова увидеться с вами, святой отец.

— Прими мои соболезнования, Марк. Я слышал про Дженнет. Сюзанна и Роджер с трудом перенесли это горе. — Искреннее сочувствие светилось в глазах отца Финна.

— Всем нам было тяжело, — печально отозвался Марк.

— Понимаю.

— Впрочем, я пришел к вам сегодня не с печальными вестями, святой отец. Хочу похлопотать за моего друга, Рэйфа Марченда. Рэйф, познакомься, это отец Финн.

— Чем могу помочь? — серьезно спросил отец Финн и внимательно посмотрел на Рэйфа.

— Дело в том, святой отец, что я хочу жениться, — проговорил Рэйф и вдруг запнулся. Он только сейчас осознал смысл произнесенных слов.

— Рэйф надеется, что вы окажете ему честь, святой отец. Он и его невеста будут в городе недолго. Им хотелось бы, чтобы их обвенчали вы.

— Прямо сейчас? — нахмурился отец Финн.

— Дело в том, что на следующей неделе я должен вернуться к себе домой, в Натчез, и мне хочется привезти домой Бренду уже как свою жену, — объяснил Рэйф.

Отец Финн внимательно посмотрел на Рэйфа и глубоко вздохнул:

— По нашим правилам имена вступающих в брак должны быть оглашены в церкви за три недели до торжественной церемонии.

— Но разве нельзя сделать исключение, святой отец? — вступил в разговор Марк. — Все пары, чей союз вы освящаете, прекрасно живут вместе. Я любил мою Дженнет всем сердцем и того же счастья желаю своему другу Рэйфу и его Бренде. У вас легкая рука, святой отец.

Отец Финн рассмеялся:

— Хотелось бы верить, что это правда, Марк. Приятно знать, что помогаешь созданию прочных и счастливых семей.

— Так и есть. Из всех известных мне пар мы с Дженнет были самыми счастливыми. Уверен, только благодаря вам. Прошу вас, сделайте то же самое и для Рэйфа с Брендой, святой отец!

Рэйф трепетал в душе, слушая этот шутливый разговор. Неужели он так хорошо сыграл свою роль?! Сумел убедить всех, в том числе и Марка, что они с Брендой на самом деле влюблены друг в друга. Теперь им предстоит настоящий, не выдуманный брак. Значит, он навсегда потеряет свободу.

Отец Финн снова посмотрел на Рэйфа, словно изучал его.

— Что ж, думаю, я смогу вам помочь, раз уж вам так нужно жениться обязательно на следующей неделе.

— Благодарю вас, святой отец, — широко улыбнулся Рэйф. Он уже успокоился.

— Значит, поступим так, молодой человек. Приходите ко мне завтра утром вместе с вашей невестой.

— Хорошо, мы придем.

Рэйф с Марком поднялись, чтобы уйти.

— Марк?

— Да, святой отец?

— Я хочу повидать твоих детей. Заходите ко мне, навестите старого друга. Я не видел Мэрайю с ее крещения.

— Обязательно.

— Вот и хорошо.

Глава 14

Рэйф уже взялся за ручку входной двери гостиницы, как взгляд его упал на вывеску магазинчика, прилепившегося к «Плантерс-хаусу». «Кларксон и сыновья, ювелирные изделия». Рэйф несколько секунд стоял неподвижно, что-то обдумывая, затем повернулся и направился к магазину.

На двери звякнул колокольчик, сообщая о его приходе.

— Добрый день, сэр. Чем могу помочь вам? — вежливо произнес пожилой господин. Он вышел из-за занавески, отделявшей заднюю часть комнаты.

— Мне нужно... — Рэйф скользил взглядом по витрине, рассматривая выставленные драгоценности, — ...кольцо.

И тут он его увидел, искрящееся, сверкающее в ярком свете.

— Кольцо, сэр?

— Да, вот это... — Он указал на золотое кольцо с бриллиантом. Простая, почти незаметная оправа удивительным образом подчеркивала совершенную красоту драгоценного камня.

— У вас отличный вкус, сэр, — рассыпался в комплиментах Кларксон. Он открыл витрину, достал кольцо и протянул его Рэйфу.

Рэйфу не нужно было раздумывать. Хороший камень он видел сразу. Это кольцо должно быть у Бренды.

— Я покупаю его. Еще мне нужно обручальное кольцо.

— Поздравляю, сэр. Полагаю, вы уже сделали предложение вашей даме?

— Да, мы собираемся пожениться через неделю.

— У меня есть как раз то, что вам нужно. — Ювелир бросился за штору и тут же вернулся с широким золотым обручальным кольцом. — Вот. Что скажете? Если хотите, могу выгравировать на нем ваши инициалы и дату свадьбы.

— Хочу. Я беру оба.

Старый ювелир любил разговаривать с людьми, понимающими толк в камнях и умеющими ценить красоту.

— Вашей даме очень понравится подарок, сэр. У вас превосходный вкус. Кольцо для вас будет готово в начале следующей недели.

«Его дама...» Рэйф вышел на улицу и остановился. В руках он держал футлярчик с свадебным подарком для Бренды. Этот старикан прав. Бренда станет «его» всего лишь через несколько дней.

Как ни странно, эта мысль нисколько не раздражала и не беспокоила его. Прежде было не так. Всякий раз, когда он задумывался о женитьбе, об обязательствах и ограничениях, которые накладывает брак, он начинал злиться. Теперь же Рэйф с нетерпением ждал завтрашнего дня, когда они вместе должны идти к священнику, и это удивляло его.

В восемь часов вечера Рэйф был у Клер Паттерсон. На стук дверь открыла служанка. Клер ждала его.

— Добрый вечер, мистер Марченд.

— Пожалуйста, зовите меня Рэйф, — предложил он. — Ну, как прошел день?

— Скоро получите счета, вот тогда все и узнаете. — В глазах Клер искрился смех. — А если серьезно, то все идет хорошо. Мы заказали наряды для Бренды, и все должно быть готово к концу недели.

— Отлично.

— С завтрашнего дня начнем занятия. Мне кажется, у нее все получится.

— Я надеюсь на вас.

— Уверена, наши уроки доставят мне истинное удовольствие. Бренда — очаровательная девушка.

— И я так считаю.

— А вот и она идет... — Клер услышала, как Бренда спускается по лестнице, и вышла в холл.

Рэйф последовал за Клер и... замер на пороге. К нему приближалась прекрасная незнакомка. Рэйф, конечно, не сомневался, что эта изящная женщина — Бренда, но все же...

Бледно-голубое платье совершенно непостижимым образом подчеркивало чистоту и невинность и одновременно чувственность опытной искусительницы. Низкий, но безо всякого намека на вульгарность вырез открывал пылкому взору соблазнительные прелести упругой груди, пышные юбки маняще покачивались вокруг бедер. Тонкой работы ожерелье и серьги гармонировали с цветом платья.

Во рту у Рэйфа пересохло.

— Добрый вечер, Рэйф, — проговорила Бренда, спустившись в холл.

— Бренда, — откашлявшись, пробормотал он, — ты прекрасно выглядишь.

— Спасибо. Я рада, что тебе понравилось.

— Мне очень нравится. — Он попытался улыбнуться.

— К полуночи Бренда должна быть дома, — вмешалась Клер. Она с превеликим трудом спрятала довольную улыбку, увидев потрясение Рэйфа.

— Хорошо. Привезу ее вовремя.

Бренда царственным движением приняла предложенную руку, лукаво взглянула на Клер и вышла вместе с Рэйфом из дома.

Рэйф помог Бренде подняться в карету. Легкий, дурманящий аромат ее духов заставил бешено забиться его сердце, и без того разгоряченная кровь вскипела. Рэйф подождал немного, будто для того, чтобы дать ей время устроиться поудобнее на подушках, а на самом деле ему просто нужно было прийти в себя, обуздать внезапно вспыхнувшее желание.

Бренда — красивая женщина, вот и все. Он сделал ей предложение лишь потому, что хочет иметь ребенка, а вовсе не потому, что питает к ней какие-либо чувства. Да, она очень привлекательна, его тянет к ней физически. Но это же хорошо. А иначе выполнение супружеского долга превратится в неприятную повинность. И вообще, она лишь еще одна женщина в его жизни, такая же как и все остальные.

Рэйф поднялся в карету и сел рядом с Брендой. Коробочка с кольцом больно ткнулась ему в бок.

— У меня есть для тебя подарок.

Бренда подняла на него удивленный взгляд. Он сегодня был необыкновенно красив, у нее даже сердце защемило. Вдруг вспомнился их танец на залитой лунным светом палубе, жаркий поцелуй, и почти захотелось, чтобы приближающаяся свадьба стала настоящей.

Рэйф протянул ей коробочку, перевязанную бархатной лентой.

— О-о-о...

— Возьми. — Рэйф вложил подарок ей в руки. — Открой ее.

Непонятный страх охватил Бренду. Она осторожно развязала красивую ленточку и сняла крышку с маленькой коробочки. Бриллиант ослепительно сверкнул.

— Какая красота... — выдохнула Бренда, не в силах поверить, что Рэйф сделал ей свадебный подарок. Сердце ее бешено колотилось. Она посмотрела Рэйфу в глаза, почти поверив...

Но наткнулась на холодный, расчетливо-безразличный взгляд, и все теплые чувства, проснувшиеся в ней, сразу умерли. Это кольцо вовсе не романтический подарок от любящего мужчины. Оно всего лишь реквизит в спектакле, называемом ухаживание, любовь, свадьба, семья, лишь некая часть действа, разыгрываемого для того, чтобы убедить зрителей в истинности их чувств.

— Спасибо, — сухо промолвила она. Волшебное очарование исчезло без следа. Свадебный подарок ей был вручен так же трогательно, как и сделано предложение.

Бренда вынула кольцо из коробочки и надела на палец. Оно было как раз впору, и этот факт разозлил ее еще больше. Вот же чудовище! Неужто он учитывает и рассчитывает все на свете, умудрился даже вычислить размер кольца!

— Как, подходит?

— Да.

Рэйф откинулся на сиденье, чрезвычайно довольный собой, а у Бренды на душе было мрачно и холодно.

Когда они вошли в зал ресторана, Бренда почувствовала на себе восхищенные взгляды, но ее это нисколько не обрадовало. Интересно, думала она, какими бы стали лица этих мужчин, узнай они вдруг правду. Она просто мисс Бренда, профессиональный игрок в карты, хозяйка салона на пароходе «Слава Нового Орлеана».

Еда была восхитительной, но Бренде все блюда показались пресными и невкусными. Она едва притронулась к тарелке. Смешно, конечно, думать об этом сейчас, но Клер была бы довольна таким поведением своей воспитанницы, ведь она не раз напоминала: первое правило истинной леди — никогда не есть много на людях. Что ж, сегодня вечером об этом не пришлось беспокоиться. У нее все равно не было аппетита.

— Завтра утром мы встретимся со священником, который должен поженить нас, — сказал Рэйф, отложив в сторону вилку и нож.

— А на какой день ты собираешься назначить эту свадьбу?

— Нашу свадьбу. — Он сделал ударение на слове «наша». Его почему-то неприятно задела последняя фраза Бренды, произнесенная довольно ядовитым, хотя и официальным тоном. Что она злится, ведь они заключили обычное деловое соглашение! — Думаю, лучше всего будет, если мы поженимся на следующей неделе, например, в четверг или пятницу.

— И сразу после этого уедем в Натчез? — Бренда внезапно осознала, что совсем скоро ее дальнейшая жизнь будет неразрывно связана с этим человеком.

— Откровенно говоря, мне очень хочется поскорее отправиться домой, но первую брачную ночь лучше провести не на борту парохода, а где-нибудь в другом месте.

— Понятно. — Бренда похолодела. Он уже все решил: кто, что, где, когда и почему; спланировал, как пройдет их первая ночь, а с ней и не посоветовался. При других обстоятельствах она, наверное, очень переживала бы от такого невнимания, но сейчас ее это совсем не волновало, вернее, она запретила себе думать об этом,

До дома Клер они доехали в молчании.

— Понимаете ли вы всю важность и ответственность шага, который собираетесь сделать? — Отец Финн перевел взгляд с Рэйфа на Бренду. Ему казалось, что есть между ними нечто непонятное, глубоко скрытое, невысказанное, какое-то напряжение, довольно необычное для влюбленной парочки.

— Да, святой отец.

— Ведь брачный союз накладывает очень серьезные обязательства на всю дальнейшую жизнь... пока смерть не разлучит вас. — Он умолк, ожидая ответа. Бренда и Рэйф промолчали, тогда отец Финн снова заговорил: — Может, вам обоим надо немного подождать, еще раз подумать. Брак и семья не терпят легкомыслия. Это очень серьезный шаг.

— Мы все обдумали, святой отец, — твердо сказал Рэйф. — Всю жизнь я искал такую женщину, как Бренда, и теперь, когда нашел, не хочу больше ждать и откладывать свое счастье.

— А вы что скажете, милая леди? Вы уверены, что хотите выйти замуж за этого человека? — обратился к Бренде отец Финн.

— Да, уверена, святой отец, — не задумываясь ответила она. — Рэйф значит для меня так много, гораздо больше, чем можно выразить словами.

Священник умолк, задумчиво изучая пришедшую пару. В комнате воцарилась тишина. Прошло довольно много времени, пока он отбросил все сомнения:

— Ну хорошо. Если у вас нет сомнений, если вы готовы принять на себя все обязательства, связанные с вступлением в брак, я готов поженить вас.

— Спасибо вам, святой отец, — сказал Рэйф и ласково улыбнулся Бренде.

— Вы уже подумали, в какой день хотите пожениться?

— В пятницу на следующей неделе, если вам это удобно.

— Хорошо. Службу проведем в маленькой часовне, что позади церкви. Например, часов в семь вечера. Вас устроит?

— Конечно, святой отец.

Отец Финн стоял у дверей дома и смотрел им вслед. Как сложится жизнь этих двоих? Будут ли они счастливы друг с другом? Он искренне надеялся на это.

Все последующие дни прошли в суматохе и хлопотах. Дела начинались для Бренды, лишь только она открывала глаза. Клер учила ее управлять большим домом, вести хозяйство, принимать гостей.

Однажды, больно прищемив палец, Бренда разразилась проклятиями.

— Настоящая леди не должна употреблять такие слова! — поправила ее Клер.

— Но мне же больно!

— Простого «ох!» вполне достаточно. Всем и так станет ясно, что вам очень больно. Совершенно ни к чему вкладывать столько... эмоций в восклицание. Запомните, главное правило хорошего тона — сдержанность.

— Понятно. Я не должна много есть на людях, высказывать свое мнение, спорить с мужчинами — только мило улыбаться и все время говорить окружающим, какие они умные и красивые, даже если они глупы, как пробки, и страшны, как черт. И вот тогда я буду считаться настоящей леди. Я все правильно поняла?

— Все правильно, — улыбнулась Клер.

— Я не понимаю, почему человек должен прятать свое истинное лицо?

— Вам ничего не надо прятать, Бренда. Вы просто должны научиться управлять своими чувствами. Пока вас никто не видит, вы можете быть такой, какой вам угодно, но, когда вы находитесь на людях, у вас, как у миссис Рэйф Марченд, есть определенные обязанности, и вы должны вести себя соответствующим образом.

— Иногда мне кажется, светская жизнь похожа на театр, где каждый играет свою роль.

— Не волнуйтесь так. Скоро вы привыкнете, и эти правила станут вашей второй натурой. Вы добрый и чуткий человек, очень умны, и, я не сомневаюсь, вас ждет оглушительный успех в обществе.

Бренде стало легче от нежных уверений Клер, и охватившее ее было чувство безысходности и мрачной тоски развеялось. Она порывисто обняла свою подругу и учительницу.

— Мне все равно, что говорят правила поведения, но если я хочу обнять подругу, то сделаю это непременно.

Клер рассмеялась и важно ответила:

— Проявления дружеского расположения всегда приветствуются в благовоспитанном обществе, — и серьезно добавила: — Я очень привязалась к вам, Бренда. Мне приятно работать с вами.

— Будем надеяться, что мсье Хеберт после сегодняшнего вечера скажет то же самое, — усмехнулась Бренда, в глазах ее сверкнули озорные огоньки.

— Отчего вы так беспокоитесь об учителе танцев? — удивилась Клер.

— Потому что бедняга вряд ли сможет ходить после того, как я оттопчу ему ноги.

Они залились веселым смехом.

— Не волнуйтесь, мсье Хеберт отлично справляется с ученицами, которые... гм-м... ну, скажем, не отличаются особыми способностями в танцевальном классе.

— Постараюсь быть с ним поаккуратнее.

— У вас все получится, я уверена.

— Однажды, пока мы плыли на пароходе, Рэйф пытался научить меня танцевать вальс.

— Ну и?

— Это был удивительно романтичный вечер, и танец показался мне прекрасным, восхитительным действом.

— Так и есть. Но, кроме вальса, есть и другие танцы, и мсье Хеберт научит вас им.

— Хоть бы только все запомнить.

— Да запомните, а если кое-что и забудете, ваш молодой супруг будет счастлив помочь вам вспомнить.

— Он прекрасно танцует, — отозвалась Бренда, вспомнив лунную ночь и сильные руки Рэйфа. Неземное блаженство!.. Неужели танцы с мсье Хебертом покажутся такими же чудесными? Вот сегодня и проверю.

Было довольно поздно, когда Рэйф подъехал к дому Клер. В субботу вечером он был приглашен на ужин со Стивом Гибсоном, владельцем компании по перевозке грузов, в которую Рэйф собирался вложить значительные средства, и хотел, чтобы Бренда сопровождала его. Гибсоны жаждали познакомиться с ней, узнав о предстоящей на днях свадьбе.

Подойдя к входной двери, он с удивлением услышал звуки музыки, доносившиеся из дома. Окно гостиной было не зашторено, и он увидел танцующую пару. Что такое?! Бренда кружится в вальсе в объятиях постороннего мужчины. Его руки непроизвольно сжались в кулаки. Пренеприятное зрелище. Какой-то щеголь обнимает ее, что-то шепчет на ухо, а она весело смеется! На скулах Рэйфа заходили желваки.

Он нахмурился. Интересно, где же Клер? И что это за субъект? Его охватило искушение вихрем ворваться в дом и потребовать ответа на кое-какие вопросы, но он сумел обуздать гнев и спокойно постучал в дверь.

— Добрый вечер, мистер Марченд. Мы вас не ждали сегодня. Проходите в дом. — Делла была явно удивлена его появлением.

Ее неприкрытое удивление раздосадовало Рэйфа еще больше. Значит, Бренда знала, что его не будет, и специально устроила это безобразие.

— Мне нужно поговорить с мисс Брендой. — Ему удалось произнести эту фразу довольно вежливым тоном, но душивший его гнев готов был вырваться наружу.

— Они сейчас в гостиной. Сегодня ее превратили в танцевальный зал, как видите, — с улыбкой ответила служанка.

Рэйф остановился в дверном проеме. Он молча смотрел, как Бренда танцует с незнакомым мужчиной, а два музыканта играют для них вальс. В глубине комнаты он увидел Клер и понял, что погорячился.

— Рэйф! Добрый вечер! — Клер заметила его первая. — Познакомьтесь с мсье Хебертом. Он преподает танцы в той школе, где я работаю.

Она представила мужчин друг другу.

— Сэр, — произнес Рэйф, сделав шаг навстречу, чтобы пожать руку учителю.

— Ваша невеста прекрасно движется, у нее легкая поступь и отменный слух. Она так быстро все схватывает, что, пожалуй, ей потребуется всего лишь еще один урок.

— Неужели? — Рэйф взглянул на Бренду.

Она довольно улыбнулась, услышав похвалы, щеки ее пылали, глаза сияли. Рэйф вновь почувствовал глухое раздражение.

— Ты был прав, Рэйф. Танцевать так здорово, — заявила Бренда, снова вспомнив вальс на пустынной палубе. Теперь она знает много фигур, и он не будет стыдиться ее неумения. — Мсье Хеберт замечательный преподаватель. За один вечер он научил меня почти всему.

— В самом деле? Давай посмотрим, чему же он научил тебя. — Рэйф едва не скрежетал зубами.

Изумлению Клер не было предела. Ведь он явно ревновал.

— Конечно. — Клер отступила к стене. — Мсье, будьте любезны, попросите сыграть музыкантов еще один вальс.

— С удовольствием. Я с радостью и сам посмотрю, как мисс Бренда усвоила мои уроки.

Рэйф по-хозяйски требовательно положил руку на талию Бренды. Она заглянула ему в глаза и заметила опасные огоньки, сверкнувшие в глубине. Сердце ее подпрыгнуло и тревожно забилось.

— Что случилось?

— Ничего. Все в порядке, — отрезал Рейф.

Раздались звуки музыки, и они заскользили по комнате.

— Ну, покажи мне, чему тебя научил мсье Хеберт.

Бренда подняла на Рейфа свои прекрасные глаза и улыбнулась. Нежная, ясная, безмятежная улыбка проникла в самую глубину его души и уничтожила клокотавшую в ней ярость. Неожиданно для самого себя Рейф вдруг понял, что хочет одного — чтобы она всегда оставалась такой счастливой.

Так они плыли по комнате, то замирая, то ускоряя шаг, следуя ритму музыки, совершенно растворившись в невыразимо чудесном ощущении, вызванном прикосновениями рук.

Бренда и впрямь многому научилась за этот урок. Волна неприязни и смятения вновь поднялась в душе Рейфа, тщетно он убеждал себя, что глупо и смешно обращать внимание на подобную ерунду. Это всего лишь танец. И все же он не мог совладать с ревностью, потому что другой мужчина смог научить ее гораздо большему, чем он сам.

Рейф вел ее по залу, и она послушно следовала за ним, ни разу не сбившись с шага.

— Ты и в самом деле сегодня многому научилась, — заметил он после особо сложного па.

— Спасибо. Если бы не мсье Хеберт, нам с тобой, наверное, пришлось бы не один вечер посвятить танцам, чтобы достичь таких результатов.

— Это стало бы для тебя пыткой?

Тон, каким был задан вопрос, удивил Бренду. Она быстро взглянула на Рэйфа. Лицо его показалось ей необыкновенно ласковым, но она решила, что он опять притворяется.

— Это могло бы стать пыткой для тебя. Представь только, что стало бы с твоими ногами!

— Ты не права. Мне очень понравился наш первый урок на «Славе».

— Мне тоже, — тихо проговорила Бренда. Сейчас он совсем был не похож на человека, который женится исключительно из прагматических соображений. Он говорил так, словно мечтает танцевать с ней всегда. — Мне очень понравилось заниматься с мсье Хебертом, но если бы я могла выбирать, то выбрала бы тебя.

Музыка закончилась.

Рэйф остановился.

— Не волнуйся, — сказал он, глядя на нее сверху вниз, — есть еще много разных вещей, которым я научу тебя сам, и никакой учитель нам не понадобится.

Ее сердечко забилось от таких слов, но времени на разговор у них на было: к ним спешила Клер.

— Прекрасно... просто великолепно! Вы изумительно танцуете. Ни одному человеку не придет в голову, что вы умеете вальсировать всего несколько дней, Бренда.

Клер обернулась к учителю:

— Вы отлично поработали, мсье Хеберт. Думаю, еще один урок, и наша ученица может без страха отправляться на бал.

— Значит, до завтра?

— Да, встретимся завтра вечером. Будем ждать вас.

Мсье Хеберт и музыканты откланялись и ушли. Клер повернулась к Рэйфу и Бренде.

— Все идет прекрасно. Бренда очаровательная компаньонка и одна из самых способных моих учениц.

— Да, Бренда умница.

— Чем вызван ваш столь неожиданный визит? — уже строго поинтересовалась Клер.

Рэйф рассказал об ужине с Гибсонами в субботу вечером.

— Что ж, замечательно! Это будет, так сказать, ваша генеральная репетиция, — весело обратилась Клер к Бренде. — У нас остается еще два дня, чтобы позаниматься этикетом.

— Вот и хорошо. А ты что скажешь, Бренда?

— Я буду ждать этого вечера с нетерпением.

Рэйф собрался уходить.

— Весь завтрашний день у меня занят встречами и переговорами, но я загляну к вам вечером, если не возражаете, — обратился он к хозяйке.

— Будем рады. До встречи.

Он попрощался и ушел.

Когда силуэт его растворился в темноте, а звук шагов затих, Бренда повернулась к Клер.

— Что случилось? Почему вы так загадочно улыбаетесь?

— До чего вы счастливая женщина! Рэйф Марченд безумно влюблен в вас.

— Вы и в самом деле так думаете? — Бренда даже растерялась.

— Ну конечно, — настаивала Клер. — Разве вы не заметили, как он смотрел на вас, когда вошел в комнату и увидел, что вы танцуете с мсье Хебертом?

— Нет, я даже не знала, что он пришел. Я считала шаги и старалась не сбиться и не наступить мсье Хеберту на ногу.

— Тогда поверьте мне на слово, Рэйф был вне себя от ревности и успокоился, только когда сообразил, что попал всего лишь на урок танцев.

— Никогда бы не подумала, что Рэйф относится к разряду ревнивцев.

— Пожалуй, вам теперь придется это учитывать, — посоветовала Клер. — Все-таки приятно знать... что подобный человек ревнует.

— Но у Рэйфа нет никаких причин! — В груди ее затеплилась слабая надежда, но она подавила ее. Ни к чему эти мысли, от них только хуже становится.

— Вы будете очень счастливы с ним, — мечтательно произнесла Клер.

— Я очень этого хочу. — Бренде не хотелось разочаровывать Клер. Они с Рэйфом отлично постарались, и все вокруг поверили, будто они любят друг друга. Пожалуй, оба они наделены актерскими талантами гораздо в большей степени, чем сами подозревали.

— И у вас будут красивые дети... — вздохнула Клер, представив себе хорошенького младенца.

Эти совершенно невинные слова ранили Бренду в самое сердце.

— Что ж, пожалуй, пойду-ка я спать. Во сколько я должна встать утром?

— Нам нужно с утра съездить на примерку, часам к десяти, не раньше, поэтому можете поспать подольше.

— Хорошо. Мне это как раз необходимо.

— Спокойной ночи, Бренда, приятных сновидений. Вы молодец, у вас все превосходно получается.

Но Бренда не слышала похвалы: на сердце у нее было слишком тяжело, чтобы думать о правилах хорошего тона или уроках танцев. Рэйф заключил с ней сделку и не отпустит ее, пока она не выполнит все условия.

Глава 15

Уже перевалило за полночь, а Бренда все никак не могла уснуть. Ей неприятно было признаться даже самой себе, что она ужасно нервничает перед предстоящим вечером. Она то ходила по комнате, то смотрела в окно на темную улицу и горячо молилась, чтобы все прошло удачно.

Она вспомнила, как в детстве мечтала стать богатой дамой, и горько улыбнулась. Сейчас ей не хотелось ничего. Внезапно Бренда поняла, что нужно сделать, чтобы наконец успокоиться. Она взяла свой саквояж и принялась рыться в нем. Она точно знала, что они должны быть где-то здесь. Ведь она положила их, когда собирала вещи, уходя со «Славы». Наконец ее рука нащупала знакомый футляр. Бренда довольно улыбнулась. Ее опора и защита... Они здесь, с ней... Она не оставила их...

Сияя от радости, Бренда вытащила из саквояжа колоду карт и принялась раскладывать пасьянс. Она выбрала сложный пасьянс, требующий внимания и сосредоточенности, ей было необходимо отвлечься и успокоиться.

Бренда так увлеклась картами, что забыла о времени, и к действительности ее вернул стук в дверь.

— Бренда, что случилось? У вас все в порядке? — раздался обеспокоенный голос Клер.

Бренда открыла дверь и увидела озабоченное лицо своей наставницы.

— Мне казалось, я не помешаю вам... — начала извиняться Бренда.

— Нет, нет, вы мне нисколько не помешали. Просто я встала выпить воды, увидела в вашей комнате свет и испугалась, подумала, что вы заболели. — Клер заметила разложенные на столе карты. — Вы играете в карты?

— Никак не могу уснуть. Я так волнуюсь, даже боюсь завтрашнего вечера.

— У вас все получится, — уверила Клер.

— Да откуда вы знаете?! — воскликнула Бренда. — А что, если я сделаю какой-нибудь ужасный промах? Мне кажется, я запутаюсь, собьюсь, все на свете забуду. Вряд ли Рэйф простит меня.

— Вы все сделаете правильно. Не будет никаких ошибок. Ни к чему так волноваться из-за обычного, рядового ужина. Вы же Бренда О'Нил, профессиональный игрок. Где же ваша выдержка? Самообладание? Ваша уверенность в себе? — Клер старалась ободрить ее.

— Не знаю...

— Во что вы играете?

— Да пасьянс раскладываю, чтобы время убить.

— А что, возьметесь обучить меня играть в покер? Я уже много лет слушаю, как мужчины расхваливают эту игру, но ни один даже не предложил мне хотя бы показать, как надо играть.

— Вы и в самом деле хотите научиться? — изумилась Бренда. Ведь Клер — настоящая леди, дама из высшего общества. Зачем ей играть в карты?

— По-моему, это так интересно... делать ставки, блефовать и выигрывать... — улыбалась Клер.

— Но ведь выигрываешь не всегда.

— Верно, но всегда на это надеешься. Ну, согласны? Вы все равно не можете заснуть. — И Клер, не ожидая приглашения, прошла мимо Бренды прямо к столику. Она собрала карты и протянула Бренде. — Вот. Теперь пришел ваш черед учить меня.

Если бы они играли по-настоящему, на деньги, то через час карманы Клер заметно полегчали бы.

— Потрясающе! Неудивительно, что дела на пароходе у вас шли успешно, — объявила Клер, проиграв очередную партию.

Бренда одарила ее улыбкой победителя:

— Благодарю. А вы прекрасно проигрываете.

— Такая уж у меня судьба, — усмехнулась Клер. — Всегда проигрываю. Я привыкла.

— Это неправильно. Вы не должны привыкать к поражениям. Никогда нельзя опускать руки.

— Как вы хорошо сейчас сказали. Так неужели вы не выиграете завтра!

Бренда вздохнула:

— Я поняла.

— Вот и хорошо. Спасибо.

— Теперь поговорим о вас.

— А что я? — удивилась Клер.

— Почему вы так убеждены, что не можете добиться того, чего хотите?

— Потому что у меня это никогда не получалось, — пожала плечами Клер. — После стольких неудач теряешь всякую надежду.

— Так нельзя.

— Иногда потеря причиняет такую боль, что о былых мечтах и вспоминать не хочется. Лучше отгородиться от всего мира, закрыться, уйти в себя.

Бренда поняла, что Клер пережила в прошлом драму, но ни о чем спрашивать не стала.

— Что ж, придется переделывать не только меня, но и вас, — засмеялась она.

— И в кого вы намерены меня превратить? — спросила Клер. — В старую деву, школьную учительницу, которая умеет играть в карты?

Они дружно рассмеялись.

Бренда внимательно оглядела Клер. Все дело в том, решила она, что Клер сама поставила крест на собственной жизни. Конечно, она уже не так молода, вспомнила Бренда. Кажется, она как-то говорила, что ей двадцать девять лет. Ну и что? Разве в таком возрасте нельзя найти себе мужа? В Клер есть обаяние, продолжала размышлять Бренда, но она слишком вошла в роль учительницы, строгой и неприступной. И еще эти очки. Неужели она так плохо видит, что должна носить их все время...

— Разве не вы говорили мне всего лишь несколько дней назад, когда я терпела эти бесконечные примерки и подгонки, что настоящая леди обязана всегда великолепно выглядеть, что бы с ней ни случилось?

— Да, я это говорила. И что?

— А то, что вы не следуете собственным советам.

— О чем вы говорите?

— Ну, к примеру, посмотрите, как вы одеваетесь.

— А как я одеваюсь? — озадаченно спросила Клер, хлопая глазами. Она всегда считала, что вполне прилично одевается, в соответствии со своей работой.

— Вы же похожи на учительницу.

— Ну я и есть учительница, школьная дама, — раздраженно парировала она.

— Неужели вы навсегда хотите остаться учительницей?

И опять Клер удивилась проницательности Бренды. Никто, ни один человек за все эти годы даже не поинтересовался, чего она в самом деле хочет от жизни. Никого это не волновало, и в конце концов она и сама перестала об этом думать.

— Честно говоря, я никогда не хотела быть учительницей, — тихо сказала Клер, вдруг превратившись из чопорной школьной дамы в милую беззащитную женщину.

Бренда поверить не могла, что Клер решится раскрыть перед ней свою душу.

— О чем вы мечтали в юности?

— Мне хотелось выйти замуж и родить детей. Но тот человек...

Бренда почувствовала, что сейчас услышит историю, изменившую всю жизнь Клер.

— С ним что-то случилось?

— Человек, которого я полюбила, меня не любил. Он женился на другой... на одной из моих лучших подруг.

— Он вас бросил и женился на вашей подружке? — возмущенно воскликнула Бренда. Она была оскорблена до глубины души.

Клер улыбнулась. «Надо же, — подумала она, — в первый раз в жизни меня пытаются защитить». В глазах защипало. Похоже, Бренда действительно так переживает за нее, что даже разозлилась.

— Вы такая славная, добрая... — мягко сказала она и улыбнулась. — Но... нет. Он никогда не знал, что я люблю его. Да и подруге я об этом ничего не говорила. Они были созданы друг для друга, и я была очень рада за них. В самом деле.

— Значит, вы святая, — пробормотала Бренда.

— Да нет, я не святая. Подруга была красавица, умница, обаятельное и доброе создание. Все ее любили. И я тоже. Я всегда радовалась их счастью.

— На вашем месте я бы вела себя не так великодушно.

— Но какой смысл желать того, чего не сможешь получить?

— А кто это сказал? А вам еще кто-нибудь нравился?

— Нет, никто, — просто ответила Клер.

— Ну ладно, — решительно заключила Бренда. — Нужно изменить ваш облик.

Клер улыбнулась энтузиазму Бренды:

— Не забывайте, мне уже тридцать.

Бренда фыркнула:

— Ну и что? Да уверяю вас, найдется не один мужчина, который будет счастлив иметь рядом с собой такую женщину, добрую, милую, воспитанную.

Клер громко рассмеялась:

— Что ж, желаю вам удачи.

— Да при чем тут удача? Вы же умная, образованная, привлекательная женщина. Нужно, чтобы об этом знали не только мы с вами. Лишь об одном мы умолчим — о том, что вы неважный игрок в покер.

Они опять рассмеялись, довольные друг другом и счастливые от возникшей дружеской привязанности.

— Завтра утром мы займемся вашим преображением, — заявила Бренда.

— Интересно, отчего это я нервничаю сейчас гораздо сильнее, чем вы час назад?

— Не волнуйтесь, — улыбнулась Бренда. — Доверьтесь мне.

На следующее утро Клер и Бренда встретились за завтраком.

— Ну что, вы решились отдать себя в мои руки? — спросила Бренда, когда они закончили пить кофе.

Клер посмотрела на нее и неуверенно ответила:

— Да.

— Вы говорите не слишком уверенно.

— Возможно, из-за того, что немного боюсь.

— Я хочу от вас не больше, чем вы от меня. Но я, как вы помните, не сопротивлялась.

— Хорошо, — согласилась Клер. — Уговорили. Я такая же смелая женщина, как и вы. И что вы собираетесь со мной делать? Я уже купила себе новое платье недавно. Что еще мне предстоит?

На лице Бренды появилось озабоченное выражение:

— Я думала над этим почти всю ночь, и у меня появились некоторые идеи. Первым делом займемся вашей прической.

— Почему прической? — Клер подняла руку к своему пучку, будто желая защитить его.

— Вы так укладываете волосы, что становитесь... очень старой. Ведь вы симпатичная женщина. Ни к чему вам так прилизывать волосы, стягивая их на затылке.

Клер молча смотрела на Бренду.

«Разве не этого я хотела, — говорила она себе, — чего-нибудь необычного, волнующего и чудесного. А что может быть более волнующим, чем полное изменение внешности. Я собираюсь ехать в Натчез. Я буду часто видеться с Марком. И вообще хуже, чем сейчас, быть ничего не может».

— Хорошо, отдаю себя в ваши руки.

Час спустя Клер взглянула на свое отражение в зеркале. Сначала она часто-часто заморгала, потому что не узнала себя.

— О мой Бог... — выдохнула она, совершенно очарованная увиденным. — Я такая...

— Хорошенькая?

— Да, пожалуй... и, главное, другая.

Клер внимательно разглядывала незнакомую женщину в зеркале. Копна мягких кудрей вместо скучного пучка. Она помолодела лет на восемь.

— Вам нравится? — спросила Бренда, весьма довольная результатом своих трудов. Ей понравилось укладывать тяжелые, густые локоны Клер.

— Да, да, нравится, — без всякого сомнения в голосе ответила Клер.

— Вот и хорошо. Теперь следующее, ваши очки...

— А что очки?

— Вам и в самом деле они так нужны?

— Да, к сожалению, — застенчиво ответила Клер, потому что и сама всегда стеснялась этого «украшения».

— Но вы же не собираетесь глядеть вдаль на приеме или вечеринке! Вам нужно рассмотреть того, кто сидит рядом, так?

— Да.

Бренда осторожно сняла с Клер очки.

— У вас очень красивые глаза. Как вам не стыдно прятать их за стеклами. С этой минуты надевайте очки только в тех случаях, когда без них никак не обойтись.

— Как прикажете, — согласилась Клер и улыбнулась своей «наставнице».

— Вот это мне нравится, послушная и понятливая ученица. Теперь давайте попробуем слегка подкраситься.

— Раньше я ничего подобного не делала. — Клер казалась шокированной.

— Мы только чуточку прикоснемся и посмотрим, что получится. Ладно?

— Ладно, в жизни надо хоть раз попробовать все, — заявила Клер.

Они переглянулись и, собравшись с духом, принялись экспериментировать.

— Ну, вот, пожалуй, и все... Теперь остается только купить новые платья, и мы с вами будем полностью готовы.

— Готовы к чему?

— К приключениям, любви, романтике... К жизни, наконец!

Клер грустно улыбнулась.

— А когда я вернусь из Натчеза домой, в школу, то придется забыть обо всем и вновь забрать волосы в тугой и унылый пучок.

— Почему это?

— Потому что школьная учительница должна выглядеть именно так.

— А вы всегда делаете то, чего от вас ожидают окружающие?

Клер на мгновение задумалась:

— Пожалуй, да... раньше делала, но теперь... может быть, не стану.

— Кажется, мы изменились обе, и, надеюсь, к лучшему.

— Я тоже так считаю, — отозвалась Клер. — Ну а теперь, мисс О'Нил, пришло время опять заняться вами.

— Я так боялась, что вы вспомните обо мне.

— Другого выхода нет. Сегодня вечером состоится ваш первый экзамен. Итак, сколько вы собираетесь съесть за ужином?

— Немногим больше, чем ничего.

— Очень хорошо, правильно. Как вы будете разговаривать?

— Я буду говорить как настоящая леди, и даже если случайно пораню себя вилкой, останусь спокойной, улыбчивой и милой.

— Замечательно. И наконец, о чем вы будете разговаривать?

— О пустяках, — вздохнула Бренда. — Я буду улыбаться и говорить каждому только приятное и именно то, что он хочет услышать, и тогда все скажут про меня, что я — самое славное, прелестное и милое создание на белом свете.

— Великолепно.

— Господи, какая тоска! Мне кажется, все эти светские правила убивают душу.

— Душа здесь ни при чем. Просто в обществе ценится хорошее воспитание, умение управлять своими чувствами.

— Понимаю, — кивнула Бренда. — Только вот за свою жизнь я встречала много благовоспитанных дам, которые вели себя жестоко и подло.

— Что ж, не следуйте их примеру. Боритесь с несправедливостью. Помогайте бедным. Это сделает вас еще лучше и сильнее. Иногда богатство странным образом действует на людей, нужно всегда помнить, где ваши корни и каким путем вы достигли всего, что имеете сейчас.

Слова Клер, неведомо для нее самой, больно ранили Бренду. Чего-чего, а этого она никогда не забывала. Она точно знала, кто она есть на самом деле и никогда не сможет забыть, как стала нынеш-

ней Брендой. Ее привела сюда необходимость выплатить долг Рэйфу, но она помнит, каким должен
быть финал.

В семь часов вечера Бренда была готова к выходу.

— Ну, что скажете? Только честно, — теребила она свою наставницу, крутилась перед ней,
словно молоденькая дебютантка перед первым вы-
ходом на сцену.

— По-моему, вы выглядите как истинная
леди, — похвалила ее Клер.

— Правда?

— Правда. Вы замечательно выглядите, уверенно держитесь, так что все будет хорошо. Желаю
вам удачи.

В эту минуту раздался стук в дверь, и Делла
пошла открывать. До них донесся голос Рэйфа, и
Клер метнула на свою ученицу быстрый взгляд.

— Вы как, готовы?

Бренда перевела дыхание и кивнула.

— Подождите здесь. Я выйду первая, а через
некоторое время появитесь вы. Это должен быть
торжественный выход королевы перед своими под-
данными.

— А это нужно?

— Да. Мне хочется, чтобы вы увидели первый
взгляд, который бросит на вас мистер Марченд.

Уверяю, в этот момент вы прочтете в его глазах все его чувства.

— Ну если вы настаиваете.

— Вот увидите. В прошлый раз, когда вы танцевали с мсье Хебертом, вы не видели, как он на вас смотрел. Дайте мне несколько минут, а потом идите.

Клер выплыла из комнаты и спустилась вниз. Она не изменила прическу, которую ей соорудила Бренда. Рэйф окинул ее удивленным взглядом, и это не укрылось от Клер.

— Добрый вечер, Рэйф. Рада вас видеть, — приветливо сказала она.

— И я рад. У вас новая прическа... Вы прелестно выглядите, — одобрительно заметил Рэйф.

— Ну, спасибо за комплимент. Мы с Брендой немного поэкспериментировали сегодня.

— Вам очень идет.

Клер довольно улыбнулась, ей были приятны его похвалы.

— Бренда сейчас спустится. Она очень волнуется.

— Вечер должен быть приятным.

— С кем вы ужинаете?

— Со Стивеном Гибсоном и его женой. Он владеет компанией по перевозке грузов, в которую я собираюсь вложить средства.

— Надеюсь, все пройдет удачно.

В эту минуту на верхней ступеньке лестницы показалась Бренда. Рэйф оглянулся.

Искоса взглянув на него, Клер улыбнулась. Глаза его расширились, а на губах появилась глуповатая улыбка.

— Добрый вечер, Рэйф, — нежным голоском промолвила Бренда, спустившись вниз.

— Бренда, — только и смог выговорить он.

— Как тебе нравится мое платье?

Платье цвета утренней зари с глубоким декольте, оставлявшим открытыми плечи, подчеркивало высокую красивую грудь и тонкую талию, оттеняло белизну и чистоту кожи. Бренда была похожа в нем на сказочную красавицу.

— Ты прекрасно выглядишь, — наконец нашелся он. На руке Бренды сверкнуло бриллиантовое кольцо, его подарок, и в нем поднялась волна гордости, какую обычно испытывают мужчины, осознающие себя хозяевами красивых женщин. Нет уж, ему не нужна жена. Никогда в жизни он не хотел жениться и с этой особой связался для удобства, не больше. Хотя все же надо признать: мысль о том, что эта женщина принадлежит ему, чрезвычайно приятно согревала душу, а дальше анализировать свои чувства Рэйф не захотел.

— Идем, дорогой? — чарующим голосом предложила Бренда.

— Карета подана, — галантно поклонился Рэйф и, обернувшись к Клер, сказал: — Не беспокойтесь. Я привезу ее обратно не позже полуночи.

— Договорились. Буду ждать.

Бренда вышла из дома под руку с Рэйфом, бросив Клер на прощание лукавый взгляд.

В карете Бренда затихла, вся сжалась и стала похожа на маленькую растерянную девочку. Рэйф озадаченно посмотрел на нее.

— Тебя что-то беспокоит?

— Нет... хотя, да... О, я не знаю.

— Что случилось? Что-то не так?

— Да все так. Просто я очень волнуюсь, вот и все.

— Но почему? Ты прекрасно выглядишь, лучше чем когда-либо. Все будет хорошо.

— А вдруг кто-нибудь узнает во мне мисс Бренду со «Славы»?

— Ну и что? Ты красивая женщина, таких трудно забыть. И я тебя нисколько не стыжусь, — решительно заявил Рэйф.

— В самом деле?

— Да. Более того, я восхищаюсь мужеством и стойкостью, с которой ты переносила все жизненные невзгоды. Не всякая женщина сможет сама зарабатывать себе на хлеб.

— Тогда почему ты так настаивал на компаньонке?

— Только чтобы помочь тебе, но ни в коем случае не унизить. Я хотел, чтобы тебе было проще войти в новую жизнь.

Бренда посмотрела на него с нежностью:

— Спасибо.

— У тебя все получится. Все будет хорошо. Не тревожься. Стив Гибсон хороший человек, а его жена — милое существо. Все пройдет нормально.

— Я рада, что ты так думаешь. Я не разочарую тебя.

Рэйф взглянул на нее и... не смог удержаться. Ну просто ничего не смог с собой поделать. Он наклонился и поцеловал ее. Это был нежный, ласковый поцелуй, больше похожий на просьбу, чем на требование.

Бренда не верила своим ушам. Неужели он действительно гордится ею?! Как ей хотелось, чтобы он и в самом деле так думал. А когда он поцеловал ее так нежно, сердце у нее просто упало. Господи, неужели...

Впрочем, сейчас это не имело абсолютно никакого значения, потому что их губы слились, а вечер окутал своим темным одеялом.

Карета остановилась, и Рэйф выпустил Бренду из объятий.

— Все будет отлично. Вот увидишь, — пообещал он и ласково погладил ее по щеке.

Когда Бренда вышла из кареты, щеки ее пылали, а глаза сияли. Так может выглядеть только безумно влюбленная женщина.

Глава 16

— Как я рада наконец познакомиться с вами! — такими словами Джеральдина Гибсон встретила Бренду. — Я столько слышала про вас, что едва дождалась сегодняшнего вечера.

Бренда немного опешила от такой бурной встречи, но на лице ее была по-прежнему написана любезность и благожелательность.

— Да, да! — продолжала миссис Гибсон. — Рэйф только и делал, что пел вам дифирамбы всю неделю.

— Мне тоже очень приятно познакомиться с вами, — удалось вставить Бренде.

Они уселись за столик, и Джеральдина заговорщически наклонилась к Бренде:

— Я целую неделю сгорала от нетерпения. Я должна услышать вашу историю, дорогая. Расскажите мне все!

— Какую историю? — распахнула глаза Бренда.

Рэйф накрыл руку Бренды ладонью. Крепкое пожатие его сильных, теплых пальцев приободрило ее.

— Джеральдина безнадежно романтичное создание, дорогая. Я в двух словах рассказал ей про наше удивительное знакомство, и с тех пор она мечтает услышать всю историю с самого начала, с мельчайшими подробностями.

— Правда? — Широко открытыми, совершенно невинными глазами Бренда посмотрела на своего «любимого». — Должна сказать вам, Джеральдина, мой Рэйф редкий человек...

— Да, да, я знаю! Я сама просто обожаю его! Он славный и романтичный, ну точно как мой Стивен. — Джеральдина посмотрела на супруга с обожанием. — Мы с ним женаты уже больше пятнадцати лет, но для меня он остался тем же героем, что и в первые дни нашего знакомства. Он вскружил мне голову и увлек к алтарю так быстро, что я даже не успела опомниться.

— Замечательная история, — вздохнула Бренда и тепло улыбнулась Джеральдине. Наверное, эти люди счастливы вдвоем, преданны друг другу. Что же это за удивительное чувство? На что оно похоже?

— Итак, не томите, рассказывайте, как все произошло. Рэйф говорил нам, что впервые увидел вас на пароходе.

— В первый раз он показался мне необыкновенно красивым, хотя, впрочем, он такой и есть. Так вот, он стоял и смотрел на меня, а позже я увидела его танцующим с другой женщиной и решила, что он будет моим.

Рэйф спокойно встретил ее многозначительный взгляд, но его глаза потемнели. Он понял намек и слегка улыбнулся.

— Вы добились своего. — Джеральдина громко вздохнула. — Боже мой! Какая захватывающая история! Я так разволновалась. Ведь у нас со Стивом было точно так же! Мы с ним тоже решили пожениться через десять дней после знакомства.

— Я сразу понял, что Бренда создана для меня, — вступил в разговор Рэйф.

Сейчас он не лукавит, мелькнула мысль у Бренды, говорит то, что думает. Женщина из его круга не попала бы в такую западню, ни одну из них он не стал бы шантажировать, ни одной не сделал бы подобного предложения.

— И на следующей неделе ваша свадьба?

— Да. Это будет небольшая скромная церемония, только для близких друзей. Ни у Бренды, ни у меня нет родственников.

— Желаю вам обоим бесконечного счастья. Брак — это священный союз, который заключается на всю жизнь, и обязательства, которые вы берете на себя, делают этот союз крепче и сильнее год от года. Ну а когда Господь пошлет вам детей... Да, дети — это самое важное, что есть в жизни.

— У вас со Стивом много детей?

— Трое, два сына и дочка, — с гордостью объявил Стив Гибсон.

— А вы хотите детей? — поинтересовалась Джеральдина.

— Конечно, — ответил Рэйф. — Пожалуй, это единственная вещь, которую мы серьезно обсудили до того, как решили пожениться. Мы оба хотим иметь детей, и причем как можно скорее.

— Я прямо вижу вас, Бренда, с хорошеньким темноволосым мальчуганом на руках, и малыш как две капли воды похож на своего папу, — умиленно проговорила Джеральдина и протяжно вздохнула.

Как Бренде удалось справиться с собой в ту минуту, она не поняла. Возможно, сказалась приобретенная за время игры в покер выдержка, да и наставления Клер сделали свое дело.

Улыбка ее оставалась такой же милой и ясной:

— Я люблю детей. Мне кажется, рождение ребенка станет одним из самых значительных событий в моей жизни.

Рэйф слегка напрягся при этих словах. Все ясно, подумал он, она хочет поскорее выносить и родить его ребенка, чтобы избавиться от него самого.

— Дорогая моя, вы должны пообещать, что непременно напишете мне, когда вернетесь домой. Мне хочется, чтобы мы стали друзьями. Похоже, у нас с вами очень много общего. — Джеральдина ласково похлопала Бренду по руке.

— Благодарю вас. — Бренда была приятно удивлена столь открытым проявлением дружеского расположения. Джеральдина оказалась действительно милой и приятной дамой.

Неожиданно на лице Джеральдины появилась злобно-презрительная гримаса. Бренда заметила это изменение настроения собеседницы и очень удивилась:

— Что случилось? — спросила она, пока мужчины продолжали увлекательнейший диалог о тонкостях грузоперевозок.

— Глазам своим не верю! — возмущенно прошипела Джеральдина.

— А в чем дело? — Бренда оглянулась по сторонам, стараясь понять, что так расстроило словоохотливую миссис Гибсон.

— Не понимаю, как они могли позволить подобной особе находиться в этом ресторане! — разъяренно фыркнула она.

— Кому? — не поняла Бренда.

— Ниле Сандерс, кому же еще! — с непонятным нажимом ответила Джеральдина и слегка кивнула головой в сторону миловидной женщины в красивом платье, только что прошедшей за столик в сопровождении приятного молодого человека.

— А что такое? Почему ей нельзя здесь находиться? — Бренда терялась в догадках. — Она хорошо одета.

— Еще бы ей плохо выглядеть! Такие всегда в первую очередь накупают себе приличную одежду. Белая рвань не всегда нищая, знаете ли, — сварливо заметила Джеральдина. — Подобной особе здесь не место.

— Что значит «подобной особе»?

— Да она же только-только отползла от сточной канавы! Она всю свою жизнь проработала на речных пароходах... в салоне, — последнее слово Джеральдина проговорила с особым презрением. — Едва успела помыться и одеться!

Стивен с нежностью посмотрел на жену, но в голосе его прозвучала нотка раздражения:

— Джеральдина, радость моя, что ты такое говоришь?! Тебе следовало бы гордиться, что есть на свете женщины, которые своим упорным трудом добиваются успехов и права на лучшую жизнь.

— Гордиться ею? Да этой особе надо знать свое место! — не унималась Джеральдина.

Рэйф слушал этот бурный спор и не верил своим ушам. Нетерпимость Джеральдины поразила его. Он взглянул на Бренду. Сегодня вечером она выглядела как настоящая леди. Вряд ли миссис Гибсон подозревала, что ее замечания по поводу Нилы Сандерс с не меньшим успехом можно отнести к Бренде.

Рэйф пристально смотрел на Бренду и наконец встретился с ней взглядом. Боль и обида в ее глазах сменились внезапно вспыхнувшим гневом, и он понял, что ему пора включаться в разговор, причем побыстрее.

— Понимаете, Джеральдина, ведь не все рождаются богатыми. Нам с вами надо благодарить судьбу и родителей, а многим приходится всю жизнь работать не покладая рук, только чтобы накормить семью, и эти люди даже не мечтают о большем. Я согласен со Стивом. Усилия этой женщины достойны всяческих похвал.

Джеральдина не угомонилась, пока снова не заговорил Стив:

— Дорогая, тебе все же придется согласиться. Не забывай: мои родители — первое поколение тех, кому удалось выбраться из той самой сточной канавы, о которой ты говорила. Мой дед был рядовым наемным работником, когда приехал в эту страну, и прошло немало времени, прежде чем мы достигли нынешнего положения в обществе. Не презирать, а, наоборот, поддерживать должны мы самых честных и трудолюбивых.

— Стив прав, Джеральдина, — заметил Рэйф. Ему хотелось, чтобы боль и обида навсегда исчезли из глаз Бренды. — Иногда судьба жестоко обходится с людьми и вынуждает их соглашаться на все, лишь бы остаться в живых.

— Наверное, вы правы, — отступила Джеральдина, но ей неприятно было признать свое поражение.

— Я уверена. — Бренда уже успокоилась и могла говорить без враждебности, — нужно быть доброжелательным к людям. Женщина, о которой вы сейчас говорите, похоже, много и упорно трудилась, чтобы прийти сюда сегодня, и мне кажется, нужно восхищаться тем, что она смогла изменить свою судьбу.

Джеральдина уже почти оправдывалась:

— Понимаете, я была просто шокирована, когда увидела ее здесь. На прошлой неделе мне рассказали про нее такие вещи!

— Я думаю, не стоит слушать сплетни.

— Пожалуй, вы правы.

На этом неприятный разговор окончился, и спустя некоторое время мистер и миссис Гибсон попрощались с Рэйфом и Брендой.

— Ты была великолепна, — сказал Рэйф Бренде, когда карета тронулась.

— Спасибо за поддержку, — ответила она, глядя ему прямо в глаза.

Слова простые, но сказанные с искренней благодарностью. И Рэйф снова не удержался и сделал то, о чем не переставая думал весь вечер. Он обнял Бренду, прижал ее к своей груди и поцеловал, на этот раз пылко и страстно.

Бренда словно ждала этого. Она обвила руками его шею и отдалась во власть сладостного и будоражащего кровь поединка губ. Рэйф ощутил прикосновение ее молодой, крепкой груди, и по телу его прошла дрожь; соблазнительный аромат духов, жадный рот, трепещущие губы... В голове у него зашумело. Желание тяжелой и горячей волной прошло по телу. Рука принялась ласкать нежную грудь.

От этого прикосновения Бренда вздрогнула. Несколько раз в ее жизни нахалы пытались потрогать ее таким же образом, но это вызывало лишь отвращение. Бренде обычно удавалось увернуться от грубых лап, но все равно потом она чувствовала себя запачканной. Но сейчас... Сейчас все по-другому. Ее тело с восторгом принимало эту ласку.

Рэйф застонал, оторвался от ее губ и осыпал горячими поцелуями ее лицо, потом нежную точеную шею. Он почувствовал, как она задрожала от его прикосновений, но не остановился.

— Рэйф... — прошептала Бренда. Это была то
ли мольба, то ли поощрение, она и сама не знала.
Его губы словно огнем обжигали тело. Боль и пус-
тота вдруг вспыхнули в глубине сознания. Это
какое-то безумие, сказала Бренда себе. Он не
любит ее, да и она не любит, не может любить
его. — Рэйф... остановись... не надо.

Он застыл от этих слов, окаменел. Рассудок
охладил страсть. Мысленно он проклял себя за слабость. Надо же, вел себя, как похотливый юнец.
Весь вечер с трудом вел деловые беседы, потому
что рядом сидела Бренда, и думал только о том, как
она хороша и желанна. Потом, когда Джеральдина
невольно обидела ее, почувствовал, что обязан защитить от злых слов. А теперь, когда они наконец
остались вдвоем, не в силах был отпустить ее.

Смешно и глупо, сказал себе Рэйф. Бренда,
несомненно, привлекательная женщина, но лишь
одна из многих.

Он криво улыбнулся, когда она высвободилась
из его объятий.

— Ты права. Будем вести себя хорошо, а то
Клер станет ругать нас.

Воспоминание о строгой и правильной наставнице охладило голову Бренды, она тоже улыбнулась
Рэйфу, как-то неуверенно, и ответила:

— Мне кажется, она прочитала бы нам лекцию,
как следует себя вести леди и джентльмену.

— Правда, но уже через неделю в это же время нам с тобой не придется переживать из-за нотаций Клер.

— Я знаю. — Улыбка не исчезла с лица Бренды, но ответила она не сразу.

Что получится из их союза, думала Бренда. Если бы они любили друг друга, она с восторгом ждала бы минуты, когда станет его женой, но сейчас будущее представлялось ей в мрачных красках. Бренда чувствовала, что нравится Рэйфу, но дело здесь всего лишь в обычном физическом влечении. Это не может быть любовью.

Карета подкатила к дому Клер. Рэйф помог Бренде выйти и проводил ее до двери.

— Спокойной ночи, Бренда.

— Спокойной ночи, Рэйф.

Рэйф ушел.

Странно, но Бренда ощутила, будто у нее что-то отняли и огорчилась оттого, что он не поцеловал ее на прощание.

— Ну, как все прошло? — встретила ее вопросом Клер.

На лице Бренды сияла улыбка победителя.

— Все хорошо? — настойчиво переспросила Клер. Весь вечер она не находила себе места от беспокойства.

— Все прошло не просто хорошо! Все прошло отлично, грандиозно! Вы бы гордились мной, если бы видели меня, — победоносно объявила Бренда.

— Я гордилась бы вами в любом случае.

— Знаете, Клер, был один драматический момент, и если бы не ваши уроки, боюсь во мне могла проснуться прежняя Бренда.

— Да что случилось?

Они прошли в гостиную, сели рядышком на диван, и Бренда рассказала о Джеральдине, о ее презрительных и высокомерных замечаниях. Клер подняла брови, на лице ее было написано изумление:

— И вы смолчали? Не проронили ни слова?

— А мне и не нужно было ничего говорить. Все сказали Рэйф и ее муж.

— Ваш Рэйф — настоящий герой. — Клер похлопала Бренду по руке. — Вы счастливая женщина. Конечно, Джеральдина не подозревала, что своими словами оскорбила вас, и ей наверняка было бы очень стыдно, пойми она это.

— Джеральдина в сущности неплохой человек, и намерения у нее добрые, но она не знает, что такое быть голодным и надеяться только на себя.

— Вы умница, вы все правильно сделали, — сказала Клер.

— Разве не вы меня этому научили?

— Да нет, вы всегда такой были, доброй и разумной. Вы что-нибудь сказали Джеральдине?

— Я просто сказала, что она должна восхищаться силой женщины, которой удалось вырваться из нищеты.

— А что ответила она?

— Да в общем-то ничего особенного. Думаю, мы дали ей пищу для размышлений.

— Ну, хорошо. — Клер поднялась с диванчика, стараясь подавить зевок. — Я не привыкла засиживаться так поздно. Пойду спать.

— Надо бы вам потренироваться. Как только мы подыщем для вас подходящего кавалера, вам придется еще дольше бодрствовать и веселиться, — поддразнила ее Бренда.

— Я с нетерпением жду этого счастливого момента, но, пока он не наступил, твердо намерена немного поспать. Спокойной ночи, Бренда.

— Спокойной ночи.

Когда Клер ушла к себе, Бренда подошла к окну. Она стояла и смотрела на темную пустынную улицу и чувствовала себя бесконечно одинокой. Как она умудрилась вляпаться в такую историю? А самое главное — как из нее выпутаться?

Глава 17

Клер подошла к комнате Бренды и легонько постучала.

— Ты готова?

— Наверное, — отозвалась Бренда. — Входи, Клер, посмотри на меня, оцени.

Бренда стояла посреди комнаты в свадебном платье. Лицо ее было бледным, глаза блестели.

— Что случилось? Ты хорошо себя чувствуешь? — забеспокоилась Клер. Последние дни пролетели для них обеих незаметно. За все это время Бренда ни разу не пожаловалась на здоровье, и сейчас Клер испугалась, что она переутомилась или простудилась.

— Все нормально, — ответила Бренда, — просто я волнуюсь. Мне как-то не приходилось раньше выходить замуж.

Клер рассмеялась.

— Знаю, вот и мне тоже в первый раз представилась возможность присматривать за невестой, так что мы обе нервничаем.

— Мы подружились за эти дни, — постаралась улыбнуться Бренда. — Я очень благодарна за все.

— От всего сердца желаю тебе счастья, желаю жить с Рэйфом долго и счастливо.

— И я этого хочу, — ответила Бренда, но скрытый смысл этой фразы Клер не уловила. — Ну как, достаточно ли я хорошо выгляжу, чтобы стать миссис Рэйф Марченд?

Клер осмотрела Бренду со всех сторон. Белое атласное платье, простого покроя, но безупречно-изысканное, с широкой юбкой, отделанной кружевом и фигурным вырезом. Туфельки такие же белые. Волосы тщательно уложены и заколоты жемчужными гребешками. Ожерелье и серьги из жемчуга подчеркивают прозрачную белизну кожи. Фата, которую Бренда еще не надела, была прикреплена к жемчужной диадеме.

— Никогда не видела более красивой невесты, — призналась Клер. — Он будет сражен, когда тебя увидит. Ты красавица.

— Спасибо. Нам, наверное, уже пора ехать?

— Карету подадут в пятнадцать минут седьмого.

Бренда взглянула на часы. Они показывали пять сорок пять.

— Покажись мне, когда оденешься.

— Ладно. Ты, наверное, раскритикуешь меня в пух и прах. — Клер улыбнулась. — Интересно, как общество посмотрит на «новую» Клер.

Она говорила легким и беззаботным тоном, но на самом деле сильно волновалась. Марка она не видела с того дня, когда согласилась стать компаньонкой Бренды, и теперь беспокоилась, как отнесется к «новой» Клер прежде всего Марк. Она любила его все эти годы тайно, издалека, и сейчас наконец настало ее время. Теперь она знает, как завоевать его. Клер не допускала и мысли, что это последний в ее жизни шанс обрести счастье, но скорее всего это единственная возможность понравиться мужчине, о котором она грезила долгие годы. Она уже не та застенчивая, скромная и неуверенная в себе Клер. Теперь она научилась играть в покер.

Через десять минут Бренда зашла в спальню Клер и поначалу просто не узнала подругу.

— Нет, я не верю глазам! Быть такого не может! — с восторгом воскликнула Бренда. — Неужели это та самая учительница, с которой я познакомилась всего несколько дней назад?!

— Тебе нравится?

— Не то слово! Да ты сама посмотри!

Изумрудное платье с высоким воротом и длинными рукавами выгодно подчеркивало все достоинства Клер. Ее глаза-озера сияли внутренним светом, на щеках играл легкий румянец.

Клер еще раз взглянула на себя в зеркало. Она нравилась себе.

— Все благодаря тебе, Бренда. Сама я никогда бы не решилась.

— Хорошо, что мы не испугались. Я так рада! Какая ты красивая! — Бренда порывисто обняла Клер.

— Ну что, молодая леди, пора отправляться выдавать вас замуж? Учти, я произношу слово «леди» совершенно намеренно.

В глазах Бренды появился ужас, словно у пойманного в ловушку зверька.

— Да, да, именно леди, — улыбнулась Клер. — Иди вперед, а я догоню тебя внизу через несколько минут.

Бренда вернулась в свою спальню и закрыла за собой дверь. Эта комната стала надежным пристанищем для нее, а сейчас пришло время уходить отсюда навсегда. Клер уже распорядилась, чтобы ее вещи отправили в гостиницу. После бракосочетания она поедет с Рэйфом прямо туда, а на следующий день они отправятся в Натчез.

Ее судьба решена. Через час с небольшим она выйдет замуж за человека, которого знает всего несколько недель. Бренда почувствовала, что ее бьет дрожь. Она оглянулась в поисках единственной нужной ей сейчас вещи. Вот она!

Бренда быстро схватила колоду и сунула в расшитую жемчугом сумочку. Ей казалось, что с картами она будет спокойнее себя чувствовать.

В церкви Бренду и Клер встретил отец Финн. Ни Рэйфа, ни Марка с детьми не было видно. Святой отец проводил девушек до часовни и удалился.

Бренда осталась наедине со своими мыслями. Она вышла из часовенки и вошла в прохладный полумрак церкви. Здесь царили безмятежное спокойствие и умиротворенность, так непохожие на смятение, охватившее Бренду перед лицом неясного будущего.

Она присела на скамейку и постаралась собраться с мыслями, но, как она ни храбрилась, чувствовала себя потерянной и одинокой. Клер, конечно, ее подруга, но ведь она получает деньги от Рэйфа, это ее работа. Как хочется, чтобы рядом была мама! Или хотя бы почувствовать грубоватую заботу Бена. Но нет, никому она по-настоящему не нужна.

Бренда взглянула на алтарь, и на глаза ее навернулись слезы. Почему стало возможным такое? За что такое унижение? Как и всякая девушка, Бренда мечтала о свадьбе, и это событие представлялось ей прекрасным и радостным. А вместо этого ее ждет безнравственная сделка.

Бренда перевела дыхание. Сделать ничего нельзя, и она это знала. Она согласилась на все условия, но лишь потому, что не было иного выхода.

Бренда подняла глаза вверх и обратилась с молитвой к Богу. Вдруг Господь видит сейчас, что происходит на земле, и ее мольбы о помощи достигнут его, он пошлет ангелов, и они спасут ее. Да, усмехнулась Бренда, ни один ангел-защитник не принесет ей денег, которые она проиграла Рэйфу. Нет, надо надеяться только на свои силы. И тогда, перед алтарем в тихой церкви, Бренда поклялась себе: что бы ни случилось дальше, как бы ни сложилась ее семейная жизнь, если она забеременеет и родит ребенка, то никогда и ни при каких условиях не бросит своего малыша.

От неожиданного прикосновения Бренда вздрогнула. Она оглянулась и увидела отца Финна.

— Пора. Рэйф и Марк уже приехали, — мягко сказал он и слегка нахмурился, встревоженный странным выражением ее лица. — Бренда... Вы уверены, что поступаете правильно?

Бренда быстренько выдавила из себя улыбку:

— Да, конечно, святой отец. Все прекрасно. Просто я очень соскучилась по маме. Жаль, что сегодня она не с нами.

— Да, да, — ответил он, успокоившись. У него были сомнения по поводу этого брака, и потому ему хотелось убедиться, что он не делает ошибки. — Тогда мы начнем сразу, как только вы будете готовы.

Бренда кивнула. Дороги назад нет.

— Спасибо, святой отец. — Она поднялась со скамьи и пошла следом за священником в часовню.

Рэйф тщательно подготовился к торжественному событию. Он даже купил себе новый фрак ради такого случая. В церковь он ехал вместе с Марком. Всю дорогу Мэрайя без умолку болтала, и Рэйф отвечал на ее многочисленные вопросы с добродушной улыбкой.

— Для человека, который никогда не собирался связывать себя узами брака, ты выглядишь слишком спокойным, — заметил Марк, когда они подъехали к церкви. Рэйф всегда категорически отрицал для себя саму возможность семейной жизни, потому Марк и удивлялся сейчас невероятному хладнокровию друга: ведь всем мужчинам свойственно в пос-

ледние минуты вольной жизни мучиться сомнения-
ми по поводу принятого решения. — Неужели ты
настолько уверен, что Бренда — именно та женщина, которая тебе нужна?

Рэйф посмотрел на друга:

— Да, уверен. В ту ночь на пароходе ты оказался провидцем. Ведь именно ты первый сказал,
что из нее выйдет отличная жена для меня.

Марк недоверчиво покачал головой:

— Я рад, что ты наконец решился жениться.
Желаю тебе удачи. Да вы оба заслуживаете счастья.

— Спасибо, — ответил Рэйф, чувствуя себя
при этом последним негодяем. Если бы Марк знал
правду, он не радовался бы сейчас так предстоящей
церемонии. Но все это его, Марка, пока не касается.
Позже он узнает обо всем. Гораздо позже.

Они вошли в церковь и застали там отца Финна,
увлеченного разговором с незнакомой женщиной.

— Святой отец, — окликнул его Рэйф.

Отец Финн и незнакомка оглянулись, и Рэйф
с Марком с изумлением узнали в собеседнице
священника Клер.

— Клер? — Марк изумленно хлопал глазами.
Что с ней случилось? Очки куда-то исчезли.
Тяжелые локоны рассыпались по плечам. Платье
соблазнительно облегает фигуру, лишь намекая на
чудесные формы. Она стала женственной, изыс-

канной, изящной, и Марк лишь растерянно смотрел на нее, пытаясь мысленно связать прелестную
даму, которую сейчас видит перед собой, с прежней Клер.

— Добрый вечер, Марк, — приветливо сказала она и улыбнулась.

С этого мгновения Клер никого больше не видела. Какой он красивый сегодня! Такой красивый, что у нее даже дух захватило и она вновь
вспомнила тот давний вечер, когда отдала ему
свое сердце. Столько лет прошло, а она все так
же любит его. Правда, эти чувства всегда будут
спрятаны далеко-далеко в глубине ее души. От
этой мысли у Клер защемило сердце.

— Вы... прекрасно выглядите, — наконец с
улыбкой выговорил Марк.

— Благодарю. — Клер не сводила с него глаз,
никого вокруг она не видела.

— В самом деле, Клер, вам очень идет это платье, и вообще вы сегодня очаровательны, — похвалил ее Рэйф. Потом оглянулся по сторонам, разыскивая взглядом Бренду. Ее не было в церкви, и,
странное дело, он встревожился. Он испугался, что
она сбежала... Решила изменить своему слову, отказаться от договора и не выходить за него замуж.

— А где Бренда? — Марк задал вопрос, который точил Рэйфа.

— Она в часовне, — объяснил отец Финн, — пойду позову ее, скажу, что все собрались. — И он растворился в полумраке церкви.

— Папа,. кто эта тетя? — раздался звонкий голосок Мэрайи.

— Мэрайя, Джейсон... Познакомьтесь, это Клер. Она была подругой вашей мамы. Клер, это моя дочь Мэрайя и мой сын Джейсон.

— Привет, — ласково посмотрела Клер на двух ребятишек. Взглянув на Мэрайю, она прямо-таки обмерла. Вылитая Дженнет. Боль пронзила сердце Клер. До этой минуты она даже не осознавала, как ей не хватает подруги, ее жажды жизни, доброго нрава. — Мэрайя... Как ты похожа на свою маму. А ты, Джейсон... Ты очень похож на своего красивого папу.

Джейсон ужасно смутился и покраснел как рак, а Мэрайя с интересом таращилась на Клер.

— Ты знала мою маму?

— Да, мы с ней очень дружили, когда учились в школе. — Клер наклонилась к малышке. — Хочешь, я расскажу тебе истории, которые случались с нами, когда мы были маленькими?

— Очень хочу, — просияла Мэрайя.

— А ты, Джейсон? — В глазах Клер сверкнули озорные огоньки, когда она обратилась к крепкому симпатичному мальчику, изо всех сил старавшемуся выглядеть солидным и взрослым. — Рассказать тебе про то, как однажды мы с твоей мамой стали бросаться грязью на заднем дворе, а твоя бабушка увидела и страшно рассердилась на нас?

Глаза Джейсона округлились:

— Неужели моя мама делала такое?

— Да, — виновато ответила Клер.

— Мама была очень веселой, правда, мисс Клер? — хихикнула Мэрайя.

— Твоя мама была самой веселой девочкой на свете. — Клер буквально захлестнула волна нежности к этим ребятишкам, самому драгоценному наследству, оставшемуся после Дженнет. Они так похожи на нее. Она улыбнулась и обернулась к Марку: — Значит, вы все вместе приехали на свадьбу к Рэйфу?

— Да, — заявила Мэрайя важно. — Дядя Рэйф будет очень счастлив с Брендой. Я в этом уверена.

Очень смешно прозвучали эти взрослые слова, сказанные детским голоском.

— И я так думаю, — согласилась с ней Клер.

Раздались шаги, эхом отдававшиеся в безлюдной церкви. В часовню вошел отец Финн, а следом за ним женщина в белом, закрытая вуалью. То была Бренда. Сегодня она казалась необыкновенно, ошеломляюще красивой. Она не шла — плыла над полом. В эти мгновения она показалась Рэйфу живым воплощением женственности.

— Рэйф, подойдите к нам, — раздался голос священника.

Рэйф встал рядом с Брендой.

— Если вы готовы, то можно начинать. — И отец Финн начал церемонию бракосочетания.

Бренда целиком погрузилась в свои мысли и не слишком прислушивалась к тому, что говорил отец Финн. Раз избежать этого фарса не удалось, надо смириться с неизбежным. Значит, придется выпить чашу унижения до дна и молить Господа указать путь к спасению.

Она искоса посмотрела на Рэйфа. Она хорошо помнила его страстные объятия, и одна лишь мысль о них заставляла ее кровь бежать быстрее. Сегодня ее ожидает первая брачная ночь, и сегодня она уже не сможет остановить его.

Рэйф, напротив, внимательно слушал каждое слово пресвятого отца. Сегодня он женится. Трудно поверить, но это так. Никогда в жизни он не хотел иметь жену, не хотел даже теоретически подвергать себя той боли, которую пережил его отец. Правда, его отношения с Брендой не будут похожи на брак его отца и матери. У них с Брендой все пойдет по-другому. Она нравится ему, и это даже хорошо. Значит, выполнение супружеских обязанностей не будет для него тяжкой повинностью, а когда настанет время расставаться, он не почувствует боли, потому что никакой эмоциональной привязанности между ними нет. Этот брак — просто союз, удобный для обоих, в результате которого каждый получит то, чего хочет.

— Берешь ли ты, Бренда О'Нил, этого мужчину, Рафаэля Марченда, себе в законные мужья? Обещаешь ли ты любить и уважать его и быть с ним рядом в болезни и здравии, в богатстве и бедности, пока смерть не разлучит вас?

— Да, — ответила Бренда чуть не шепотом.

— А ты, Рафаэль Марченд, берешь ли эту женщину, Бренду О'Нил, в законные жены? Обещаешь любить и уважать ее и быть с ней вместе в болезни и здравии, в богатстве и бедности, пока смерть не разлучит вас?

— Да, — твердо произнес Рэйф.

Рэйф надел тоненькое золотое колечко на палец Бренды.

— Властью, данной мне Богом, называю вас отныне мужем и женой. Что Господь соединил, людям не разделить, — заключил отец Финн. — Можете поцеловать невесту.

Рэйф медленно повернулся к Бренде и поднял вуаль. В глазах Бренды застыл вопрос. Рэйф наклонился к ней и поцеловал с безграничной нежностью. Это был целомудренный поцелуй, но когда он снова взглянул на свою теперь уже жену, в глазах его сверкнул огонь, который обещал бурную ночь.

Бренда смотрела на мужа и видела в его глазах пламень желания, и ответная теплота проснулась где-то глубоко внутри ее. Что принесет эта ночь, она не знала, но точно знала, что никогда уже ей не стать прежней Брендой О'Нил. Теперь она Бренда Марченд.

— Благодарю вас, святой отец, — сказал Рэйф и повернулся к гостям.

Он присел на корточки перед Мэрайей:

— Хоть я и женился на другой, но ты навсегда останешься в моем сердце.

Мэрайя обхватила его шею ручками и громко чмокнула в щеку:

— Ничего страшного, дядя Рэйф.

Он рассмеялся и поднялся на ноги:

— Похоже, не так уж я хорош, как думал. Она уже разлюбила меня.

— Женщины такие непостоянные. Что еще сказать? — улыбнулся Марк и поцеловал Бренду. — Бренда, вы сегодня прекрасны как никогда. Желаю вам всегда быть такой же счастливой, как в эту минуту.

— Спасибо, Марк. Спасибо за все.

— Бренда, дорогая, поздравляю, — обняла ее Клер. До завтра.

— Отплываем в три часа дня, а знаешь, Марк тоже возвращается в Натчез с нами.

— Правда? — Клер взглянула на Марка, даже не подозревая, что сейчас все ее чувства, обычно старательно скрываемые, отразились на лице. — А я и не знала.

— Мы будем путешествовать все вместе. — Бренда поймала странный взгляд Клер и удивилась.

— Думаю, ты и твой муж будете так заняты друг другом, что у тебя будет не слишком много времени на разговоры со мной.

Бренда вспыхнула при этих словах, а Клер улыбнулась:

— Желаю тебе счастья и удачи.

— Что ж, миссис Марченд, нам пора идти, — обратился Рэйф к Бренде.

Как ей хотелось крикнуть: нет! Я не хочу никуда идти с тобой! Я хочу домой, к маме, хочу быть Брендой О'Нил, хочу быть под защитой этого имени. Но вместо этого Бренда улыбнулась, взяла Рэйфа под руку, и они вышли из часовни.

— Не хотите поужинать сегодня с нами? — обратился Марк к Клер.

— Спасибо. — Неожиданное предложение Марка застало ее врасплох. — С удовольствием.

— Вот хорошо, — с восторгом воскликнула Мэрайя. — Вы нам расскажете про маму.

— Конечно, — согласилась Клер, и тут же в голове мелькнула ужасная мысль: Марк пригласил ее лишь для того,чтобы вволю поговорить о Дженнет.

Она подавила печальный вздох. «Для чего я все это делаю? — думала она. — Согласилась уехать на несколько месяцев из Сент-Луиса, теперь еще этот ужин... Ну что ж, придется разговаривать о Дженнет».

Они подошли к отцу Финну, увлеченному беседой с детьми. Святой отец с улыбкой взглянул на Марка:

— Чудесные дети. Вы их хорошо воспитали.

— Спасибо. Может быть, и вы согласитесь поужинать с нами?

— Я бы с радостью, но, к сожалению, сегодня вечером не могу. Я слышал, вы завтра уезжаете. Прошу вас, не забывайте обо мне, пишите, как идут ваши дела.

— Обязательно. Спасибо за все, святой отец.

Они вышли из церкви. Марк взял Клер за руку, чтобы помочь спуститься по лестнице. Она с улыбкой поблагодарила его за заботу, и опять он поразился произошедшим в ней изменениям. Клер была так хороша сегодня, что Марк едва узнавал в ней ту женщину; с которой встретился неделю назад.

— Никак не могу привыкнуть к вашему новому облику.

— Главное, что вы его одобряете.

— Не просто одобряю. Вы великолепны!

— Вы считаете? Сама я оцениваю себя гораздо скромнее. Все благодаря Бренде. Между прочим, — Клер улыбнулась, — она научила меня одной вещи.

— Чему же, интересно?

— Она научила меня играть в покер.

Марк запрокинул голову и расхохотался.

— Все-таки Бренда удивительная девушка, — с искренним удовольствием произнес он. — Надеюсь, они с Рэйфом будут счастливы вместе.

— Мне тоже этого хочется, — согласилась Клер, а про себя добавила: «Надеюсь, и ко мне придет счастье».

Глава 18

— Надеюсь, дорогая, тебе здесь понравится. — Рэйф подхватил Бренду на руки и внес в комнату.

— О-о-о! — только и смогла проговорить она. Бренда не ожидала ничего подобного, потому ужасно покраснела, когда он опустил ее на ноги. — Здесь красиво, — заметила она, рассматривая роскошную гостиную. Обставленная дорогой мебелью, с полами, устланными коврами, комната казалась символом обеспеченной жизни.

— Я заказал для нас ужин.

— Спасибо.

Бренда волновалась. Она — замужняя женщина, и с сегодняшнего дня уже не может сказать Рэйфу «нет».

— Если хочешь переодеться — твои вещи в спальне.

Бренде стало неловко, и, чтобы скрыть смущение, она подошла к открытой двери в другую комнату. Это была спальня.

В глаза сразу бросилась огромная кровать; атласное покрывало было откинуто, громадные взбитые подушки уложены в изголовье. Посреди комнаты стоял стол, покрытый тонкой льняной скатертью, с расставленными серебряными приборами, хрустальными бокалами и фарфоровыми блюдами. Из спальни вела дверь в еще одну комнату. Бренда собралась с духом и подошла ближе. Оказалось, что это туалетная комната с ванной.

Такого богатства и роскоши Бренда до сих пор не встречала.

— Рэйф, здесь великолепно, — крикнула Бренда.

— Нет на свете такой вещи, которая была бы достойна моей жены, — раздался совсем рядом голос Рэйфа. Оказалось, он тоже вошел в спальню.

Бренда не ожидала, что он находится так близко, и инстинктивно отпрянула в сторону:

— Пожалуй, я переоденусь, — неуверенно сказала она.

— Тебе помочь?

— Нет, — чуть не крикнула Бренда, — я сама справлюсь.

— Если что, позови меня.

— Ладно.

Рэйф почувствовал, что она напряжена, и решил оставить ее одну, дать ей время прийти в себя.

Оставшись одна, Бренда капельку успокоилась. Она сняла вуаль и бережно положила ее на туалетный столик. Все ее вещи были аккуратно разложены. Она поискала глазами ночную сорочку и пеньюар, которые выбрала для первой брачной ночи. Белье из тончайшего, нежнейшего шелка алого цвета обольстительно облегало ее фигуру, ничего не открывая явно, но красноречиво намекая на скрывающиеся под ним прелести.

«Откуда у меня взялось столько бесстыдства? Как я могла выбрать такой наряд? — думала Бренда. — Надо, наверное, было надеть фланелевую рубашку с глухим воротничком». Она вообразила себя в этом одеянии и криво улыбнулась, представив лицо Рэйфа при виде невесты во фланелевом бельишке. Конечно, в их соглашении ничего не говорилось о том, что она должна выглядеть соблазнительно, просто ей самой этого хотелось. Ведь, несмотря на всю странность их брака, это ее первая ночь с мужчиной.

Бренда сжала пеньюар в руках. Она вспомнила, как давно, в детстве, мама часто рассказывала ей, маленькой, удивительную историю своей любви.

Первую ночь с отцом Бренды она провела в их маленьком домике, но любовь превратила скромное жилище в сказочный дворец. Всю жизнь Бренда мечтала именно о такой любви.

Ее взгляд упал на сорочку, и она вздрогнула. Бренда слишком помнила объятия Рэйфа и, как ни стыдно ей было себе признаться в этом, страстно желала их.

В дверь тихо постучали.

— Да?

— Бренда, нам принесли ужин.

— Пусть заходят, — ответила она и положила пеньюар на место.

Дверь открылась, и служанки внесли ужин, потом появилась бутылка шампанского в ведерке со льдом. Слуги незаметно исчезли, и Рэйф, закрыв за ними дверь, вернулся в спальню.

— Есть хочешь?

— Да, очень, — живо откликнулась Бренда. Во-первых, она обрадовалась возможности оттянуть время, а во-вторых, действительно ужасно проголодалась. С утра у нее во рту не было ни крошки, а от принесенной еды по комнате распространился восхитительный аромат.

Каждое блюдо могло считаться шедевром кулинарного искусства, и Рэйф с Брендой попробовали всего понемногу.

На десерт подали свадебный торт, который
Рэйф заказал специально для них двоих.

— Спасибо, — тихо сказала Бренда.

— На здоровье. — Голос его звучал глухо.

Рэйф чувствовал, как напряжена, скована Бренда,
а ему хотелось, чтобы эта ночь навсегда осталась в ее
памяти. Теперь она его жена. Он откроет ей мир наслаждений, но нервное возбуждение, охватившее ее,
может помешать ей почувствовать радость любви.

— Если ты не против, я ненадолго спущусь в бар.

Бренда не верила своим ушам. Она получила
очередную отсрочку! Боже, какая радость! На губах
ее появилась легкая улыбка. Рэйф поднялся из-за
стола, подошел к жене и, не говоря ни слова, буквально впился в ее губы. От этого поцелуя у Бренды
перехватило дыхание и закружилась голова.

— Я скоро вернусь, — пообещал он и вышел.

Бренда осталась одна. Свадебное платье она
так и не сняла.

Рэйф сидел в баре и тянул свой бурбон медленно, как только мог. Он хотел дать Бренде
время привыкнуть, успокоиться. Наконец он
решил, что времени прошло достаточно, и направился в номер.

Он открыл дверь и тихо вошел в спальню. Бренда сидела за столом, так и не сняв свадебного платья, и раскладывала пасьянс.

— Ты играешь в карты?! — изумился он.

Бренда оглянулась, глаза ее расширились.

— Я... Я всегда играю, когда очень волнуюсь. И это помогает.

Он подошел поближе, заглянул ей через плечо, внимательно изучил карты:

— Похоже, не сходится. Придется сдаться.

— Знаю, — ответила Бренда. Его замечание показалось ей двусмысленным.

— Послушай, у меня возникла отличная идея... — Рэйф сгреб карты со стола и начал их тасовать. — Давай сыграем, а? Вдвоем.

— Прямо сейчас? — Бренда остолбенела от изумления.

— Конечно. Мне всегда интересно играть с тобой. Только вот надо выбрать во что? — Рэйф задумался.

Бренда почувствовала, что уверенность возвращается к ней. Чего-чего, а играть-то она умела. С этим делом она справится, да и с Рэйфом тоже. На какое-то мгновение ей представилось, что можно рискнуть и отыграть все, что она задолжала ему. Эта мысль согревала ее душу до тех пор, пока она не поняла, что у него на уме.

— Во что будем играть?

Глаза Рэйфа опасно блеснули.

— В покер. В покер на раздевание.

— Ты серьезно? — не поверила Бренда.

Вместо ответа он многозначительно улыбнулся, и она вдруг чрезвычайно обрадовалась, что до сих пор полностью одета. Только вуаль сняла.

Они расчистили место на столе, за которым ужинали, и сели лицом друг к другу.

— Разыграем кому первому сдавать? — спросила Бренда.

Рэйф согласно кивнул. Она взяла карты и тщательно перетасовала, затем положила колоду посередине стола. Рэйф снял карты и взял верхнюю. Медленно придвинул к себе, потом открыл. Девятка пик. С уверенной небрежностью она тоже сняла колоду, вытянула бубнового валета и победно улыбнулась.

— Итак, вы готовы, мистер Марченд?

— Да, миссис Марченд. Сдавайте карты. — Его глаза сверкнули, когда он наблюдал за ее умелыми движениями.

Рэйф взял свои карты. Что за ерунда, ничего приличного. Он сбросил три и стал ждать.

Бренда изучила свои карты, и ее губы помимо воли расползлись в улыбке. Две десятки. Совсем неплохо. Она оставила даму, а две оставшиеся карты снесла. Потом дала карты Рэйфу и взяла себе. Прикуп оказался совсем неважным, ничего хорошего. Но как-никак пара на руках выглядит совсем неплохо, ведь он сбросил целых три карты.

— Что ж, мистер Марченд, давайте посмотрим, что там у вас есть, — проговорила она и выложила перед собой две десятки.

Рэйф раздраженно хмыкнул (все-таки не любил он проигрывать ни при каких обстоятельствах) и бросил карты. На этот раз она его обошла.

— Что ж, ты, похоже, выиграла, — улыбнулся он. Перед тем как спуститься в бар, он надел пиджак, вот его-то Рэйф и снял первым. — Давай-ка еще раз. Я готов. Сдавай.

Увидев свои карты, Рэйф широко улыбнулся. Он даже не позаботился о том, чтобы скрыть радость. И вообще не важно, победит он или проиграет в покер, зато он выиграет в другом. Хотя, конечно, приятнее победить. С такими мыслями Рэйф разглядывал полученные карты: у него было две пары, причем старшие — тузы.

— Мне не нужно, — уверенно заявил он и ухмыльнулся.

— Я прикуплю две.

Прикуп Бренду совсем не порадовал. С явной неохотой она разложила свои карты: всего лишь пара двоек. Конечно, лучше, чем ничего, но недостаточно для победы. Рэйф раскрыл свои. Чистая победа.

Пришлось Бренде снять одну серьгу.

— Теперь сдаешь ты. — Бренда подтолкнула колоду к нему.

Она не увидела легкого движения его руки и не заметила, как он припрятал туз.

Игра продолжалась, но, к огорчению Бренды, она проигрывала значительно чаще, чем выигрывала. Сначала она снимала драгоценности. Потом пошли нижние юбки, туфли и чулки. Но чем меньше оставалось на ней одежды, чем больше она старалась сосредоточиться, тем хуже становились результаты. Ей пришло в голову, что Рэйф всегда играл намного лучше, чем она, и что его сокрушительная победа на «Славе» была не просто случайностью, а вполне закономерным результатом. Бренда с головой ушла в карты, ее охватило жгучее желание победить этого самоуверенного человека раз и навсегда.

— Три восьмерки, — гордо объявила она и разложила перед собой карты.

— Выиграла, — согласился он, бросил карты и расстегнул рубашку.

Бренда изо всех сил постаралась не выдать своего крайнего смущения и растерянности, но это небрежное движение напугало ее. Никогда в жизни ей не приходилось оставаться в спальне наедине с полураздетым мужчиной, и от многозначительной интимности обстановки ей стало трудно дышать.

Рэйф довольно улыбался. Он был абсолютно уверен, что Бренда внимательно рассматривала его, пока он скидывал рубашку. Это ему понравилось. При других обстоятельствах он никогда не стал бы мошенничать, но сегодня вечером без шулерства не обойтись, и, пока она приходила в себя от растерянности, он успел припрятать еще несколько хороших карт и теперь был во всеоружии, готов к атаке и победе. Ничего, сегодня у них не обычная игра. Сегодня — их первая брачная ночь.

Он сдал карты, причем Бренде сверху, а себе снизу колоды.

— Прикупаю три, — объявила Бренда, в голосе ее звучало чуть ли не возмущение из-за пришедших никчемных карт.

Она взяла прикуп и в полном отчаянии уставилась на пестрое разнообразие мастей. Ничего. Просто абсолютно ничего. Она судорожно сглотнула слюну и посмотрела на Рэйфа. На ней уже не осталось ни драгоценностей, ни туфель, так что если придется что-то снимать с себя, то только платье.

«Ужасно сидеть так и разглядывать его загорелую грудь. Конечно, нельзя сказать, что он непривлекателен. Наоборот. Широкие, мощные плечи, мускулистые сильные руки, плоский живот. Такой фигуре могли бы позавидовать многие мужчины. Интересно, а что, если прикоснуться к нему, ощутить упругость его гладкой кожи?.. Стоп, прекрати сейчас же! — оборвала сама себя Бренда. — Да что же это такое происходит со мной?»

— А я, пожалуй, ничего не стану брать, — спокойно проговорил Рэйф. — Ну, что там у тебя?

Бренда медленно разложила на столе свои карты. Может быть, у Рэйфа карты еще хуже?

Но Рэйф расплылся в широкой улыбке и молча раскрыл свои — у него был стрит.

Бренда вспыхнула и с трудом подавила тяжелый вздох горького разочарования.

— Может быть, тебе помочь, любовь моя? — сладким голосом спросил Рэйф.

— Я сама справлюсь, — процедила она сквозь зубы, поднимаясь из-за стола, и направилась в туалетную комнату.

— Куда ты идешь?

— Я там разденусь.

— Зачем такие сложности. Давай прямо здесь. Ну, смелее. Игра подождет. А я сейчас устроюсь поудобнее и стану наслаждаться прелестным зрелищем.

Бренда изо всех сил стиснула зубы и, не говоря ни слова, принялась расстегивать пуговицы.

Наконец платье скользнуло на пол, и белые шелковые волны растеклись у ее ног. На ней осталось лишь белье. Она шагнула из этой белой пены, словно Афродита, наклонилась, подняла платье и небрежно бросила его на стул. Рэйф не сводил с нее взгляда, и Бренда кожей чувствовала его горящий, ничего не пропускающий взор. Щеки ее пылали, но она дерзко вздернула подбородок и вернулась за стол.

«Потрясающая женщина, — думал про себя Рэйф, — никогда в жизни такой не встречал».

Он не упустил ничего. Фигура изумительная, тонкая талия, высокая грудь, идеальные бедра, ноги длинные и стройные. Белье, надетое на ней, закрывало ровно столько, чтобы возбудить воображение. А у него было очень буйное воображение.

Сознание того, что эта потрясающая женщина — его жена и не успеет закончиться ночь, как она станет его женщиной, подняло в нем жаркую волну страсти. Он сгреб карты и начал перетасовывать их еще раз. Даже с самом диком и нелепом сне ему и присниться не могло, что в свою первую брачную ночь он будет играть в покер с молодой и красивой женой. И эта игра — самое лучшее, что можно придумать. Ни одну женщину он не хотел так сильно, как Бренду. Следовательно, ее надо непременно победить.

Рэйф быстро раздал карты, затем стал наблюдать и ждать. У обоих — по паре вещей, так что осталось недолго. Бренда полностью сосредоточилась на игре, но дела шли совсем не так, как она рассчитывала. Бренда брала со стола карты медленно, по одной, вознося в душе безмолвную и отчаянную молитву, чтобы каждая следующая оказалась лучше предыдущей, но, к ее ужасу и огорчению, получалась опять ерунда, никчемный, ничего не стоящий набор. Она взглянула на последнюю карту и с некоторым облегчением вздохнула. По крайней мере теперь у нее есть пара пятерок. Это, конечно, не Бог весть что, но все же лучше, чем при прошлой сдаче. Она придала своему лицу равнодушное выражение и спокойно взглянула на Рэйфа.

— Оставляю, — весьма уверенно произнесла Бренда. И неожиданно для себя осознала, что как зачарованная любуется игрой его мускулов, когда он протянул руку за своими картами, не в силах отвести взгляд от его сильных рук, от гладкой кожи, мерцавшей золотом при неверном свете лампы.

Рэйф посмотрел свои карты, взглянул поверх них на Бренду и сообщил:

— Беру три.

Он отодвинул сброшенные карты к середине стола и снял с колоды недостающие. Одну за другой он поднимал карты и изучал их.

Напряжение Бренды росло с каждым мгновением. Она следила за его спокойными уверенными движениями, за бесстрастным лицом и поняла, что от судьбы не уйти. Он ее законный муж, и абсолютно не важно, как закончится эта партия в покер. Утро она встретит настоящей миссис Рэйф Марченд.

— Что ж, давай раскроемся, — предложил Рэйф, буквально сверля ее взглядом. Он отлично знал, что карты у нее не слишком хороши, недаром на пароходе он изучил ее манеру игры. Она не расправила плечи, не выпрямила спину, как сделала бы, попадись ей хорошие карты.

Ему не терпелось поскорее увидеть ее карты, а что последует дальше, ему было известно: в качестве выигрыша он получит ее. Рэйф снова скользнул взглядом по лебединому изгибу ее шеи, по виднеющимся в вырезе сорочки упругим грудям. Кожа ее казалась атласной. Его охватило желание дотронуться до нее, ощутить нежность и гладкость этого молодого тела...

Бренда выложила свои карты, надеясь, вопреки здравому смыслу, что ее жалкая пара сделает погоду, но по его потемневшему от желания взгляду она поняла, что все кончено.

— Похоже, ты проиграла, моя милая. — Рэйф раскрыл свои карты. У него было три туза.

Бренда кивнула. В горле застрял комок, стало тяжело дышать. Теперь надо бы встать и бесстыдно снять с себя сорочку. Этот проигрыш очень похож на тот, другой, что она пережила на «Славе». Он разбил ее, победил, одолел. Она проиграла.

Пока эти безрадостные мысли вихрем проносились в ее голове, Рэйф поднялся со своего места, высокий, красивый, сильный, и у нее родился совершенно новый и неожиданный для нее самой вопрос: а хочет ли она спастись?

От чего спасаться? Она ведь по своему опыту знала, как чудесны его поцелуи, какими обжигающими и будоражащими кровь могут быть его ласки. А теперь... она ведь стала его женой...

Внезапная боль ножом пронзила ее сердце. Если бы он на самом деле любил ее! Если бы для него эта женитьба имела значение. Но нет, она для него всего лишь навсего племенная кобыла, приобретенная в результате выгодной сделки для выполнения единственной функции — выносить и родить ребенка.

Бренда смотрела, как он приближается к ней, и душа ее рыдала: если бы...

— Позволь, я помогу тебе, — хрипло сказал он.

«Как же можно продолжать эту дурацкую игру, да и просто думать о картах, когда напротив сидит красивая раздетая женщина?!» — эта мысль не давала Рэйфу покоя.

Бренда заглянула ему в глаза и увидела вожделение. Сама того не желая, она медленно поднялась со своего стула и встала перед ним.

Рэйф протянул руку и развязал ленту на ее сорочке. Чувственность и сладострастие переполняли его; движения его были медленными и осторожными. Когда показалась нежная грудь, он ласково погладил ее. Желание горячей мощной волной поднялось в Рэйфе. Он наклонился к Бренде, жадно ловя своими губами ее губы, и, когда они слились в страстном поцелуе, Бренда тесно прильнула к нему всем телом. Это движение покоренной и уступившей женщины сокрушило его здравомыслие и самоконтроль. Он стиснул ее в своих объятиях.

— Я хочу тебя... — И все мысли о покере улетучились из его головы.

Глава 19

Настойчивые и жаркие поцелуи ошеломили Бренду, ее сопротивление растаяло без следа. Ей не хотелось признаваться даже самой себе, но она хотела этого... и она хотела его. Те ласки и объятия, те поцелуи, что она узнала совсем недавно, казались невинными и осторожными прикосновениями по сравнению с этой ничем не сдерживаемой страстью. Бренда тихо всхлипнула, когда Рэйф снял с нее сорочку, скользнул жадным взором по ее обнаженной груди, прикоснулся к ней осторожно и требовательно.

— Рэйф... — едва слышно выдохнула Бренда.

Он ничего не ответил, подхватил ее на руки, отнес к кровати, осторожно уложил, сорвав остатки одежды, чтобы ничего более не скрывало прелестей ее совершенного тела.

— Ты еще прекраснее, чем я думал. — Он осыпал поцелуями ее лицо и шею, упругую грудь и руки, все крепче и крепче прижимая к себе. Желание тяжелой волной обрушилось на него.

Сопротивление Бренды рухнуло словно карточный домик. Объятия Рэйфа, казалось, возносили ее до небес и одновременно обрушивали в бездну ада. Она с какой-то распутной жадностью откликалась на каждый его поцелуй, на каждую ласку. Никогда раньше она и представить не могла, что любовь между мужчиной и женщиной так сладостна. Нежные руки Рэйфа гладили ее тело, легкие прикосновения будили в ней доселе неведомые ощущения. Лишенная способности рассуждать, Бренда прижималась к нему всем телом, обнимала за плечи, гладила спину. Ей хотелось раствориться в нем и ощутить это крепкое, сильное тело. Внезапно нахлынувшая безумная страсть уничтожила все страхи, сковывающие прежде.

Рэйф на мгновение оторвался от Бренды, чтобы снять брюки, а потом снова склонился над ней. Ее глаза расширились, когда она увидела его обнаженным, и он понял, что слова Бена могут оказаться чистой правдой. До самого последнего момента Рэйф не верил, что она до сих пор девственница.

— Не бойся, я постараюсь не сделать тебе больно, — глухим шепотом пообещал он, раздвинул ее ноги и лег, навалившись на нее своим крепким телом.

Он опять страстно целовал ее, ловил жадными губами ее алый рот. И опять у Бренды закружилась голова, и она словно улетела из этого грешного мира.

Рэйф и в самом деле собирался быть осторожным и нежным, но стоило ему сделать первое движение, как разум его будто помутился и желание поскорее добыть доказательство ее невинности молнией пронзило его мозг. Бренда напряглась и коротко вскрикнула, пораженная этим яростным вторжением.

— Прости, прости меня, — пробормотал Рэйф. Ему хотелось сказать ей, как он рад такому подарку, хотелось успокоить ее, утешить, но он не мог и не хотел останавливаться, его тело требовало завершения. Ее стройное, совершенное тело, свежесть и сладость поцелуев, мягкие, женственные формы привели его в неистовство. Страсть сжигала его яростным огнем, и вот наконец он достиг того пика наслаждения, от которого не мог и не хотел отказываться. Он весь напрягся, блаженство хлынуло сладостным потоком. Он любил эту женщину.

Рэйф лежал, навалившись на нее всем своим весом, их тела слились в любовном экстазе, они наслаждались, стараясь продлить мгновения восторга. Рэйф знал немало женщин, но никогда раньше ничего подобного он не испытывал. Даже Мирабелла, изучившая все тонкости искусства любви, не дарила ему такого наслаждения, что невинная Бренда. Ее поцелуи были сладкими и пьянящими, как вино, а любовь принесла невыразимое блаженство.

Он неосознанно сжал ее в объятиях.

Бренда лежала совершенно растерянная. Ей приходилось слышать рассказы про то, как мужчины и женщины занимаются любовью, да и насмотрелась она достаточно у пьянчужек из Нижнего Натчеза, чтобы иметь представление о том, чего ожидать от первой брачной ночи. Но произошло то, чего она не ожидала. Его поцелуи волновали, ласки возбуждали и сводили с ума. Она даже вздрогнула слегка, вспомнив пронзившее ее невыразимое наслаждение. Ее потрясла его бесконечная нежность, и теперь она не понимала, как могла бояться Рэйфа.

Одинокая слезинка сползла по щеке Бренды. Уж лучше бы он вел себя грубо и холодно. Тогда бы и она знала точно, чем ему ответить. Ведь с самого начала это была обычная сделка. Но теперь... теперь она просто не знала, что и думать. А главное, что делать...

Бренда прошла суровую школу и хорошо знала, как бороться с жестокой и беспощадной жизнью, но она понятия не имела, чем отвечать на доброту и нежность. Ужас охватил ее, лишь только она поняла, какое ненадежное, даже опасное у нее положение. Одно дело проиграть в карты бешеную сумму денег, и совсем другое — потерять свое сердце.

Рэйф пошевелился и приподнялся на локтях. Он поцеловал ее, потом еще раз, и еще... И опять все здравые мысли исчезли из головы Бренды. Остался один Рэйф, его прикосновения, поцелуи и этот волшебный мир чувственных наслаждений, который он создал для нее.

Всю ночь они не могли оторваться друг от друга и заснули лишь тогда, когда небо на востоке посветлело.

Бренда проснулась первой, но лежала тихо-тихо и рассматривала спящего рядом мужчину. Она всегда считала Рэйфа красивым, но сейчас он показался ей необыкновенным. Настороженность и сдержанность исчезли, и он казался совсем молодым, почти юношей. Бренде ужасно хотелось дотронуться до него — погладить его руку, грудь, щеку, но она не осмелилась. Сейчас, пока он спит, она чувствовала себя в полной безопасности, в безопасности от той власти, которую он получил над ней.

Сердце ее сжалось и заныло. Одно дело выполнить его требование, выносить и родить его ребенка, и совсем другое — влюбиться в него безо всякой надежды на взаимность, а потом расстаться с ним.

Бренда смотрела на Рэйфа и старалась ожесточить свое сердце. Нельзя позволять чувствам взять верх над разумом. Нельзя любить этого мужчину. Хоть он и открыл для нее неведомую прелесть и сладость физической любви, но все же он не любит ее. Никогда не любил и не полюбит.

Бренда уставилась в потолок. Решение пришло само собой. Надо раздобыть где-нибудь денег и отдать долг. Но как? Ничего не приходило на ум. Может быть, попросить взаймы у Клер? Но нет, нельзя. Клер привязалась к ней, это видно, но ведь Рэйф ее для того и нанял, чтобы они подружились, и если она ей доверится, Клер может рассказать все ему. Она должна сама раздобыть денег и вернуть долг.

Наконец Бренда придумала. Она притворится, станет играть роль любящей молодой жены (по правде говоря, это не слишком трудная и неприятная роль) и за это время что-нибудь придумает.

Бренда больше не заснула, просто лежала тихо-тихо в огромной брачной постели еще целый час, пока Рэйф не проснулся.

— А я уж думала, ты не собираешься просыпаться, — поддразнила она его.

Он повернулся на бок, приподнялся на локте и посмотрел на неё.

— Ты давно проснулась?

Утром, после бессонной ночи, Бренда казалась еще красивее, чем вчера вечером. Он нечасто проводил ночи вместе со своими любовницами, но в тех редких случаях, когда оставался у них, имел возможность убедиться, что женщины теряют все свое очарование при ярком свете дня. А вот Бренда оказалась приятным исключением. Личико ее сияло свежестью, прелестью и удовольствием.

— Не очень, — мелодично ответила она. — Но если бы ты проспал еще, мне, пожалуй, пришлось бы поменять наши билеты на пароход.

— Ты всегда можешь заставить меня проснуться, в любое время, — немного хрипло проговорил он, скользя по ней взглядом.

От пылающих щек и слегка разметавшихся волос до прелестных грудей, возвышавшихся под простыней, и кончиков пальцев стройных ног она казалась настоящей, совершенной женщиной. Его женщиной.

Ему снова захотелось ощутить ее свежесть, проникнуть в ее молодую плоть, и он набросился на нее с жадностью, даже с какой-то яростью, стремясь вновь вкусить сладость обладания ее прекрасным телом и доказать себе, что предыдущая ночь не была сном.

Бренда пыталась сдержать свои чувства, не поддаваться на его ласки, не обращать внимания на то странное и сильное действие, какое оказывали его прикосновения, но руки его скользили по ее телу, жадные и трепетные, разрушая все так старательно возводимые ею преграды, и она опять потеряла голову. Бренда погрузилась в океан наслаждения. Опытные и умелые руки Рэйфа дарили ее телу сказочные ощущения, и она инстинктивно прижималась к нему все теснее и теснее. Страсть охватила их, желание оглушило, и они вознеслись на вершину блаженства.

Гораздо позже, когда Рэйф оставил ее одну в номере, а сам отправился вниз заказать завтрак, Бренда вновь почувствовала тоску. Чтобы успокоиться, она сделала себе горячую ванну и с наслаждением погрузилась в воду. Только она начала мыться душистым мылом, как услышала звук открывающейся и закрывающейся двери. Она оглянулась.

Рэйф застыл в дверном проеме, с восторгом и изумлением разглядывая ее стройное тело. Волосы собраны на затылке, лишь несколько непокорных прядок выбились из узла; кожа порозовела от теп-

лой воды; глаза сияют удовлетворением и радостью.
Ничего не сказав, он просто шагнул к ней, на ходу
сдирая с себя рубашку.

— Что ты делаешь? — заволновалась Бренда.

— Сейчас увидишь. — Он наклонился и запечатлел поцелуй на ее губах, а потом на нежной шее.

И опять дрожь возбуждения пробежала по ее
телу. Она слегка выгнулась под его настойчивыми
ласками, и Рэйф осыпал ее упругие груди жаркими
поцелуями. Не желая терять более ни минуты, он
подхватил ее на руки и понес на кровать.

— Но Рэйф... Ты весь промокнешь...

— А я и не заметил, — хмыкнул он и упал на
кровать, не выпуская из рук драгоценную ношу.

В мгновение ока он избавился от остатков одежды, и они снова прильнули друг к другу в урагане
страсти, слившись в неистовом порыве, пока мир
вокруг них не взорвался миллионом сверкающих
звезд и они не растворились в восхитительном сладострастье.

Рэйф никогда не позволял чувствам нарушать
течение его жизни, и вот сейчас, с Брендой, все
получалось иначе. Всего лишь один взгляд, и на него
нахлынула дикая, необузданная страсть, которую
надо было удовлетворить сразу же, немедленно. Он
никак не мог понять, чем же Бренда отличается от

всех прочих женщин, которых он знал. Что-то неуловимое делало ее непохожей на других, особенной, необычной. Он никогда раньше не испытывал столь острого наслаждения и даже слегка растерялся; он не знал, что со всем этим делать — со всепоглощающим желанием быть с ней, погрузиться в нее, раствориться в гибком и сильном теле. Тот восторг, та радость, что давали ему минуты близости с нею, были слишком велики, настолько велики, что их трудно было вынести.

Рэйф вздохнул и крепче прижал Бренду к себе. Несколько минут спустя раздался стук в дверь, и только тогда они отпрянули друг от друга.

— Нам принесли завтрак. Подожди немного, — сказал Рэйф и рассмеялся, натягивая сырые брюки и насквозь мокрую рубашку.

Бренда слышала, как Рэйф отдает распоряжения слуге. Она медленно поднялась с кровати и посмотрела в зеркало. На нее глядела незнакомая женщина, не Бренда О'Нил. Ее тело налилось новым знанием — знанием физической, чувственной любви мужчины.

Она поймала себя на мысли, что ей до боли хочется снова ощутить его силу, хоть они и расстались всего несколько минут назад. Просто сумасшествие какое-то! Все происходившее между ними было настолько прекрасным и удивительным, что хотелось снова и снова переживать эти счастливые мгновения.

Бренда вернулась в ванную и быстро вымылась. Вода уже остыла — особо не засидишься. Выйдя из ванной, Бренда завернулась в шелковый халат. В эту минуту вернулся Рэйф.

— Он ушел. Ты проголодалась?

— Просто умираю, — ответила Бренда, пристально глядя на мужа. Ее слова прозвучали двусмысленно: то ли она говорила о еде, то ли о нем самом.

Рэйф протянул ей руку.

— Завтрак подан, — объявил он и широким жестом указал на стол, уставленный восхитительной едой.

— Благодарю вас, сэр. Вы обо всем позаботились. Мне просто нечего больше желать.

— В самом деле? — понизив голос, спросил он и привлек ее к себе. Как приятно опять ощутить в объятиях ее чудесное тело!

Вместо ответа она поцеловала его, и когда они оторвались друг от друга, то едва могли думать о еде.

— Надо все-таки поесть, — наконец промолвил Рэйф, с неохотой отпустив Бренду. — А не то мы совсем ослабеем.

— Я даже знаю почему. — Бренда одарила его обворожительной улыбкой.

Она показалась Рэйфу настолько очаровательной, что мысли о еде чуть было не улетучились из его головы, и только усилием воли он остановил себя.

— Кстати, — начала Бренда, стараясь отвлечься от мыслей о Рэйфе и его ласках, — давно Марк знает Клер?

Вчера вечером, увидев Клер с Мэрайей и Джейсоном, Бренда внезапно поняла, что она многого про них не знает. Чего-то очень важного.

— Насколько я понял, Клер была одной из подружек Дженнет.

— Значит, Марк знает ее давно?

— Думаю, да. Правда, он ничего не слышал о ней долгие годы, но, когда родители Дженнет предложили ему нанять Клер, Марк сразу же решил, что это великолепная мысль.

— Значит, они знали друг друга еще до того, как Марк женился на Дженнет... — задумчиво проговорила Бренда.

— Я не уверен, что они были хорошо знакомы, но точно знаю, что Клер и Дженнет были близкими подругами и Клер была на их свадьбе. А что?

— Ничего особенного. Просто мне подумалось, что они подходят друг другу. И потом, Клер так замечательно общается с Мэрайей.

— Да и с Джейсоном тоже. А что это с ней случилось? Как она решилась так резко изменить свой внешний вид?

— Ничего особенного. Просто я сказала ей, если уж она меня воспитывает, то и я кое-чему ее научу. Между прочим, я научила ее играть в покер.

— Ты научила Клер играть в карты? — Это известие вызвало у Рэйфа приступ дикого хохота. — Но ведь Клер — школьная учительница!

— Ну и что! Какая разница? Надеюсь, ей повезет гораздо больше, чем мне некоторое время тому назад. — Бренда вспомнила вчерашнюю партию в покер.

— Неужели проигрывать мне так уж неприятно? Что бы такое придумать и еще разок победить ее подобным образом?

Бренда сразу же забыла о приятных мгновениях. К ней вернулась прежняя настороженность и отчужденность, она еще раз осознала, что проиграла свою жизнь, свое будущее.

Рэйф заметил, что на ее лице появилось выражение загнанного в угол, затравленного зверька, и ужасно пожалел о вырвавшихся словах.

— Я проиграла тебе не просто деньги. Похоже, я лишилась гораздо большего. Я потеряла душу. — Бренда поднялась из-за стола. — Мне пора одеваться, если мы не хотим опоздать на пароход.

Он смотрел, как она уходит из комнаты, и чувствовал, что рвется только-только зародившаяся душевная связь.

Рэйф вышел из-за стола и отправился следом за ней в спальню, чтобы собрать свои вещи. Теперь самое главное успеть вовремя на пристань.

Глава 20

Клер и Марк ожидали прибытия Бренды и Рэйфа на палубе парохода «Красавица Миссисипи». Луиза увела детей, и они остались вдвоем.

— Скорее бы они приехали. Ужасно хочу узнать, как Рэйф пережил свою брачную ночь, — хмыкнул Марк.

— Они замечательно подходят друг другу. Красивая пара, правда?

— Правда. Вот уж никогда не думал, что настанет день, когда Рэйф женится.

Клер с любопытством посмотрела на него:

— Почему он не хотел жениться?

— Его мать была не самым верным и любящим существом в мире, так что Рэйф никогда не питал к женщинам особо теплых чувств. Он не собирался жениться... пока не встретился с Брендой.

— Похоже, Бренда перевернула его жизнь.

— А иначе для чего бы им жениться так срочно?

— Ну, я знаю еще одну пару таких же нетерпеливых, — с улыбкой заметила Клер, вспомнив стремительный роман Марка и Дженнет. — Вот, например, вам с Дженнет тоже не надо было долго раздумывать.

— Да, мне достаточно было одного взгляда... — В глазах Марка появилась тоска. — Но в жизни мужчины такая любовь бывает один раз, — печально проговорил он. — Я до сих пор не могу привыкнуть, что ее больше нет, хоть прошло столько времени.

— Я тоже. Но не понимала этого, пока не увидела Мэрайю. Девочка как две капли воды похожа на Дженнет. — Клер помолчала. — Вы были счастливы вместе...

— Да.

Печальные воспоминания нахлынули на обоих, и они замолчали.

— Ваши дети — просто подарок Господа, — снова заговорила Клер.

— Не знаю, как я пережил бы это несчастье, не будь их со мной. Все произошло так неожиданно. Только что она была здорова, как вдруг болезнь обрушилась на нее, и она сгорела в несколько дней.

Без Мэрайи и Джейсона... Только ради них я продолжал жить, вставал утром, ел, занимался делами.

Клер не выдержала. Она протянула руку и дружески тронула Марка за локоть:

— Вы очень сильный человек. Дженнет гордилась бы вами.

Он кивнул:

— Спасибо. Не думаю, что смогу привыкнуть и забыть ее, но мне стало легче.

— Все будет хорошо.

— Я стараюсь.

В этот момент Марк увидел, как из подъехавшей к пристани кареты вышел Рэйф.

— Смотрите, вон они!

Клер подошла к перилам и увидела, как из экипажа выходит Бренда.

— Они оба улыбаются, так что, похоже, все прекрасно в этом мире.

— Хорошо, когда все идет хорошо. Ну, пойдемте, встретим их.

Посторонним наблюдателям Бренда казалась счастливой молодой женой, но в душе у нее царил ад. Последний разговор не оставил никаких иллюзий. Этот человек никогда не любил ее и никогда не полюбит. Как глупо забывать об этом! Тело может предать ее, поддаться на ласки, но ни в коем случае нельзя терять голову и сердце.

Увидев Клер и Марка, Бренда обрадовалась. Отчуждение, возникшее между ней и Рэйфом, переросло, пока они ехали в карете, в напряжение, и потому ей сейчас были просто необходимы дружеские улыбки и приветливые слова. Она отметила, что Клер и Марк свободно и легко чувствуют себя вдвоем, и ей подумалось, что, может быть, за эти несколько месяцев, что им предстоит провести вместе, произойдут события, которые изменят судьбу обоих.

Бренда сопоставила все, что ей говорила Клер, с рассказом Рэйфа и поняла, что Марк и есть тот самый мужчина, которого Клер безответно любила все эти годы. Действительно, почему благоразумная школьная дама так быстро и безоговорочно поломала привычную жизнь? Такое возможно сделать только из-за любви. В рассказах Клер и Рэйфа, определенно, много совпадений. Неудивительно, Клер решила, что у нее нет никаких шансов завоевать любовь Марка, ведь все в один голос твердили, какая красавица и умница Дженнет. А вот сейчас все может сложиться по-другому. Бренда с удовлетворением отметила, что Клер надела сегодня одно их тех новых платьев, что они заказали специально для нее, и выглядела изысканно и мило. Бренда решила приложить все усилия и непременно соединить судьбы этих двоих.

— Привет новобрачным! — обрадованно воскликнула Клер, встретив их на палубе. Она обняла Бренду и поцеловала ее. — Я так рада тебя видеть! Как ты?

— Все хорошо, дорогая! — ответила Бренда. — Главное — мы успели на пароход.

— Рад, очень рад за тебя. — Марк похлопал Рэйфа по плечу. — С такой красивой женой и я потерял бы счет времени.

Бренда залилась краской, а Рэйф рассмеялся:

— Мы торопились на пароход, чтобы вы не уехали без нас.

— Верно, верно, — поддразнила Бренда. — Ты незамужняя женщина, а Марк — свободный мужчина, так что теперь мы не спустим с вас глаз.

Марк улыбнулся:

— Ну, с этим вы безнадежно опоздали. Прошлый вечер мы провели с Клер наедине.

Клер покраснела, а Бренда и Рэйф уставились на них с неподдельным интересом.

Заметив озадаченные выражения на их лицах, Марк быстро пояснил:

— Я не совсем точно выразился, почти наедине. Весь вечер мы проспорили с Мэрайей и Джейсоном.

— Ну, тогда ваша репутация в безопасности, — улыбнулся Рэйф, глядя на Клер. — Мэрайя в качестве компаньонки заслуживает безусловного доверия.

— В самом деле, — согласилась Клер, — она не умолкала весь вечер и ни на минуту не сводила с нас глаз. Такая смышленая и веселая девочка.

Марк и Рэйф решили спуститься в бар, и Бренда была этому рада. Ей было необходимо побыть без него, привести в порядок мысли, успокоиться, и она надеялась, что дружеское участие Клер поможет ей обрести душевное равновесие.

— Расскажи мне, как прошел вчерашний вечер, — попросила Бренда, усаживаясь рядом с Клер. — Марк пригласил тебя поужинать вместе?

— Да. — Глаза Клер заблестели, когда она вспомнила о событиях прошедшего вечера.

— Ты сегодня необыкновенно счастливая.

— Пожалуй. Марк очень хороший человек.

— Клер... Прости, что я вмешиваюсь в твою жизнь, но все же я хочу тебя спросить кое о чем.

— Спрашивай, — Клер не могла понять, куда клонит Бренда.

— Мужчина, в которого ты была влюблена в юности, — Марк? Я видела, как ты разговариваешь с его детьми, вспомнила твои рассказы, а Рэйф сказал, что вы давно знакомы. Неужели ты его любила все эти годы? Он — тот мужчина, который никогда не знал, что завоевал твое сердце?

— Да, — выдохнула Клер. Вид у нее был потерянный и несчастный. Бренда улыбнулась, и от этого Клер еще больше смутилась. — Чему ты так радуешься?

— Все просто замечательно!

— Что замечательно?

— То, что Марк — тот самый мужчина, которого ты любишь.

— Рада слышать от тебя такие слова.

— Клер, ведь прошло столько времени, вы оба изменились, и, думаю, все будет теперь по-другому.

— Да ничего не изменилось. Я все та же Клер, которую он знал девять лет назад.

— Нет, ты ошибаешься. За эти годы ты многого добилась. Ты удивительная женщина, прекрасный педагог, умная, обаятельная. А уж если ко всему перечисленному добавить, что теперь ты умеешь играть в покер...

Клер улыбнулась:

— Ну и что? Какое это имеет значение? Что мне со всеми этими достоинствами делать? Они мне не помогут.

— Помогут. Ты хочешь завоевать Марка Лефевра или нет?

— Я-то хочу. Только хочет ли он этого? Он никогда не думал обо мне как о женщине, которую можно полюбить, — печально ответила Клер.

— Значит, у него еще все впереди, — уверенно сказала Бренда. — Помнишь наш первый поход в магазин одежды? Помнишь платье, которое ты мерила? А помнишь ту прекрасную женщину, что смотрела на тебя из зеркала? Так вот, эта женщина завоюет сердце Марка.

— Ты правда так думаешь?

— Да.

В глазах Клер появилась надежда.

— Ты права. Я должна попробовать.

— Все у тебя получится. А теперь признай, что мы очень вовремя купили для тебя новые наряды!

— Признаю, признаю, — заговорщически усмехнулась Клер. — Итак, моя дорогая наставница и компаньонка, с чего нам следует начать? — И дамы принялись разрабатывать план кампании.

Поздно вечером после роскошного ужина в ресторане Бренда и Рэйф удалились в свою каюту. Когда Рэйф закрыл дверь и начал раздеваться, Бренду охватило смятение. Она не знала, что ей делать, как вести себя, чего ожидать. Весь день, с того самого момента, как он напомнил ей о проигрыше, она чувствовала холод и оцепенение в душе. Она со страхом ждала того момента, когда останется с ним наедине. Одно дело изображать счастливую новобрачную на людях, и совсем другое — быть с ним вдвоем, без посторонних глаз.

По сравнению с шикарным номером в гостинице каюта была маленькой и тесной. Ей придется раздеваться прямо у него на глазах. Эта мысль нервировала Бренду. Она искоса метнула взгляд на Рэйфа, но казалось, что он нисколько не смущен интимностью обстановки. Пока она стояла, повернувшись спиной к нему, он успел раздеться и улечься под одеяло, и теперь лежал, укрытый по пояс одеялом, руки под голову, и смотрел на Бренду.

— Иди скорее сюда, моя милая жена, — позвал он, и глаза его потемнели от желания.

— Да... сейчас... подожди минуточку... — пробормотала Бренда, не зная, что ей делать.

— Не торопись, дорогая. Мне приятно смотреть на тебя. Думаю, сегодня будет еще интереснее, чем вчера.

От такого замечания Бренду бросило в жар, она отвернулась и начала раздеваться, очень медленно, словно надеясь, что он, не дождавшись ее, уснет.

Ее плавные, замедленные движения казались Рэйфу гораздо более возбуждающими, чем если бы она просто стояла перед ним совершенно раздетая. Она снимала с себя драгоценности, развязывала ленты, и желание росло в нем. Он с трудом удерживался от того, чтобы не наброситься на нее и не овладеть ею прямо сейчас, быстро, яростно, страстно.

Жаль, что этим утром что-то сломалось в их отношениях, Бренда отдалилась от него, закрылась в себе, спряталась, а ему хотелось вернуть ту душевную близость, которая возникла между ними ночью.

Рэйф следил, как она освобождает пуговички из петель, сверху донизу. Стала видна рубашка. Он вспомнил, как вчера ночью она стояла перед ним полуобнаженная и он помогал ей раздеваться.

— Если хочешь, мы можем снова сыграть в покер, — предложил он с многозначительной улыбкой. Его взгляд не отрывался от ее тела, словно изучал пути, по которым вскоре заскользят его жадные руки и требовательные губы.

Бренда быстро взглянула на него, заметила огонь сжигающего его желания и поняла: сегодня ей никуда не деться. Ты должна быть умницей, сказала она себе, все будет хорошо. Не надо поддаваться его колдовским чарам, держи себя холодно и равнодушно. Тогда ты не потеряешь голову, не забудешь обо всем на свете и о той единственной причине, по которой ты находишься сегодня здесь.

— В этом нет необходимости. Я больше не невинна, — спокойно ответила она.

Слова показались Рэйфу резковатыми, во всяком случае, почему-то обеспокоили его, но он отмахнулся от этого впечатления и снова позвал:

— Тогда иди сюда. Я помогу справиться с оставшейся одеждой.

Их взгляды встретились, и Бренда медленно подошла к нему. Он дотронулся до ее руки, почувствовал, что она вся дрожит.

— Ты замерзла? — удивленно спросил Рэйф.

— Немного.

— Я согрею тебя...

И его жаждущие губы впились в ее полуоткрытый рот страстно и трепетно. Тлеющие угольки вчерашней страсти проснулись в ней и вспыхнули с прежней силой. Бренда хотела отвергнуть его, преодолеть переполняющее ее желание, но у нее не было сил, и она отдалась во власть объятий Рэйфа. Его сила и ласки уничтожили остатки сопротивления, а когда он приник к ней в любовном порыве, она с радостью и готовностью открылась ему, его сильному, налитому страстью телу. Они слились, переплетя руки, ноги, тела, их сердца забились в унисон, и невозможно было понять, где он, а где она.

Бренда отвечала на каждую ласку, на каждое прикосновение, забыв о том, что дала себе слово сохранить сердце спокойным, а голову холодной.

Они вознеслись на вершину наслаждения вместе. Восторженные, утомленные, почти бездыханные, они остались лежать в объятиях друг друга, способные лишь изумляться про себя удивительным и прекрасным ощущениям. Ни слова не было сказано.

Спустя некоторое время Рэйф приподнялся и отодвинулся. Бренда отвернулась от него и притворилась спящей, и он не увидел, как по щеке ее скатилась слеза.

Рэйф чувствовал, что все произошло не так, как вчера. Той женщины, что была так открыта и так ненасытна вчера ночью, больше не было. Сегодня она ни словом, ни движением не отвергла его, но это было совсем другое. Он не знал, как вернуть те упоительные мгновения наслаждения, которые они пережили вчера, и уже было протянул руку, чтобы дотронуться до Бренды, ласкать и терзать, любить до умопомрачения, но потом передумал. Лучше подождать. Надо дать ей время, и тогда, в один прекрасный день, она сама придет к нему, сжигаемая страстью и желанием.

Рэйф уставился в потолок ничего не видящим взглядом, и не будь он так обеспокоен тем, что происходит с Брендой, он немало подивился бы странному положению, в которое попал. Из всех женщин в мире, которые мечтали разделить с ним ложе, а их, надо сказать, было более чем достаточно, он женился на той, которая вовсе не желала быть ни его женой, ни его любовницей. Наверное, продолжал размышлять он, нельзя было так подчинять Бренду, вынуждать покориться его воле. Ну да ладно, время все рассудит.

Бренда тоже не спала, хотя больше всего сейчас хотела именно этого — провалиться в сон и хотя бы ненадолго забыть, каким предательским и вероломным стало ее тело от прикосновений нежных и настойчивых рук.

— У меня есть идея, — объявил Марк на следующий вечер за ужином.

— Интересно. — Рэйф вопросительно посмотрел на друга.

— Я собираюсь устроить прием в честь тебя и твоей очаровательной молодой жены сразу по прибытии в Натчез. Что скажете? — Он перевел взгляд с Бренды на Рэйфа. — Это будет первый выход Бренды в свет, и я думаю, в доме знакомого человека она будет чувствовать себя гораздо свободнее. Конечно, я целый год никого не принимал, но ради вас готов тряхнуть стариной.

— Спасибо, Марк, — сказал Рэйф.

— В самом деле, спасибо, Марк. Вы такой милый. Может быть, Клер вам поможет все организовать? Если ее организаторские способности таковы же, что и педагогические, ваш праздник будет иметь оглушительный успех и станет самым заметным событием сезона, — не без задней мысли предложила Бренда.

Марк взглянул на Клер, одетую сегодня в новое серо-голубое платье.

— Ваша помощь будет для меня просто неоценима.

— Вы оказываете мне честь своим предложением, — ответила Клер с благородной сдержанностью, а сердечко ее затрепетало при одной только мысли о предстоящих долгих часах вдвоем.

— На какой день лучше назначить прием? — спросил Марк у Рэйфа.

— Думаю, Бренде нужно будет некоторое время, чтобы устроиться в Белрайве, скажем, неделя. Прибудем мы туда через два дня, значит — на следующую субботу.

— Ну и отлично. Мы с Клер берем на себя подготовку праздника, а от вас с Брендой потребуется лишь предстать перед гостями во всей красе.

— Ты так говоришь, будто собираешься устроить мой выход в свет, — засмеялся Рэйф и принялся обсуждать с Марком список гостей.

Бренда и Клер не знали людей, которых так живо обсуждали мужчины, и, чтобы дамы не скучали, Рэйф награждал каждого из кандидатов короткой и смешной характеристикой.

— А как быть с Мирабеллой? — спросил Марк. Этот разговор он завел совершенно намеренно. Избежать встречи с нею в натчезском высшем обществе невозможно.

— Да... прекрасная Мирабелла... — протянул Рэйф и умолк. Он тоже понимал, что столкновения не избежать.

— Кто такая Мирабелла? — неожиданно для себя спросила Бренда, увидев, как изменилось выражение лица Рэйфа.

— Просто давняя знакомая, — ответил он и потом произнес, обращаясь к Марку: — Ее обязательно нужно пригласить, иначе будет еще хуже.

— Я тоже так считаю, но советую тебе морально приготовиться к встрече с ней.

Клер и Бренда переглянулись.

— К чему вы должны приготовиться? — полюбопытствовала Клер.

Рэйф решил: самое лучшее, что он сейчас может сделать, — это сказать правду.

— Некоторое время мы были довольно близки с Мирабеллой.

Этих слов было вполне достаточно, чтобы Бренда все поняла. Это, видимо, одна из тех настырных особ, что пытались притащить его к алтарю.

— Она из таких же, что и Лотти Демерс?

— Можно сказать и так, — ответил Рэйф скупо, совершенно очевидно стремясь избежать дальнейших расспросов.

Марк хотел было предложить Рэйфу взять на прием ружье, чтобы Бренда отгоняла от него женщин, но потом решил, что его шутка вряд ли понравится Бренде, и потому сказал:

— Приглашу ее. Самое худшее, что она может сделать, это устроить скандал, но это бросит тень прежде всего на ее репутацию. — И разговор о Мирабелле был закрыт.

Наконец окончательный список гостей был составлен, и все разошлись по каютам.

Марк проводил Клер до каюты. Ночь была душной и темной. Тяжелые облака низко висели, закрыв все небо, а вдали слышались раскаты грома.

— Говорят, буря на реке всегда сильнее, — заметила Клер, облокотившись на перила. Она любила удары грома, порывы ветра, запах приближающегося дождя. Дикая, необузданная сила природы всегда волновала ее.

Ослепительная вспышка молнии разорвала небо, осветила реку и берег ярким светом, затем раздался оглушительный удар грома. Клер не вздрогнула, она стояла, подставив лицо ветру, словно отдаваясь во власть разбушевавшейся стихии.

— Вы не боитесь? — Марк облокотился рядом на перила и внимательно посмотрел на нее, будто изучая.

Они знакомы столько лет, и он всегда считал ее тихоней и скромницей, стремившейся остаться в тени и не привлекать к себе внимания, но чем ближе он узнавал ее, тем больше удивлялся. Клер, настоящая Клер, была яркой, остроумной и, вне всякого сомнения, хорошенькой женщиной, совсем не похожей на ту чопорную школьную учительницу, которую он привык в ней видеть. Кроме всего прочего, у нее изысканный вкус. Вот, например, сегодня она появилась в ресторане в изумительном платье, и он весь вечер глазел на нее, как мальчишка.

— Нет. Мне нечего бояться, — тихо ответила Клер. — Ведь я с вами.

В этот момент Марк неожиданно понял, что его душа не умерла, она еще жива. Какое-то неясное, еще очень слабое чувство, похожее на нежность, шевельнулось в нем. Он думал, что никогда уже не сможет испытывать к женщине подобных чувств, но Клер тронула его сердце. Добрая, веселая, любит детей. И вообще она ему нравится. Марк остановил взгляд на нежной линии ее губ и осторожно, очень бережно прикоснулся к ее прохладной щеке, а потом нашел ее губы.

Клер боялась шевельнуться. Неужели ее мечты станут реальностью? Она вдруг вспомнила: когда она покупала это платье, хозяйка магазина пожелала ей, чтобы оно принесло ей удачу и чтобы сбылись все ее мечты. Так и случилось. Марк поцеловал ее. Мысль мелькнула и пропала, и потом Клер уже ни о чем не думала, просто с наслаждением отдалась восторгу этой минуты. А молнии сверкали вокруг, рокотал гром, и бушевал ветер. Клер обвила руками его шею. Такое всегда случалось в ее мечтах, а сейчас... он и в самом деле с ней и она безумно счастлива.

Марк тихо застонал и прижал ее крепче. Поцелуи стали настойчивыми и горячими, и они совсем потеряли голову, забыв обо всем на свете, растворились в неповторимой сладости минуты.

И тут небо обрушилось на них.

Потом, позже, Клер решила, что боги организовали заговор против нее. Раздался оглушительный удар грома, и потоки холодного ливня заставили их оторваться друг от друга. Они стояли под проливным дождем и смотрели друг на друга в изумлении, будто не понимая, что произошло, потом неожиданно рассмеялись, словно дети, попавшиеся на шалости, и побежали к двери ее каюты.

— Спокойной ночи, Клер, — чуть охрипшим голосом сказал Марк, когда она вошла к себе.

— Спокойной ночи, Марк. Приятных сновидений. — Клер улыбнулась ему на прощание и закрыла дверь.

«Приятные сновидения... — подумал он, — мечты о несбыточном. О чем же грезить? Если только о любви? О любимой женщине. Кажется, время уже пришло».

Глава 21

Бренда хотела спать, но решила дождаться Рэйфа. Ее волновал завтрашний день. Как она встретится с матерью? Как объяснит ей их поспешный брак? Она все уложила несколько часов назад и с тех пор ждала его. Уже почти полночь, а его все нет и нет.

Бренда убеждала себя, что вовсе не скучает без него и очень рада, что он ушел с Марком. Но время шло, стрелка на часах совершила не один круг. Она лежала одна в кровати, и воспоминания преследовали ее. Ей чудились прикосновения его рук, сладостные поцелуи, сильное, крепкое тело. Совершенно расстроенная, она перевернулась на живот и попыталась устроиться поудобнее.

Бренда уже почти заснула, когда услышала звук открывающейся двери. Огонек в лампе едва горел, и Рэйф слегка прибавил света. Решив, что

лучшей возможности для разговора не будет, она
села в кровати:

— Рэйф, нам надо поговорить.

— Я не знал, что ты ждешь меня.

— Речь идет о моей матери.

Он не произнес ни слова, продолжая расстегивать пуговицы на рубашке.

— Я хочу поговорить с ней сначала сама, без тебя.

— Почему?

— Потому что мне нужно ей все объяснить.

Рэйф напрягся. Интересно, подумал он, много
ли она собирается разболтать.

— Что именно?

— Как мы с тобой познакомились, что я влюбилась в тебя без памяти. Расскажу, что ты буквально носил меня на руках и я не могла ждать
возвращения домой, чтобы выйти за тебя замуж,
потому что очень хотела быть с тобой.

Он услышал в ее голосе горечь, и его это задело.

— Думаешь, она поверит?

— Надеюсь, — тихо, почти шепотом, ответила
Бренда. — Никогда и никому не позволю причинить моей маме боль. Всю жизнь она работала как
проклятая, и я не хочу, чтобы на старости лет она
была несчастна.

Рэйф взглянул на Бренду:

— Неужели ты думаешь, что я могу обидеть ее?

— Она не выдержит, если узнает правду. Обещай, что никогда не расскажешь ей правду о нашем браке, — настойчиво сказала Бренда.

— Даю тебе честное слово, что никогда ничего не скажу ей. А ты не думаешь, что она сама обо всем догадается, когда родится ребенок, а ты уедешь?

Он напомнил единственную причину, по которой она стала его женой. Бренда окаменела. Господи, помоги найти мне эти проклятые деньги и расплатиться с ним, взмолилась она в душе, а вслух сказала:

— Об этом будем думать, когда придет время, — а потом добавила весьма ехидно: — Может, я вообще бесплодна.

— Нет, — грозно рявкнул Рэйф, весь помрачнел и насупился. Он буквально сверлил ее взглядом, пытаясь проникнуть в ее мысли.

Бренда поняла, что задела его слишком сильно, и быстро заговорила снова:

— Мне хочется приехать домой первой и побыть с ней хотя бы часок, прежде чем вы познакомитесь. Воображаю, как она удивится! Я хочу сделать так, чтобы она обрадовалась и была счастлива.

— Хорошо, Бренда. Если хочешь, пусть будет так. Мы с Клер найдем чем заняться, пока ты будешь разговаривать с матерью.

— Спасибо, — тихо сказала она.

Рэйф подошел к кровати. Он стоял рядом и смотрел на нее сверху вниз, потом лег рядом...

Им не нужно было больше разговаривать. Их тела переплелись и вели свой разговор, вечный и прекрасный.

По дороге Бренда страшно нервничала. Сегодня она была почти рада, что у мамы плохое зрение. Есть надежда, что она не заметит натянутую улыбку и фальшивую радость на лице дочери. Мать всегда видела ее насквозь, могла читать по ее лицу, как по книге, да Бренда никогда и не пыталась обмануть ее. Сегодня это будет в первый и последний раз. Надо убедить маму, что ее чувства к Рэйфу совершенно искренни, что они на самом деле любят друг друга и счастливы вместе.

Наконец карета остановилась у маленького домика. Бренда глубоко вздохнула и вышла. Ей предстояло солгать человеку, которого она любила больше всех на свете.

— Мама, — окликнула она, входя в дом.

— Бренда! Наконец-то ты вернулась! Тебя так долго не было, я уже начала волноваться, — раздался из кухни радостный голос Либби О'Нил.

Бренда бросилась на кухню и оказалась в ласковых материнских объятиях.

— Я дома, мама, — вздохнула она, слезы душили ее.

Либби услышала волнение в голосе дочери, выпустила ее из объятий, немного отстранила и внимательно посмотрела ей в лицо. Либби О'Нил почти не видела. Нет, она, конечно, различала черты лица Бренды, но уловить выражение глаз или горестные складки на лбу была не в силах.

— Что произошло, дорогая? Тебя что-то беспокоит?

— Нет, мама, что ты. Все в порядке. Просто я очень рада видеть тебя. Я соскучилась.

— Наверняка не так сильно, как я. Ну а как поживает Бен? — Либби повела дочку на кухню к столу.

— Мисс Бренда, с возвращением домой, — радостно встретила ее Алтея, женщина, которую Бренда наняла присматривать за матерью. — Я, пожалуй, пойду, оставлю вас вдвоем.

— Спасибо, Алтея. Мы с тобой поговорим попозже.

— Да, мадам.

С этими словами она удалилась, и Бренда осталась наедине с матерью.

— Тебя долго не было. Как я не люблю разлучаться с тобой, хоть и знаю, что так надо!

— Это был последний раз. Больше я никуда не уеду, — объявила Бренда. Все это время она отчаянно пыталась придумать, как лучше сообщить о своем внезапном замужестве и в конце концов решилась сказать обо всем прямо.

Либби нахмурилась:

— Что ты хочешь этим сказать?

— Больше я никогда тебя не покину.

На лице Либби появилось недоверчивое выражение:

— Я не совсем понимаю...

— Мама, — ласково сказала Бренда, встав на колени перед матерью и взяв ее за руки. — Во время этой поездки я встретила одного человека... Его зовут Рэйф Марченд, и ты скоро познакомишься с ним.

— Ну и что этот Рэйф Марченд?

— Мама... мы с Рэйфом поженились в Сент-Луисе.

Как Бренда и предполагала, в кухне воцарилась тишина. Либби была ошеломлена известием.

— Ты уверена, что поступила правильно? — взволнованно спросила наконец Либби. Она прекрасно знала, что ее дочка — разумная девушка, но ведь иногда сгоряча можно натворить такого, о чем потом будешь жалеть всю жизнь!

— Да, мама. Я поступила правильно. — В этих словах Бренды не было ни капли лжи.

— Ну, тогда хорошо... хорошо... — проговорила Либби, а по ее щекам тихо катились слезы.

— Мама! — вдруг испугалась Бренда. Она не поняла, обрадовалась мать или огорчилась.

— Все в порядке, милая, не беспокойся. Все в порядке... — Либби прижала дочь к сердцу. — Это самая лучшая новость, которую мне доводилось слышать. Сколько я молилась и просила о чуде, просила помочь тебе. И вот Господь услышал мои молитвы и прислал тебе Рэйфа Марченда.

Сейчас, рядом с матерью, Бренда почувствовала себя маленькой девочкой, которую не дадут никому в обиду.

— Ах, мама... Не могу дождаться, когда ты познакомишься с ним. Он очень красивый и, насколько я поняла, владеет плантацией за городом. Мы будем жить там... в Белрайве.

Либби светилась от гордости. Она улыбнулась своей ненаглядной девочке и погладила ее по щеке. Бренда смотрела на мать с обожанием.

— Ты красивая женщина, Бренда, и я очень рада, что ты нашла себе достойного мужа.

— Я тоже.

— Когда же ты меня с ним познакомишь? Надеюсь, скоро. Должно быть, он замечательный человек, если так быстро завоевал твое сердце.

— Да, он необыкновенный, мама. Мне кажется, он тебе понравится.

— Раз ты любишь его, то и я полюблю, — решительно заявила Либби. — Во всяком случае, у него хватило здравого смысла, чтобы жениться на моей дочери. Ведь так? Так почему же он не должен мне понравиться?

Они опять обнялись.

— Я нарочно приехала без него, чтобы рассказать тебе о нашем бурном романе и обо всем остальном.

— Ну так давай же рассказывай обо всем остальном!

— Нам надо собирать вещи. Мы отправимся в Белрайв,. как только он приедет за нами.

— Сегодня?

— Сегодня. И уже завтра утром ты проснешься в большом доме в Белрайве.

— Просто не верится! Вот что, достань-ка мой единственный чемодан и давай собираться, а ты тем временем успеешь рассказать мне всю историю целиком. Она, должно быть, совершенно удивительная.

— Да, удивительная.

Примерно через полчаса к маленькому домику приехали Рэйф и Клер. Рэйф помог выйти из кареты Клер и осмотрелся по сторонам. Дом показался ему жалким и унылым, и он вспомнил рассказ Бена о жизни Бренды. Но несмотря на бедность, и домик, и палисадник выглядели ухоженными и опрятными.

— Мне очень хочется познакомиться с матерью Бренды, — нетерпеливо заявила Клер. — А вам? Думаю, она необычный человек, раз сумела вырастить такую дочь.

— Пожалуй, — отозвался Рэйф.

Они подошли к крылечку, и Рэйф постучал в дверь, которая почти сразу же открылась.

— Входите, — с приветливой улыбкой сказала Бренда. — Мама с нетерпением ждет вас.

Клер вошла первой, следом за ней Рэйф. Он чувствовал себя довольно неуверенно. Он помнил рассказы Бренды о том, что ее мать больна, и готовился увидеть прикованное к кровати немощное существо, но от хрупкой седоволосой женщины, стоявшей посредине комнаты, исходила такая энергия, жизненная сила, что, казалось, в воздухе пробегали заряды.

— Мама, познакомься, это моя подруга Клер. Я рассказывала тебе о ней. А вот Рэйф. — Бренда подвела его к Либби.

— Клер, Бренда рассказала мне о вас и о ваших карточных забавах. Думаю, вам стоит взять еще несколько уроков, чтобы не отставать от моей девочки, — с озорной улыбкой заявила Либби, и Клер полюбила ее раз и навсегда. Она поцеловала славную женщину в щеку.

— Я бы все отдала, чтобы стать такой же, как Бренда. Может быть, настанет день и я смогу победить ее.

Они рассмеялись, и Либби обернулась к Рэйфу:

— Итак, Рэйф Марченд, вы любите мою дочь, верно? — спросила Либби. Ей пришлось запрокинуть голову, чтобы посмотреть ему в глаза.

— Да, мадам, — ответил он, и почему-то ему стало очень неловко за этот разыгранный спектакль.

— Подойдите-ка немного поближе, чтобы я смогла получше разглядеть вас, — попросила Либби.

Рэйф шагнул вперед, и Либби принялась задумчиво рассматривать его.

— Насколько я вижу, вы очень хороши собой, как и говорила Бренда.

От подобного откровенного заявления Рэйф немного покраснел.

— Благодарю вас, мадам.

— Не стоит благодарить меня, молодой человек. Я говорю только правду. Так гораздо легче жить. Не надо загружать свою голову, помнить, кому и о чем ты соврала в прошлый раз, и что именно.

— Надо запомнить. — Рэйфа вдруг охватило чувство вины, но он постарался избавиться от него. Этой женщине надо знать одну правду: он любит ее дочь и женился на ней так скоро, потому что не может без нее жить.

— Вы ведь позаботитесь о моей девочке?

— Да, мадам.

— Хорошо. — Либби взяла его руку. В нем чувствовалась сила и энергия. Она потянула его, чтобы он нагнулся, поцеловала в щеку и сказала, обращаясь к дочери:

— Ты сделала хороший выбор, Бренда. Теперь я понимаю, почему ты так быстро вышла за него замуж.

— Значит, он тебе понравился? — весело спросила Бренда, переводя взгляд с мужа на мать.

— Да, очень. Думаю, мы с Рэйфом подружимся, — заявила Либби.

Рэйф не знал, что и думать про эту маленькую женщину. Что-то было в ней особенное, в ее мягких прикосновениях, в ее словах. Ему внезапно захотелось защитить ее, чтобы никто не мог причинить ей боль, и это чувство озадачило его.

— Мы собрали все вещи и можем идти, — сказала Бренда, кивком головы указав на небогатые и немногочисленные пожитки. — Я написала записку Алтее и заплатила ей за неделю вперед, чтобы послание не казалось ей слишком коротким. Еще сообщила владельцу дома о нашем отъезде. Так что можно двигаться в путь.

— Тогда идем. — Рэйф подхватил вещи Либби.

— Нам далеко ехать? — спросила она.

— Мы приедем на место примерно через полтора часа.

— Значит, еще засветло.

— Да.

— Это хорошо. Я очень хочу осмотреть ваш дом.

— Наш дом, — поправил он, сам не зная почему.

Либби взглянула на него:

— Прошу вас, сэр, окажите мне честь, проводите меня до кареты.

— С радостью.

Либби взяла его под руку и с видом королевы прошествовала с Рэйфом до экипажа.

Бренда и Клер переглянулись, а потом поспешили за ними.

— По-моему, он ей понравился, — уверенно заявила Клер.

— А она ему? — волновалась Бренда.

— Да как она может не понравиться?! — воскликнула Клер. — Твоя мама — просто сокровище. Ты счастливый человек.

— Знаю. Она самая мудрая женщина на свете, и к тому же самая славная.

— Мне кажется, вы с ней очень похожи.

Бренда рассмеялась:

— Вряд ли. Наверное, добрый нрав, который достался мне от нее, слишком часто подвергался испытаниям.

Бренда умолкла и задумалась.

— Расскажите мне о вашей семье, Рэйф, — попросила Либби, когда карета тронулась с места. Ей хотелось получше узнать этого молодого человека, так неожиданно ставшего ее зятем.

— Да в общем-то и рассказывать нечего, миссис О'Нил, — начал он, но тут Либби прервала его.

— Минуточку, молодой человек. Мы теперь с вами члены одной семьи. Так что это вы вздумали называть меня так официально, миссис О'Нил?

Рэйф удивленно захлопал глазами и стал похож на провинившегося школьника, только что получившего изрядную взбучку.

— Зовите меня просто Либби или мама, если хотите. Но никаких «миссис О'Нил»!

— Хорошо, мадам.

Она опять выразительно посмотрела на него, и Рэйф усмехнулся, совершенно обезоруженный этой обаятельной женщиной. Он и не знал, что подобные матери существуют на белом свете.

— Хорошо, Либби, — почтительно ответил он.

— Ну вот, так-то лучше, — удовлетворенно промолвила она. — А теперь рассказывайте.

— Мои родители умерли, а братьев или сестер у меня нет, — коротко ответил Рэйф.

— Зато теперь у вас есть Бренда, — заявила Либби. — И вы больше не одиноки.

— Верно, — отозвался он, взяв руку Бренды и улыбнувшись своей молодой жене.

Так они беседовали всю дорогу.

Либби, добрая душа, сразу же почувствовала благорасположение к Клер.

— Моя девочка столько трудилась, чтобы сделать нашу с ней жизнь хоть немного легче. Как мне приятно, что вы, милая, помогли ей! И как здорово, что Рэйф придумал пригласить вас, — с симпатией воскликнула она. Потом перевела взгляд на Рэйфа и снова на Клер. — А что, Бренда доставила вам много хлопот?

Клер метнула на Бренду быстрый взгляд и подавила смешок.

— Нет, что вы, Бренда — умница, а вот уроки карточной игры, что она давала мне, прошли не столь успешно. Я оказалась не такой сообразительной ученицей, как она.

— Ничего страшного. Будем играть с тобой не на деньги, а так, ради удовольствия, — сказала Бренда.

— Мне тоже нравится играть в карты ради удовольствия, — вмешался в их разговор Рэйф и многозначительно посмотрел на Бренду.

Либби смотрела на дочь с нескрываемой гордостью:

— Ты очень хорошо играешь в покер, дорогая, но как я всегда волновалась за тебя! Как беспокоилась из-за того, что тебе приходилось жить вдалеке от меня на этом пароходе. Уверена, с Рэйфом ты будешь счастлива.

Бренда ничего не ответила. Ей не хотелось лишний раз произносить вслух лживые слова. Счастлива с Рэйфом? Вряд ли. Сейчас той Бренды, что была до того рокового дня, дня сокрушительного поражения, уже нет, вместо нее появилась дама из высшего общества... Миссис Рэйф Марченд.

Примерно через час с небольшим Рэйф объявил, что они почти дома.

— Еще далеко? — спросила Бренда, с интересом разглядывая поля, простиравшиеся вокруг.

— Вообще-то мы едем по землям поместья уже минут десять, но до дома еще несколько миль. Скоро свернем на аллею, оттуда виден дом.

Карета свернула на дубовую аллею. Величественные деревья образовали над головами зеленые своды из густых ветвей. Потом экипаж выкатился из этого живого коридора, и Бренда увидела Белрайв. Сердце ее подпрыгнуло в груди и заколотилось часто-часто, горло перехватило.

Справа от дороги во всем своем великолепии и блеске среди дубовой рощи высился Белрайв. Высокое трехэтажное здание, ослепительно белое в лучах яркого послеполуденного солнца, было образцовым доказательством совершенства колониального архитектурного стиля.

— О Рэйф... — Бренда просто задохнулась от восхищения. — Какой красивый дом.

Клер молча смотрела в окошко, и только Либби сидела спокойно, откинувшись на спинку сиденья: с такого расстояния она все равно ничего не могла разглядеть.

Рэйф тоже смотрел на дом. Каждый раз, когда дом внезапно появлялся в конце дубовой аллеи, вот как сегодня, Рэйф вспоминал тот далекий день, когда они с отцом собирались подарить матери арабского скакуна. Рэйф тряхнул головой, словно прогоняя тягостные воспоминания. Нет, этот дом помнит не только измену и смерть, но и смех отца, улыбки друзей. Рэйф тихо вздохнул. Холод в его глазах развеялся, лицо смягчилось, и он улыбнулся.

— Вот и дом, — просто сказал он.

В этот момент дверь дома распахнулась. Наверное, кто-нибудь из слуг, подумал Рэйф. Но он ошибся. На веранде показалась Мирабелла. Она махала ему рукой, словно хозяйка дома, встречающая любимого супруга из долгой поездки.

Бренда увидела вышедшую из дома женщину и вопросительно посмотрела на Рэйфа. Странное выражение его лица удивило ее: он нахмурился, сдвинул брови, а на щеках играли желваки.

— Кто это? — ничего не подозревая, спросила Бренда, решив, что, возможно, это какая-нибудь родственница.

— Мирабелла, — процедил он.

— Та самая Мирабелла, о которой вы с Марком говорили на пароходе?

— Та самая.

Бренда и Клер переглянулись, словно ждали этой встречи.

— Похоже, сейчас произойдет нечто интересное, — хмыкнул Рэйф, когда карета остановилась у крыльца.

Глава 22

— Рэйф, любимый!

Не успел он вымолвить и слова, как Мирабелла сбежала по ступенькам и бросилась ему на шею. Все эти недели она беспрестанно думала о нем, а сегодня решила просто заехать в Белрайв и узнать, нет ли каких вестей. И надо же, такая радость! Несомненно, сама судьба сводит их вместе!

— Мирабелла... — только и успел пробормотать Рэйф, прежде чем она впилась поцелуем в его губы.

— Кажется, теперь я понимаю, чего опасались Рэйф и Марк, — шепнула Клер Бренде, увидев из окна кареты столь откровенную сцену.

— Пожалуй, мне пора взять инициативу в свои руки. Как вы считаете?

— Конечно, моя девочка, — согласилась Либби. Вызывающее поведение незнакомки не осталось незамеченным.

— Милый, — громко протянула Бренда, выходя из кареты, — у нас гости?

Рэйф едва успел высвободиться из цепких объятий Мирабеллы. Он быстро разжал ее руки и отодвинул от себя разгоряченную женщину.

— «Милый»? — переспросила Мирабелла, увидев появившуюся из-за спины Рэйфа красивую незнакомую женщину.

— Здравствуйте, — как ни в чем не бывало продолжала Бренда, словно не видела ничего особенного в том, что какая-то особа нагло обнимает и целует ее мужа. — Я Бренда Марченд, жена Рэйфа. А вы кто?

Мирабелла вздрогнула, будто обожглась. Она уставилась на красивую незнакомку не в силах вымолвить ни слова, и в ее глазах вспыхнула ярость.

— Рэйф, дорогой, кто эта особа? — звенящим голосом спросила Мирабелла, по-хозяйски беря Рэйфа за руку.

— Мирабелла, это моя жена Бренда. Бренда, познакомься, это Мирабелла Чандлер... моя старая знакомая. — И Рэйф незаметно отодвинулся подальше от острых коготков «старой знакомой».

— Старая знакомая... — Бренда подчеркнула первое слово. — Здравствуйте, Мирабелла. Приятно с вами познакомиться, особенно после того как Рэйф и Марк столько рассказывали о вас.

— Твоя жена? — Мирабелла немного пришла в себя. — Это что, новая манера шутить? Кто эта женщина?

— Поверь, я не шучу, — с нажимом повторил Рэйф. — Мы с Брендой поженились в Сент-Луисе.

— Так ты женился? — переспросила Мирабелла и снова взглянула на молодую даму, стоящую рядом с Рэйфом.

— Еще как! — Рэйф с улыбкой посмотрел на Бренду и нежно поцеловал ее в губы.

Мирабелла просто затряслась от охватившей ее злости. Она чуть было не набросилась на него с кулаками, но из кареты раздался голос:

— Рэйф, дорогой, будь добр, помоги мне спуститься. Я тоже хочу познакомиться с твоей знакомой Мирабеллой.

Это была Либби. Рэйф бережно взял ее за талию и легко опустил на землю.

— Ты такой милый, спасибо. — Она ласково похлопала его по руке и повернулась к женщине: — Рада с вами познакомиться, Мирабелла. До чего замечательно, что нас встречают друзья Рэйфа!

— Вы кто такая? — Мирабелла надменно смотрела на бедно одетую маленькую старушку.

— Я теща Рэйфа. Можете звать меня Либби. Все мои друзья так ко мне обращаются, — с лучезарной улыбкой сообщила та.

— Теща Рэйфа? Рэйф Марченд!.. — выкрикнула Мирабелла и тут увидела еще одну незнакомую женщину.

— Мирабелла, познакомься, это Клер, компаньонка Бренды и ее матушки. Клер, это Мирабелла Чандлер.

— Ненавижу тебя! — прошипела Мирабелла, еще раз оглядела Бренду и, высоко подняв голову, прошествовала к собственному экипажу. Грубо крикнула кучера и забралась в карету, не дожидаясь его помощи.

Последнее, что они видели, — это каменный профиль Мирабеллы.

— Вы настоящий джентльмен, Рэйф Марченд, — отметила Либби, абсолютно удовлетворенная поворотом событий. — Надеюсь, она не вернется.

— Благодарю за комплимент, а что касается ответа на ваш вопрос... — Рэйф умолк, провожая взглядом удаляющуюся карету. — С Мирабеллой никогда нельзя ни в чем быть уверенным. Ну да ладно, пойдемте в дом. Я хочу, чтобы вы познакомились со слугами.

Когда собрались слуги, Рэйф торжественно объявил:

— С этого дня в Белрайве есть хозяйка — моя жена, миссис Марченд.

— Ваша жена, сэр? — Джордж изумленно смотрел на хозяина.

— Да, Джордж, моя жена.

Дворецкий расплылся в широкой улыбке:

— Поздравляю, мастер Рэйф. Вот уж новость так новость! Самая лучшая за столько лет. Все понятно, сэр. Добрый день, мадам.

— Рада познакомиться с вами, — улыбнулась Бренда, обрадованная таким теплым приемом.

Изумление на лицах слуг лишний раз подтвердило все, что Рэйф прежде рассказывал о себе. Всем было хорошо известно, что он принципиально не хочет жениться, и ее появление оказалось полной неожиданностью.

— Надеюсь, никто из вас не разочарован, что здесь появилась я, а не мисс Мирабелла? — В глазах Бренды сверкнули озорные огоньки.

Джордж сначала вытаращил глаза от таких слов, потом с ухмылкой ответил:

— Нет, мадам, что вы. Мы рады, что все получилось именно так. Добро пожаловать в Белрайв.

— Спасибо, Джордж, — Бренда сразу почувствовала расположение к этому человеку с добрыми глазами.

В тот же день Рэйф показал Бренде дом.

— А что здесь? — спросила Бренда, когда они проходили мимо закрытой двери.

— Эта комната не используется. Ее всегда держат закрытой, — коротко ответил Рэйф, не вдаваясь в дальнейшие объяснения.

Бренда была озадачена, но ничего не сказала. Они поднялись на второй этаж, где располагались спальни. Здесь тоже была комната с закрытой дверью.

— Эту комнату тоже никогда не открывают. Там нет ничего интересного. Пойдемте лучше на балкон, — предложил Рэйф и, не дожидаясь ответа, пошел вперед.

— Белрайв — чудесное место. Здесь так красиво, — сказала Бренда, любуясь с балкона идеально постриженной лужайкой.

— Это мечта моего отца, — просто ответил Рэйф. Его глубоко тронуло то почтение и уважение, с какими Бренда и ее мать отнеслись к его дому.

— Вы прекрасный хозяин, — убежденно заявила Либби.

Рэйф посмотрел на маленькую женщину. Она говорила, и он испытал истинное удовольствие от ее слов.

— Спасибо, — только и промолвил он.

Когда Рэйф и Бренда остались вдвоем, Бренда с улыбкой сказала ему:

— Спасибо за то, что ты был добр с мамой.

— Знаешь, теперь мне стало понятно, почему ты так привязана к ней. Хорошо, что она будет жить вместе с нами.

— Ты в самом деле не против?

— Нисколько. Теперь я знаю, откуда ты такая храбрая.

— То есть?

— Ведь она разделалась с Мирабеллой не моргнув глазом. Твоя матушка — чрезвычайно храбрая женщина.

— Да, она такая. Ей пришлось быть такой. Никто, кроме нее, не защищал нас и не заботился о нас.

Бренда сказала это не для того, чтобы вызвать сочувствие, просто это была правда, но Рэйфу почему-то ужасно захотелось стать тем единственным, кто отныне будет защищать этих женщин. Поймав себя на таком странном желании, Рэйф мысленно вздрогнул.

Он подошел к Бренде, нежно обнял ее и поцеловал:

— Добро пожаловать домой.

И она почти поверила ему. Ведь сейчас они вдвоем, их никто не видит, и нет никакой необходимости разыгрывать спектакль.

— Мне понравился Белрайв. Ты счастливый человек. Тебе повезло, что у тебя такой дом.

Он улыбнулся.

— Пожалуй, я пойду вниз и разузнаю, как здесь шли дела, пока я отсутствовал. Я буду в кабинете.

Он ушел, а Бренда осталась распаковывать вещи.

Только Рэйф начал разбирать бумаги, как в дверях появился Джордж.

— Что ты, Джордж?

— Миссис О'Нил сейчас спускается вниз. Я подумал, проводить ее сюда к вам или в гостиную?

— Проводи ее сюда, Джордж, спасибо. Кстати, она неважно видит, так что ей может понадобиться помощь, — сообщил он дворецкому. Теперь за Либби станут присматривать внимательные и заботливые глаза.

Старый слуга понимающе кивнул и отправился встречать Либби.

— Не помешаю вам? — раздался голос Либби.

— Нисколько. — Рэйф поднялся из-за стола, когда она вошла. — Прошу вас, проходите, садитесь. Как вы устроились?

— Все хорошо, спасибо. Ваши слуги помогли мне разложить вещи. А комната какая красивая и удобная! Благодарю вас за чуткость и внимание.

— Что вы, не стоит благодарности.

Рэйф за этим массивным письменным столом казался Либби таким сильным, настоящим хозяином. Чутье подсказывало ей, что он хороший человек, добрый, хоть и было в нем что-то непонятное, нечто такое, что он старался скрыть, спрятать подальше. Он долго жил один, поэтому неудивительно, что все кругом поражены его неожиданной женитьбой.

— Похоже, мы сильно удивили вашу знакомую Мирабеллу сегодня днем, не правда ли? — сказала она.

— Да, верно. Уверен, она не скоро оправится от подобного удара.

— В самом деле? Она надеялась стать вашей женой?

— Нет, это даже не обсуждалось. Мирабелла всегда знала, что я не собираюсь жениться, — сказал он и быстро добавил: — Пока не познакомился с Брендой.

— Поверьте, я вас понимаю. Когда мы с моим мужем познакомились, все было точно так же. Мы сразу поняли, что созданы друг для друга. Мне иногда кажется, что любовь — это подарок небес. Правда?

Кто-кто, а Бренда никогда не думала, что их союз послан небом, уж Рэйф это точно знал, потому ответил коротко:

— Да.

— Надеюсь, вы будете так же счастливы, как и мы когда-то. Мой муж умер, когда Бренда была

совсем маленькая, но те несколько лет, что мы про-
жили вместе, до сих пор вспоминаются как сказка...
Я все же счастливая женщина. У меня был он. А
самое главное, у меня есть Бренда. Хорошо, что вы
ее любите. Знаете, я всегда молилась, чтобы вы
~~появились~~ в ее жизни.

— Как это? — Рэйф удивленно уставился на нее.

На лице Либби появилась улыбка.

— А так. Я начала молиться о вас примерно
тогда, когда у меня стало слабеть зрение. Я понимала, что отныне Бренде придется заботиться обо
мне и у нее просто не останется времени для себя.
Она у меня очень упрямая, своевольная, и, значит,
ей нужен сильный и волевой мужчина. Знаете, мне
кажется, что вы сильнее ее.

— А это хорошо?

— Великолепно!

От похвалы Либби Рэйфу стало как-то неловко,
ведь с тех пор, как умер отец, никто, ни один человек
не похвалил его за сильную волю, не давал почувствовать, что он все делает правильно. Он настолько привык быть один и сам себя оценивать, что даже
не знал, как реагировать на комплименты, особенно
если они исходят от пожилой женщины. Он не знал,
как вести себя с Либби, и это его беспокоило. Разговор с ней непонятно почему встревожил его, на

душе стало неспокойно, но он не мог понять, хорошо это или плохо.

Бренда и Клер нашли их в кабинете, а немного погодя Джордж объявил, что ужин подан.

За столом разговор зашел о предстоящем приеме.

— О чем вы договорились? — спросила Бренда у Клер.

— Начнем рассылать приглашения в начале следующей недели.

— Хорошо, — кивнула она, а затем обратилась к Рэйфу: — Милый, если ты не возражаешь, мне хотелось бы купить одно или два платья для мамы, особенно в связи с предстоящим приемом.

— Конечно, дорогая. Карета в твоем полном распоряжении. Открой счет в магазине и предупреди, чтобы все счета присылали мне.

— Рэйф, так дело не пойдет, вы не должны оплачивать мою одежду, — запротестовала Либби. — У меня есть немного денег, и я вполне могу истратить их на такое дело.

— Зачем же вам тратить ваши деньги? Пока вы находитесь под моей опекой, я буду рад оплатить все ваши расходы.

— Бренда говорила мне, что вы замечательный человек, а теперь я это и сама вижу. — Глаза Либби наполнились слезами. — Вы славный!

Рэйфу почему-то захотелось, чтобы Либби улыбнулась.

— Что вы, причина моего поведения — чистейший эгоизм. Просто мне приятно быть окруженным красивыми женщинами.

появились ... эта улыбка сказала ему:
... человек на земле.

... неожиданно для себя растерялся и, чтобы скрыть охватившее его смущение, напустил на себя деловой вид.

— Так вы с Марком решили, сколько дней вам нужно, чтобы все подготовить? — обратился он к Клер.

— Нет еще.

Ужин закончился довольно поздно. Бренда помогла матери лечь в постель и отправилась спать. Рэйф уже лежал в кровати и ждал ее.

— Сегодня был длинный день, — устало сказала Бренда.

«Как все изменилось с той минуты, когда я открыла глаза сегодня утром, — подумала она. — До сих пор можно было делать вид, будто я все еще Бренда О'Нил и лишь играю роль жены Рэйфа».

— Надеюсь, ночь будет еще длиннее, — многозначительно сказал он и улыбнулся.

Бренда увидела огонь желания в его глазах. Ее тело знало, что произойдет через несколько мгновений, и страстно стремилось к этой близости.

— В покер будем играть? — В глазах Бренды сверкнули лукавые огоньки.

— Ты волнуешься?

Она замолчала на минутку, словно чтобы обдумать его слова. Нет, она не чувствовала никакого стеснения.

— Нет... Нет, я не смущаюсь. Мне с тобой легко и спокойно. Даже после сцены, устроенной Мирабеллой.

Она представила, как эта женщина обнимала Рэйфа, пылко целовала его, и в ее душе поднялась волна ненужной ревности.

Он широко улыбнулся:

— Я не ожидал ее здесь встретить.

— А она что, всегда так бесстыдно ведет себя?

— Да.

Бренда подошла к кровати и остановилась.

— Мне кажется, ты сам провоцируешь женщин на такое поведение...

— Неужели?

Вместо ответа Бренда поцеловала его, жарко, страстно. Ей хотелось, чтобы отныне он помнил только ее поцелуи и ее ласки. Надо уничтожить, стереть все мысли о другой женщине из его памяти.

Больше про Мирабеллу этой ночью они не вспоминали.

Бренда проснулась, лишь только встало солнце. Рэйф был уже на ногах.

— Куда ты идешь? — спросила она немного хриплым со сна голосом.

— Мне надо поговорить с надсмотрщиком. Прости, что разбудил. Не хотел.

— В кровати так пусто без тебя, — вырвалось у Бренды.

Рэйф взглянул на жену. В мягком свете раннего утра она казалась еще более прекрасной и желанной, чем обычно. Роскошные кудри в беспорядке разметались по подушке, обрамляя нежное лицо, щеки пылали румянцем, а в глазах... в глазах была тайна мироздания. Вся она была словно наполнена волшебной силой любовного влечения.

— Тебе обязательно уходить так рано? — Бренда протянула к нему руку. Она звала его к себе, напоминая тот восторг, что они познали темной ночью.

— Я обещал встретиться с ним... — Рэйф посмотрел на часы, — через пятнадцать минут.

На лице Бренды заиграла улыбка. Еще бы, впереди столько времени! Она откинула одеяло, чтобы Рэйф мог хорошо ее видеть, и соблазнительно изогнулась:

— Сколько времени тебе понадобится, чтобы одеться снова?

— Немного. — Он уже не в силах был ждать. Важность намеченной встречи неожиданно потеряла всякое значение, стоило ему увидеть совершенные формы и изящные линии тела жены.

Клер понимала, что Бренде она уже почти не нужна. Бренда хорошо усвоила ее уроки, и в продолжении занятий не было необходимости. Значит, у нее осталось не так много времени — одна, максимум две недели, но Клер не унывала, дав себе слово не упустить шанс, предоставляемый судьбой.

На следующий день Марк приехал в Белрайв. Клер страшно разволновалась, но сумела взять себя в руки и выглядела совершенно спокойной, когда спустилась вниз. До сих пор она умирала от счастья, вспоминая его поцелуи в ту грозовую ночь.

— Марк... Доброе утро, — поздоровалась она.

На лице его расцвела улыбка:

— Доброе утро, Клер. Вы сегодня прекрасно выглядите.

— Спасибо. Ну, с чего мы начнем? — спросила она, имея в виду предстоящий прием.

— Мы с Рэйфом как раз сейчас об этом говорили. Давайте вместе подумаем, что нужно сделать.

Час спустя план был готов.

— Так, а теперь вы хотите, чтобы я поехала к вам, посмотрела дом и на месте решила точно, что надо делать дальше?

— Это было бы замечательно! Обещаю вернуть вас не позже чем через час.

Душа Клер пела, пока они ехали к Марку домой. Так здорово, так чудесно быть с ним рядом! Единственная мысль, которая тревожила ее, была мысль о том, что он видит в ней не друга, а всего лишь компаньонку Бренды Марченд. Ну что ж, зато следующие несколько дней они будут часто видеться, утешила она себя.

Глава 23

Бальный зал в доме Марка Лефевра был полон гостей. Друзья, знакомые, юные девицы с разбитыми сердцами — все с нетерпением ожидали появления молодой пары. О неожиданной женитьбе Рэйфа судачили все кому не лень. Разговоры не умолкали ни на минуту. Молоденькие девочки, видевшие себя втайне в роли избранницы Рэйфа, проливали горькие слезы, мужчины покачивали головами, дамы вздыхали. Рэйф Марченд женился, неприступный бастион пал.

— Леди и джентльмены, позвольте представить вам мистера и миссис Рэйф Марченд, — громко объявил Марк, и в дверях зала появились Рэйф и Бренда.

Это была великолепная пара. Ослепительно красивый Рэйф казался воплощением силы, а Бренда — трепетной женственности. Для этого вечера она выбрала розовое атласное платье с пышными юбками и глубоким декольте, которое идеальным образом подчеркивало совершенный цвет ее лица. Волосы были уложены в замысловатую прическу; розовая лента, в цвет платья, поддерживала роскошные локоны.

Одного взгляда на молодую жену Рэйфа было достаточно, чтобы те мужчины, которые только что оплакивали его вольную холостяцкую жизнь, изменили свое мнение на прямо противоположное. Поступок Рэйфа теперь казался им естественным и единственно возможным.

— Где он ее отыскал? — шепнул Чарльз Кэррин своему приятелю Пьеру Мартину.

— Понятия не имею. Интересно, у нее есть сестра?

Эта мысль захватила обоих, и они решили расспросить об этом Рэйфа, как только отловят его в укромном уголке.

Заиграла музыка. Рэйф предложил руку Бренде, и они закружились в танце. Это была чудесная пара, словно появившаяся из сказки.

Мирабелла стояла в стороне от остальных гостей. Ее душила ярость. Это ее мужчина! Она была великолепной любовницей для него, выполняла его малейшие прихоти, но как только дело дошло до женитьбы, он даже не вспомнил о ней. Выбрал эту жеманную сопливую дурочку, которой сможет вертеть, как ему захочется.

Мирабелла не могла смириться с мыслью, что Рэйф предпочел ей эту девицу. Скоро он прибежит к ней, в ее постель, к ее ласкам. С того самого дня, как он вернулся домой с молодой женой, Мирабелла пыталась разузнать побольше об этой Бренде О'Нил. Но никто из ее знакомых никогда не слышал о ней.

Недалеко от Мирабеллы рядом со своей матерью стояла безутешная Синтия Харрис. Созерцание Рэйфа, так явно влюбленного в молодую жену, оказалось для нее слишком сильным испытанием:

— О мама.... Я-то думала, он хочет жениться на мне, — прерывающимся голосом говорила она, изо всех сил стараясь не разрыдаться.

— Синтия, — строго сказала ее мать, понизив голос, — я же предупреждала тебя, когда мы уезжали из дома, если ты не можешь держать себя в руках, то тебе нечего делать на этом балу. Так что прекрати. Сейчас же. Рэйф Марченд теперь не жених. Но здесь много других вполне достойных мужчин. Ну-ка, посмотри вокруг. Наверняка среди них найдется такой же перспективный, каким был Рэйф. А может, еще лучше.

Синтия проглотила слезы и изобразила на лице улыбку. Она понимала, что мать совершенно права, но от этого легче не было. Все равно Рэйф никогда не станет ее мужем.

— Что ж, пока все идет хорошо, — говорила Бренда, глядя на Рэйфа. Они кружились по залу, и взгляды всех присутствующих были прикованы к ним. — Я еще ни разу не споткнулась.

— И не споткнешься. Вы так же легки в движениях, как и прекрасны, миссис Марченд, — улыбнулся Рэйф. Он видел, как она волновалась, пока они ехали сюда, и ему захотелось успокоить ее.

— Благодарю вас, сэр. У меня был превосходный учитель.

— Помнишь наш первый урок?..

На лице Бренды появилась озорная улыбка, и она совершенно невинным голоском проговорила:

— Нет, дорогой, я имею в виду уроки Клер.

И тут он проделал довольно рискованное па, быстро-быстро закружил ее по залу. Это был своеобразный вызов. Бренда рассмеялась. Она повторяла за ним все сложные движения, не сбиваясь с ритма.

— А что ты думаешь о своем первом учителе танцев?

— Ах, учитель танцев... Он был великолепен.

— Надеюсь, речь не о мсье Хеберте?

— Нет, нет, — улыбнулась она.

Весь день Бренда не находила себе места от волнения. Предстоящий прием казался ей серьезным испытанием. Конечно, тот ужин в Сент-Луисе был первой и очень важной проверкой, и она выдержала ее, но сегодняшний вечер имеет решающее значение. Если друзья и знакомые Рэйфа признают ее и примут в свой круг, значит, все, чему учила ее Клер, не прошло впустую.

Бренда перевела дыхание. Музыка все играла, танец продолжался. Еще одна мысль преследовала ее. Рэйф говорил ей, что для него не важно, если кто-нибудь из его знакомых узнает в его молодой жене девушку из игорного салона. Но она-то знала, каким беспощадным бывает светское общество. Если хоть одна душа узнает о ее прошлом, она станет объектом презрительных насмешек и осуждения, а ее позор падет и на Рэйфа. Ну да ладно, будь как будет, решила Бренда в конце концов. С ясным и безмятежным лицом она наслаждалась музыкой и волнующими объятиями Рэйфа.

Рэйф смотрел на Бренду и думал, что никогда еще не видел такой красивой женщины. Глаза ее сияли, на щеках играл румянец, губы слегка приоткрыты, словно в ожидании поцелуя. Ему вдруг страшно захотелось приникнуть к ней. Это желание было таким сильным, что он не мог думать ни о чем другом, и прямо в центре зала, не прекращая вальсировать, наклонился и сорвал быстрый, нежный поцелуй с ее губ.

Эта откровенная ласка удивила и глубоко тронула Бренду, она с благодарностью улыбнулась ему и почувствовала, что они вдруг стали ближе друг к другу. Музыка закончилась.

— Они прекрасно смотрятся вместе, — сказала Клер Марку, наблюдая за Рэйфом и Брендой.

— Если кто-то и заслужил счастья в жизни, так это Рэйф.

— Он сильный человек, ему нужна как раз такая жена, как Бренда. Она любит его от всей души. Кстати, вы обратили внимание, как хорошо он относится к ее матушке?

— Да, да, и это так здорово.

— Пожалуй, Бренда и ее мать сильно изменят его жизнь.

— Надеюсь.

Клер не удержалась и вздохнула. Она понимала, что ее пребывание в Натчезе подходит к концу. После этого бала Бренду введут в общество и услуги Клер ей больше не понадобятся. Пришло время возвращаться в свою школу.

— Почему вы так горько вздыхаете? — спросил Марк. — Что вас огорчает?

— Не то чтобы огорчает...

— Так в чем же дело?

— Просто я вдруг поняла, что совсем скоро окажусь ненужной Бренде. Она войдет в натчезское общество. Я научила ее всему, что ей понадобится, а раз теперь ей не нужна компаньонка, то мою работу здесь можно считать выполненной.

Чувство огромной утраты охватило Марка, и он удивился этому неожиданному ощущению. Мысль о том, что Клер должна уехать в Сент-Луис, казалась невозможной. Тот странный поцелуй грозовой ночью на пароходе выбил его из привычной колеи, озадачил и смутил. Он разбудил те чувства, которые, как думал Марк, уже дано умерли. Вдруг он почувствовал вину перед Дженнет. Нет, ни о чем таком он не думает, но ведь он может быть другом Клер. Ему хорошо с ней. Ее остроумие, добрый и кроткий нрав нравились Марку. К тому же она с явным удовольствием возилась с Мэрайей и Джейсоном, и это ему тоже было приятно.

— Пойдемте танцевать, — предложил Марк, а его мозг лихорадочно работал, отыскивая способ удержать Клер.

Либби тоже приехала на бал вместе с Брендой и Рэйфом. Она чувствовала себя принцессой из сказки, несмотря на почтенный возраст. Она ужасно боялась и твердила всю последнюю неделю, что наделает каких-нибудь глупостей, ошибок, а Бренда и Рэйф в один голос уверяли ее, что все будет хорошо.

Как только они приехали к Марку, Либби сразу попала под опеку тетушки Марка по материнской линии, славной маленькой вдовушки Софи, которая просто обожала заводить новые знакомства. Теперь они сидели рядышком у стены в танцевальном зале и наслаждались царившими вокруг весельем и суетой.

— Ваша дочь просто красавица! Они с Рэйфом — чудесная пара, — говорила Софи. — Пришло время, и мальчик женился и остепенился.

— Я рада, что они нашли друг друга.

— Если бы и Марк нашел себе кого-нибудь... Конечно, ужасно, что Дженнет умерла совсем молодой, но ведь Марк еще полон сил, ему рано забывать о радостях жизни.

— Ему просто нужно время. В конце концов еще не прошло и года с тех пор, как умерла жена.

— Конечно, вы правы. Просто я хочу, чтобы все вокруг были счастливыми. Это мой самый большой недостаток.

— Вот бы у всех был этот ужасный порок, — засмеялась Либби.

— Спасибо на добром слове. Некоторых людей, милочка, моя забота только раздражает.

— Поверьте мне, дорогая, — похлопала ее по руке Либби. — Со временем люди оценят вас.

Они обменялись понимающими улыбками.

— Как вам нравится жизнь в Белрайве?

— Это сказка, которая стала для меня явью, — честно ответила Либби.

— А дальше будет еще лучше. Вот пойдут внуки, тогда сами убедитесь, — заметила Софи и начала рассказывать про своих внуков, о том, какие они забавные, смышленые.

Рядом с разговорчивой и доброжелательной Софи Либби успокоилась. Новая жизнь ей положительно начинала нравиться.

Вечер продолжался. Каждый из присутствовавших мужчин считал делом чести сделать круг вальса с молодой женой Рэйфа. Закончился очередной танец, Бренда поблагодарила своего кавалера и, слегка разгоряченная и утомленная, отошла в сторону.

— Так, так, так... Кого я вижу! Скромница-новобрачная, — будто из-под земли появилась Мирабелла. Она давно искала возможность потолковать с Брендой наедине, и, похоже, ее час пробил. Эта противная маленькая сучка посмела украсть у нее Рэйфа. Теперь пусть пеняет на себя!

— Добрый вечер, Мирабелла, — холодно ответила Бренда, скользнув взглядом по сопернице. Мирабелла — тот человек, с которым рано или поздно придется выяснить отношения. Что ж, пусть будет так, но сегодня она не даст ей спуску.

— Знаете, Бренда, я совсем запуталась. Что все это означает? — И Мирабелла жестом обвела собравшихся гостей.

— Что ж тут непонятного? Рэйф полюбил меня и женился на мне, а этот прием устроен в нашу честь. Все очень просто. — В тоне Бренды звучал вызов.

Мирабелла даже растерялась от неожиданности. Она-то считала ее жеманной дурочкой и никак не думала, что у маленькой жены Рэйфа сильный характер. Однако это открытие еще больше разозлило брошенную любовницу. Да кто она такая, эта девчонка?! С какой это стати она решила, что может разговаривать в подобном тоне?!

— Дорогая моя деточка, — заговорила Мирабелла, — всякий, кто знает Рэйфа, понимает, что он не создан для семейной жизни. Он и не женился поэтому, и я знаю совершенно точно, что его не может удовлетворить одна женщина.

— До сих пор ему было вполне достаточно одной меня, — вставила Бренда.

— До сих пор, милая, это вы верно заметили, — спокойно согласилась Мирабелла. — Но, дорогуша, вы ведь женаты всего несколько недель. А я знаю этого человека уже много лет.

— И за столько лет он так и не решился жениться на вас? — Бренда говорила намеренно холодным тоном, желая покончить с разговором как можно скорее.

Мирабелла вскипела:

— Я сама так хотела, детка. Мне нравится жить так, как я живу, и я не собираюсь ничего менять в своей жизни. Я делаю то, что хочу, с тем, с кем хочу, и тогда, когда хочу.

— Рада за вас, Мирабелла, — безразличным тоном заметила Бренда. — Так в чем же дело? Чего вы хотите?

Такая выдержка просто возмутила Мирабеллу. Она не могла поверить, что эта соплячка так же хорошо держит себя в руках, как и она сама.

— А дело вот в чем. Вы еще ребенок, дитя. Вы можете получить имя Рэйфа, но его самого вам никогда не удержать. Он был моим любовником много лет, и мы оба не хотим разрывать нашу... как бы это сказать получше... нашу связь.

Бренда изо всех сил старалась быть леди. Она мысленно повторяла про себя все, чему ее учила Клер: надо держать себя в руках, не показывать своих чувств на публике... Но ведь Клер никогда не приходилось иметь дело с особами, подобными этой злющей Мирабелле. Похоже, наступило время появиться настоящей Бренде О'Нил.

— Мирабелла, Рэйфу достаточно было одной недели, чтобы влюбиться в меня и решить жениться, а с вами он был знаком уже много-много лет. Вот вам и ответ.

— Вы получили от него только имя, и ничего больше!

Это заявление вызвало лишь спокойную усмешку у Бренды, хотя сердце ее зазвенело от боли, ведь в словах Мирабеллы было больше правды, чем она сама подозревала.

— Вы играли, Мирабелла, и проиграли.

— Рэйф мой! Он всегда был моим!

— Лучше вам признать поражение, пока вы не потеряли достоинство, — предупредила Бренда. Она знала, как вести себя с подобными женщинами. — Я победила в этой игре.

Уверенность и холодная решительность, невероятное самообладание молоденькой девчонки сразили Мирабеллу. Она вдруг поняла, что действительно проиграла, проиграла с треском. Она расправила плечи, вскинула голову и в ярости удалилась прочь.

Бренда неподвижно смотрела вслед удалявшейся Мирабелле. Внешне она казалась спокойной, уверенной и счастливой, но на душе у нее было неладно. Сердце щемило от боли. Неудивительно, что Рэйф не вернется на супружеское ложе, как только она забеременеет. У него есть Мирабелла. Она ждет его.

Бренда надеялась, что ей больше никогда не придется разговаривать с этой женщиной. Достаточно того, что теперь придется жить с осознанием неизбежного: Мирабелла окажется в объятиях Рэйфа сразу, как только Бренда выполнит свою часть их соглашения.

В этот момент за ее спиной раздались негромкие аплодисменты. Бренда обернулась. Сердце ее замерло, в ушах зазвенело: перед ней стоял Сэм Фостер.

— Сэм... — беззвучно выдохнула Бренда. Показное спокойствие рухнуло при виде любезного господина, с которым она не раз играла в покер в салоне «Славы Нового Орлеана».

— Мисс Бренда... — Он вежливо поклонился. — Не могу передать, как рад видеть вас снова. Должен сказать, я получил сейчас истинное удовольствие. Красотка Мирабелла давно заслуживает трепки. Поздравляю вас, вы были потрясающи. Проучили ее по высшему разряду. Сомневаюсь, чтобы она когда-нибудь еще побеспокоила вас.

— Благодарю, — осторожно ответила Бренда. Сэм всегда казался ей милым и приятным человеком, но сейчас момент особенный.

От наблюдательного взгляда Сэма не укрылось, как побледнела Бренда, когда увидела его, и как осторожно она разговаривала с ним, потому он поспешил объясниться:

— Бренда, дорогая, не пугайтесь, — сказал он. — Вам не о чем беспокоиться. Не надо бояться меня. Вы чудесная женщина и заслужили свое счастье. Так что, миссис Рэйф Марченд, рад с вами познакомиться, ведь это наша первая встреча.

У Бренды словно камень свалился с души, глаза наполнились слезами благодарности, и она чуть было не бросилась Сэму на шею.

— Я всегда знала, что вы прекрасный человек, Сэм.

— Просто мне хочется, чтобы вы были счастливы, Бренда. А этот Рэйф Марченд, однако, счастливчик! Как ему удалось завоевать вас — это для меня загадка. А вот нашим играм, похоже, пришел конец, но, если решите начать играть снова, непременно дайте мне знать. Не хочу терять возможность отыграться.

Бренда весело улыбнулась ему:

— Я бы расцеловала вас, Сэм, прямо сейчас, не будь я замужней женщиной.

— Боюсь, миссис Фостер это не понравилось бы, — хмыкнул он.

— Она здесь? Познакомьте меня с нею.

— Пойдемте, моя дорогая. Я представлю вас прямо сейчас.

Так Бренда познакомилась с его женой, о которой в первый раз услышала еще на «Славе».

Рэйф стоял в другом конце зала и казался увлеченным разговором, но, как только Мирабелла подошла к Бренде, потерял всякий интерес к собеседникам. Он произносил правильные слова, в нужный момент отвечал на вопросы, но думал только о том, как закончить чертовски надоевший разговор и броситься на помощь Бренде. Но его все не отпускали, и он так и стоял, беспомощно наблюдая за немой сценой и лишь надеясь, что Бренда сумеет постоять за себя.

Когда Мирабелла в конце концов отошла, Рэйф видел, что она вся кипит от ярости, и не мог сдержать улыбку. Бренда справилась с злоязычной вдовушкой.

Он снова посмотрел на Бренду. К ней подошел Сэм Фостер. Ревность неожиданно взыграла в душе Рэйфа. Он и сам хотел бы находиться сейчас рядом с ней, а не торчать здесь, обсуждая виды на урожай и капризы погоды. Наконец, уже почти потеряв всякую надежду оказаться рядом с женой, он улучил момент, извинился и отправился разыскивать ее.

— Добрый вечер, Аннет, Сэм, — приветствовал он Фостеров. — Хочу украсть у вас мою жену.

— Вы должны заботиться о ней, Рэйф. Она славная женщина, — сказал Сэм с отеческой улыбкой.

— Конечно, обязательно, — пообещал тот. — Любимая, хочешь еще потанцевать?

— С удовольствием. Приятно было познакомиться с вами, Аннет, и с вами, Сэм.

И Рэйф увлек ее на середину зала.

— Ну как? — спросил он, как только они смогли заговорить.

— Что как? — переспросила Бренда. Ей захотелось немного помучить его.

— Твое столкновение с Мирабеллой. Все прошло нормально?

— Да, насколько это возможно, если учесть те новости, которые она сообщила мне: что вы с ней были любовниками и что ты никогда не будешь удовлетворен только одной женщиной.

Рэйф стиснул зубы. Больно было слушать, каким оскорблениям подверглась Бренда.

— Прости.

— За что? За то, что я узнала правду про ваши с ней отношения? — холодно спросила Бренда. — Мы же с тобой отличные актеры, Рэйф, и мы с тобой прекрасно знаем истинную причину нашего брака, верно? Конечно, я об этом ничего не сказала Мирабелле, не волнуйся. Еще она сказала, что ты нисколько не любишь меня, что я твоя жена только по имени и что я могу носить твою фамилию, но никогда не удержу тебя. Что ж, она весьма проницательная особа.

Ее слова будто острым ножом резанули Рэйфа, хотя возразить ему было нечего.

— Бренда, мне...

— Тебе вовсе не обязательно говорить что-либо прямо сейчас, — сказала она и посмотрела на него с восторженной улыбкой, словно таяла от счастья в его объятиях. — Не забывай, это наш праздник, правда немного запоздавший. Мы обязаны, — подчеркнула она, — наслаждаться друг другом.

Он улыбнулся ей в ответ, но глаза и сердце его были полны тоски.

Клер беседовала с Либби и Софи, когда к ним подошел Марк:

— Позвольте пригласить вас на танец? — обратился он к Клер.

— С удовольствием. — Она быстро поднялась со стула и подала ему руку.

Обычно во время танца Марк разговаривал с нею, но на этот раз он был необычно мочалив. Клер подивилась этому странному поведению, но ничего не сказала. Когда музыка закончилась, он не отпустил ее.

— Клер... Прошу вас, мне нужно поговорить с вами.

Он говорил таким серьезным тоном, что она не знала, как понимать это приглашение. Она просто кивнула в ответ и позволила увести себя из зала.

Клер, едва дыша от волнения, шла за Марком все дальше и дальше от дома. В тихом тенистом уголке они наконец остановились, и Клер посмотрела ему в лицо. Сердце ее колотилось.

«Как я люблю его, — пела ее душа. — Он мое счастье, моя жизнь. Он для меня значит все...»

— Вы хотели о чем-то попросить меня? — тихо спросила она.

В серебристом свете луны она казалась таинственной красавицей. Марк вспомнил тот поцелуй под грозой, но заставил себя заговорить о другом, о том, ради чего, собственно, он и увел ее из зала.

— Да, — ответил он, слегка откашлявшись. — Дело вот в чем... Раз ваши занятия с Брендой подходят к концу... может, вы захотите...

— Что? — Ее сердце устроило неистовую пляску, она уже вообразила себе столько невероятно прекрасных вещей.

Он снова заговорил:

— Может быть, вы захотите работать у меня?

Среди самых диких, самых невероятных предположений, которые пришли ей в голову, такого не было.

— Работать у вас? — изумленно переспросила она.

— Да, — ответил он и быстро пояснил: — Вы так хорошо ладите с Джейсоном и Мэрайей, что я подумал, может быть, вы захотите стать их воспитательницей. Дети обожают вас.

Как удалось Клер ничем не выдать ту боль, что пронзила ее, она и сама не знала. Сначала ей захотелось ударить его за то, что он, слепец, ничего не видит, потом она вспомнила те советы, которые сама давала Бренде, и постаралась взять себя в руки. Она мило улыбнулась и проговорила:

— Я очень люблю ваших детей, Марк, и с радостью принимаю ваше предложение.

Совершенно счастливый, он улыбнулся ей в ответ. Глупый, он и не подозревал, что разбил ее сердце.

Глава 24

На следующее утро Клер проснулась рано и уже завтракала, когда к ней присоединилась Бренда. Рэйф давно ушел по делам, а Либби всегда вставала поздно.

— Доброе утро, — сказала Бренда, увидев подругу в столовой, — ты что-то рано сегодня проснулась.

— Хорошо, что ты пришла, мне нужно посоветоваться с тобой.

— Что-то случилось?

В комнате повисло молчание. Потом Клер ответила:

— Не знаю. Вообще-то не думаю. Но все получилось совсем не так, как я рассчитывала.

— Что-то случилось вчера между тобой и Марком? — с надеждой в голосе спросила Бренда.

— И да, и нет, — ответила Клер и, заметив непонимающий взгляд подруги, быстро объяснила: — Он сказал, что хочет попросить меня кое о чем. На небе светила луна. Ночь была прекрасной. Я была одета в свое лучшее платье.

— Ну и?.. — Бренда сгорала от нетерпения.

— И ты представляешь, о чем он хотел попросить меня?! Он предложил мне воспитывать его детей.

— Воспитывать детей?

— Воспитывать детей, — обреченно повторила Клер.

Обе женщины огорченно переглянулись.

— По всей видимости, этого господина нужно подтолкнуть к решительному шагу. Я думаю, все идет хорошо. Ну, сама посуди. Ты нравишься ему, и он уважает тебя, но его душа еще болит, он не забыл Дженнет и пока не в состоянии признаться даже самому себе, что ты нужна ему. Вот он и попросил тебя стать воспитательницей его детей, только бы ты осталась здесь.

— У тебя романтическая душа, Бренда. Мне очень хотелось бы, чтобы ты оказалась права. Я не знаю.

— Да что ты теряешь? Теперь ты будешь всегда рядом с ним.

— Знаю. Он мог просто сказать мне: «До свидания».

— Ты уже ответила ему?

— Конечно, я согласилась, — с печальной улыбкой сказала Клер. — Ты ведь научила меня, как добиваться желаемого.

Бренда ободряюще улыбнулась подруге:

— В тебе начали проявляться некоторые мои черты.

— Да, и мне это нравится.

— Как вы с ним договорились? Когда ты начнешь?

— Как только ты решишь, что я тебе больше не нужна.

— Знаешь что, останься со мной еще пару недель. Пусть Марк Лефевр подождет немного «воспитательницу». А? Как мысль?

— Хорошо. Но что мы будем делать в это время?

— Я хочу научиться ездить верхом. Хочешь, займемся вместе?

И потекла размеренная, упорядоченная, спокойная жизнь. Дни шли один за другим, незаметно сменяя друг друга. Рэйф уходил из дома рано утром и приезжал домой лишь обедать, а ночью они с Брендой чуть не до самого рассвета любили друг друга. Бренда и боялась его объятий, и страстно желала их. Она не давала себе забыть, почему и для чего, собственно, она оказалась здесь, в этом доме. Но бывали минуты, когда она забывала об этом. Особенно когда видела, как Рэйф относится к ее матери.

Рэйф искренне привязался к этой тихой маленькой женщине, и привязанность оказалась взаимной. Словно чувствуя, что Рэйфу недоставало любви в детстве, Либби была ласкова с ним и никогда не упускала случая похвалить его. Все, что она говорила о Рэйфе, было чистой правдой, но Бренда старалась одеть свое сердце в броню.

Однажды Рэйф вернулся домой днем и, подъезжая к дому, увидел Либби, сидевшую в тени на веранде.

Она разглядела его, узнала и поднялась навстречу.

— Ты сегодня рано вернулся, — сказала Либби, направляясь к нему. Она забыла об осторожности и не заметила, что подошла слишком близко к ступенькам.

— Либби! — Рэйф рванулся к ней, но не успел поймать, и, оступившись, она тяжело упала на землю.

Либби лежала неподвижно, закрыв глаза. Рэйф ужасно испугался, подхватил ее на руки и вбежал в дом.

— Что случилось? — появился встревоженный Джордж.

— Она упала. Срочно пошли за доктором! — крикнул Рэйф и, перескакивая через две ступеньки, помчался наверх, в комнату Либби.

Джордж отправил слугу за врачом, другого — за Брендой и Клер и поспешил к Рэйфу узнать, не может ли еще чем-нибудь помочь.

Рэйф сидел на краешке кровати, держа Либби за руку, и что-то тихо говорил ей.

— Как она?

— Она в сознании, но сильно ударилась головой во время падения.

— Да все будет хорошо, — слабым голосом проговорила Либби. — Только вот, боюсь, теперь вообще ослепну.

Рэйф ободряюще сжал ее руку:

— Вам просто надо научиться ходить, а не бегать.

— Но я так обрадовалась, когда увидела тебя. Я так обрадовалась, что ты вернулся домой. Я просто хотела поговорить с тобой.

От этих слов его душа просто перевернулась. Похоже, никому, кроме Либби, не было никакого дела до того, дома он или нет.

В комнату влетела Бренда:

— Мама!

— Похоже, она собирается рассердиться на меня, — шепнула Либби Рэйфу с видом набедокурившего ребенка.

— Все в порядке. Все обойдется, — ответил он.

— Что случилось? — Бренда встала на колени возле кровати.

— Я упала, — объяснила Либби. — А Рэйф спас меня.

Бренда взглянула на мужа, глаза ее наполнились слезами:

— Как она?

— Немного поцарапалась, но, думаю, переломов нет. Я велел Джорджу послать за врачом на всякий случай.

— Спасибо.

— Мне очень жаль, что так получилось, — сказал Рэйф.

— Да и мне тоже. — Либби поморщилась. — Теперь-то я буду вести себя осторожно, буду держаться как можно дальше от этих ступенек.

— Весьма мудрое решение, — заключил Рэйф. — Мне, конечно, нравится, когда женщины падают при моем появлении, но все же не так буквально.

Либби рассмеялась, улыбнулась и Бренда.

Доктор осмотрел Либби и объявил, что переломов нет, только ушибы и царапины и что она поправится через несколько дней.

Когда врач ушел, Бренда и Рэйф оставили Либби отдыхать, а сами уединились в кабинете. Рэйф налил себе виски и подошел к окну.

— Теперь я понимаю, — произнес он, сделав добрый глоток.

— Что ты понимаешь? — Бренда удивленно посмотрела на него.

— Понимаю, почему ты беспокоилась и чувствовала себя виноватой, когда оставляла ее одну. Она такая славная женщина, и с ней рядом обязательно должен быть надежный человек, который будет присматривать за ней.

— С ней была Алтея, но если бы с мамой случилось что-нибудь ужасное в мое отсутствие, я бы себе этого никогда не простила.

— Хорошо, что вы теперь здесь.

Он сказал эти слова не глядя на Бренду, и она не совсем поняла, что он имел в виду.

Рэйф пил почти весь вечер, и это было не похоже на него. Он никак не мог понять, что за странное чувство охватило его и не дает покоя. Перед глазами вновь и вновь всплывала ужасная сцена: Либби падает, а он ничего не может сделать. Он не смог защитить ее.

Когда он пришел в спальню, на душе у него было муторно и неспокойно. В полной тишине он разделся, лег, коснулся Бренды и почувствовал, как тепло ее тела окружает его. Теперь у Рэйфа осталось лишь одно желание: припасть к этому удивительному источнику наслаждения, проникнуть в него и забыть обо всем на свете, кроме счастья обладания этим сокровищем.

Ни один их них не промолвил ни слова. Его руки заскользили по гладкой коже, губы жадно искали ее сладкий рот, вкушали прелесть нежной гибкой шеи, ласкали полную грудь.

Бренда прижимала его к себе, с восторгом отдаваясь тому чувству мира и радости, что царило между ними этой ночью. Она не спрашивала ни о чем, ничего не просила. Она не хотела разрушать удивительные мгновения томительного счастья, которые дарила им физическая близость.

Он вошел в нее нежно и яростно, и она с радостью приняла его. Они дарили друг другу наслаждение, пока не вознеслись на вершину блаженства. Так они и уснули в объятиях друг друга, и сердца их тоже соединились.

Прошло больше недели, прежде чем Либби смогла подняться на ноги. Потом прошла еще одна неделя, и наступил день отъезда Клер. Расставание с Брендой оказалось грустным.

— Я буду скучать без тебя. — Клер обняла подругу.

— Если захочешь сыграть партию в покер, только дай знать, — сказала Бренда.

— Непременно.

— Пожалуйста. Я буду думать о тебе.

— Я очень рада, что вы с Рэйфом счастливы. И рада, что все у тебя получилось как надо.

— Я тоже, — ответила Бренда. Клер ничего не знала о «деловом соглашении», значит, пусть и дальше пребывает в счастливом неведении. Так лучше. Ни к чему окружающим знать о том, что не дает ей спокойно жить.

На следующей неделе Рэйф уехал по делам, и время для Бренды стало ползти необыкновенно медленно. Дни проходили спокойно, а ночи в пустой постели казались бесконечно длинными. Бренде казалось, что она должна радоваться этой разлуке, но ей не хватало его, сильного, горячего. Временами она ловила себя на мысли, что мечтает о нормальных, обычных семейных отношениях с Рэйфом. Ей хотелось быть любимой и любящей женой. Она часто думала о нем, вспоминала его поцелуи, его голос. Мать без умолку говорила о Рэйфе, о том, какой он замечательный человек, редкого благородства и щедрости. В конце концов Бренда даже сказала, что он должен был бы жениться не на дочери, а на матери.

Наконец пронеслась весть, что его экипаж у ворот усадьбы. Бренда и Либби бросились встречать его. На этот раз Либби вела себя на удивление осмотрительно. Она стояла далеко от ступеней и ждала, когда Рэйф сам подойдет к ней.

Рэйф увидел, что его ждут, и необыкновенное волнение охватило душу. Он перевел взгляд на коробки, которые держал в руках, и вспомнил, как беспокоился об этих подарках. Вчера он потратил полдня, разыскивая подарок для Либби, и наконец выбрал красивую расшитую шаль. Он решил, что на Либби она будет смотреться великолепно. Наверняка у нее никогда не было подобных вещей, потому купил ее без колебаний, хоть это и обошлось ему в кругленькую сумму. Бренде он купил резную деревянную шкатулку для драгоценностей. Ему казалось, что она ей понравится.

Как только карета остановилась, он соскочил на землю и направился навстречу женщинам.

— Здравствуй, Бренда... Либби...

— Добро пожаловать домой, Рэйф, — ласково сказала Бренда, она не знала, как ей вести себя. Сердце ее плясало от радости при виде его.

— Это тебе, — сказал Рэйф, быстро поцеловал жену и отдал подарок. Потом повернулся к Либби и не смог сдержать улыбку.

— Вот ты и дома, — радостно воскликнула Либби и расцеловала его в обе щеки.

— Признайтесь, скучали обо мне?

— Даже не передать словами как сильно. Без тебя все было тихо и пусто.

— Вот, смотрите, это для вас. — И он вручил ей сверток.

— Ты и для меня привез подарок? — Либби широко распахнула глаза, сраженная его вниманием.

— Надеюсь, вам понравится. — Рэйфу ужасно хотелось увидеть ее реакцию.

— Мне понравится обязательно, независимо от того, что там, потому что это подарок от тебя, — заверила его Либби, бережно взяла сверток и аккуратно развязала ленту. В глазах ее засияло восхищение. — О, Рэйф... Какое чудо! Это самый лучший подарок в моей жизни!

Либби подняла взгляд на зятя, а рука теребила и гладила тонкую шаль.

— Ну как, нравится?

— Это просто прелесть! Ничего красивее в жизни не видела. Ты славный мальчик... — Она опять расцеловала его.

От похвалы Либби Рэйф словно стал выше ростом, да и силу в себе почувствовал такую, что мог бы сейчас без труда победить армию врагов, если бы они вздумали напасть на его дом. Он посмотрел на Бренду, лицо ее оживилось.

— Тебе понравился подарок?

— Да, очень красивая вещь.

Бренда прижала шкатулку к сердцу, но не подарок тронул ее. Главное — как заботливо он отнесся к матери. Она пристально смотрела на Рэйфа и видела человека, который нежен и заботлив с детьми, добр и внимателен по отношению к маленькой, старой, беззащитной женщине, видела мужчину — восхитительного и отзывчивого любовника. Это был не тот Рэйф Марченд, который шантажом и угрозами заставил ее стать его женой.

Какое-то новое чувство расцвело в его душе, словно цветок распустился, и в эту минуту Бренда открыла для себя ужасную тайну. Непонятно как, совершенно непостижимым образом этот человек завоевал ее сердце. Она полюбила его.

Внезапно ей захотелось убежать, спрятаться от него. Она повернулась и пошла в дом:

— Пойду к маме. Как бы с ней чего не случилось.

Он кивнул, удивляясь, отчего возникло это неожиданное напряжение, эта неловкость между ними.

Несколькими часами позже они собрались за ужином. Либби спустилась к столу с шалью на плечах.

— Я подумала, сегодня может быть прохладный вечер, — объяснила она, довольно улыбаясь.

Ночи стояли душные и жаркие, но это не имело никакого значения.

Немного позже, когда с ужином было покончено, а Либби ушла к себе, Рэйф отправился в кабинет. Бренда раздумывала, пойти ей наверх, в спальню, или подождать его. Ей так хотелось поговорить с ним, сказать, как много значит для нее доброта и внимание, с которыми он относится к ее матушке, и потому она пошла вслед за ним.

— Рэйф...

Он оторвал взгляд от бумаг, на лице появилось вопросительное выражение.

— Я только хотела поблагодарить тебя. Ты так хорошо относишься к маме. Она очень любит тебя, Рэйф, и то, что ты не забываешь про нее... это прекрасно. Спасибо тебе. Никто и никогда не заботился о ней так трогательно. Спасибо.

— Либби — самая славная и добрая женщина из всех, которых я когда-либо встречал. Она мне нравится.

— Спасибо. Твоя мать воспитала прекрасного сына, заботливого и внимательного.

Рэйф окаменел. Омерзение и неприязнь охватили его. Невыносимо думать об этой грязной женщине так же, как о Либби. За короткое время он почувствовал, что обрел семью, но при упоминании о матери прошлое нахлынуло на него, захлестнуло мутным потоком.

— Знаешь, очень странно, Рэйф. — Бренда присела на стул возле его стола. — Ты почему-то никогда не рассказывал мне о своей маме. Какая она была?

— Есть довольно веская причина для того, чтобы я никогда тебе не говорил о ней.

Бренда услышала металл в его голосе.

— Вы с ней не ладили?

Этого не нужно было ей говорить. Теперь он был во власти отвратительных потоков прошлого. Напрасно она это сделала. Нельзя было позволять ей подходить так близко. Он прекрасно обходился без семьи все эти годы, и никакие изменения в жизни ему не нужны. Ему и одному отлично живется!

— Ты хочешь побольше узнать о моей матери? — с холодной угрозой в голосе произнес он. — Что именно ты хочешь знать? Как она изменяла

моему отцу при каждом возможном случае? Или о
том, как оскорбила его на глазах у всего общества?

— Прости, я не знала. — Бренда услышала
боль и гнев в его голосе. Ей хотелось помочь ему,
облегчить страдания, но она прекрасно понимала,
что не в силах ничего изменить.

— Есть и еще кое-что, чего ты до сих пор не
знала. Рассказать? — Он не стал дожидаться
ответа и продолжил с мстительной ненавистью в
голосе. — Знаешь, почему одна из спален наверху всегда закрыта? Потому что именно в этой
комнате отец и я застали мою мать в постели с
другим мужчиной.

Бренда задохнулась, потрясенная услышанным. Господи, как помочь ему избавиться от того
ужаса, который, должно быть, до сих пор живет в
его душе! Но ледяной взгляд словно приморозил
ее к полу.

— А соседняя комната? — И он жестом указал
на кабинет отца. — Там мой отец решил, что не
сможет жить без нее, когда она бросила нас. Там
он решил расстаться с жизнью: для него это было
лучше, чем жить без нее. Так что ты совершенно
права. Я никогда не говорю о своей матери. Она
умерла через несколько лет после самоубийства
отца. И эту потерю я нисколько не оплакивал.

— Но твои родные... — Она подумала, что у Рэйфа должны были быть дядюшки или тетушки, — наверняка кто-то из близких должен был...

— У меня нет родных, — оборвал он ее. — И я рад этому. И не думай, что сможешь изменить меня. Потому что я этого не хочу!

— Я только надеялась...

— И ты, и я знаем, для чего ты здесь, — отрезал он. — И нечего выискивать в наших взаимоотношениях нечто большее. Если я добр к твоей матери, пока она живет здесь со мной, то только потому, что мне самому нравится так поступать. Никаких других причин нет и быть не может. А теперь, — он указал ей глазами на дверь, — извини, мне надо работать.

Он безжалостно выгнал Бренду из комнаты. Она пришла к нему с открытой душой, полная трепетной благодарности. В ее душе даже зародилась слабая надежда, что и в нем проснулась любовь. Но все это были глупые мечты! Рэйф никогда не любил ее, да и никогда не полюбит.

Несколько недель спустя Бренда почувствовала, что ее тошнит. Сначала она подумала, что просто устала и не выспалась, но в следующие два дня повторилось то же самое: утро начиналось с тошноты, которая проходила к полудню. И тут до нее дошло, она поняла, в чем дело. Оставалось лишь благодарить небо, что Рэйф всегда уходит из дома рано и пока ни о чем не догадывается.

Охваченная ужасом, Бренда принялась подсчитывать дни со времени последних месячных, и у нее не осталось никаких сомнений в причине недомогания. Она забеременела. У нее будет ребенок.

Ужас и опустошающее отчаяние охватили ее. Ей хотелось родить это дитя — ее и Рэйфа, но она должна будет оставить ребенка. Значит, нельзя никому говорить о своей беременности: ни матери, ни Рэйфу. Придется притвориться, что ничего не случилось, и тем временем придумать, как избежать той ловушки, которую уготовила ей судьба. Выход должен быть обязательно.

Дни шли за днями, одна ночь сменяла другую, и каждый вечер она горячо молилась, прося ниспослать ей спасительный совет, подсказку, как обрести свободу для себя и своего ребенка. Все в конечном итоге сводится к деньгам. Ей нужны деньги, если она хочет сохранить ребенка. И как раз денег-то у нее и не было.

А потом она вспомнила свою случайную встречу с Сэмом Фостером на балу в доме Марка. Он сказал ей тогда, если когда-нибудь ей захочется поиграть в покер, то он всегда в ее распоряжении.

Покер... Покер... Он мог бы стать ее спасением.

Если действовать осторожно, то она вполне сможет собрать некоторую сумму, достаточную, чтобы начать игру. Очень важно дать знать Сэму, чтобы Рэйф ни о чем не догадался. Она расплатится с долгом, а потом будет навсегда свободна от Рэйфа и от того горя и обмана, который принес их фальшивый брак.

Глава 25

Рэйф стоял на палубе парохода, облокотившись на перила и глядя на проплывающие мимо берега. После той ужасной сцены в кабинете между ним и Брендой будто кошка пробежала. Он даже обрадовался этой неожиданной поездке в Новый Орлеан. Ему нужно было побыть одному и подумать обо всем.

Сейчас, вспоминая тот кошмарный вечер, он снова видел лицо Бренды, после того как заявил ей, что у него нет ни родных, ни семьи и что ему это очень нравится. Он опять почувствовал боль, которая пронзила его в ту минуту. До этого разговора, до этой вспышки он и не понимал, какой ограниченной была его жизнь.

Рэйф слегка поморщился, отошел от перил и решил пойти в ресторан поужинать; потом передумал и направился в салон. Стакан доброго виски ему сейчас нужнее.

Он сидел и пил, один стакан, другой, потом еще. Уже около полуночи решил, что пора прекращать. Весь вечер он просидел в одиночестве за столиком в баре, не переставая думать и пить, но ни размышления, ни виски не помогли. Время прошло, а он лишь одурманил свой мозг алкоголем да почувствовал себя еще более жалким и несчастным.

Он уже было собрался отправиться спать, как услышал разговор нескольких мужчин у бара. Они обсуждали мисс Бренду со «Славы». Парни у стойки восхищенно вспоминали красавицу и умницу мисс Бренду, гордую и неприступную. Потом все согласились, что тот, кому досталось это редкое сокровище, — счастливчик. Будучи в изрядном подпитии, Рэйф почувствовал искушение подойти к ним и сказать, что он и есть тот самый везунчик, но остался сидеть на месте, еще более смущенный и растерянный, чем раньше.

Уже начало светать, когда он наконец добрался до своей каюты и не раздеваясь бросился на кровать. Хмель слетел с него. Ощущение одиночества пронзило до самого сердца и перевернуло душу. Он оказался один на один со своей жизнью и своими чувствами. Теперь он не притворялся, он был искренен.

Он хотел Бренду как никакую другую женщину. Все, что ему нужно сейчас, это быть рядом с ней, обнимать ее. Он любит ее?

Рэйф нахмурился. Неужели он ее любит? Несколько месяцев назад эта мысль показалась бы ему абсурдной, но теперь... Он вспомнил, как в первый раз увидел Бренду на «Славе», вспомнил ее стычку с Джексоном, и его прошиб холодный пот: ведь в ту ночь она чуть не погибла. Рэйф тяжело задышал. Потом он подумал о пьяном Джонсе и разозлился, потому что другой мужчина трогал ее своими мерзкими руками. Бренда — удивительная женщина, она создана для любви, а не для того, чтобы ее оскорбляли и унижали. Потом вспомнил первый поцелуй, когда она спасала его от Лотти Демерс, и тихонько засмеялся.

А потом понял, как ответить на тот вопрос, который терзал его эти дни.

Рэйф лежал в темноте и улыбался. Те парни в баре говорили верные слова. Бренда была именно такой и даже больше. Она никогда не лгала и не изворачивалась, как его мать, и была верна своему слову. Она добрая и нежная, смелая и умная.

Рэйф в конце концов признался себе, что любит ее и больше всего на свете хочет провести оставшуюся жизнь рядом с ней. Наконец он уснул и видел Бренду во сне, и сон его был радостным.

Рэйф проснулся на рассвете. Первым делом, решил он, надо как можно скорее покончить с делами и вернуться домой. Поговорить с ней, сказать, что он любит ее и хочет, чтобы их брак был настоящим. Эта мысль так взволновала его, что Рэйф едва мог дождаться возвращения.

В Новом Орлеане он отменил все встречи, кроме одной. Сейчас это не главное. Все, что он хотел, это вернуться поскорее домой, к жене. Его партнер согласился встретиться с ним в любое время, а это значит, обрадовался Рэйф, что, если все пойдет хорошо, он вернется домой уже завтра вечером, а не через неделю, как обещал Бренде. Две ночи без Бренды показались ему невыносимыми, а три просто невозможно было пережить.

До назначенной встречи осталось время, и эти несколько часов Рэйф решил посвятить походу по магазинам. Кроме того букета цветов, что он подарил Бренде на «Славе», он никогда не ухаживал за ней так, как она того заслуживает. С такими мыслями он отправился за покупками, решив очень серьезно отнестись к этому делу. Он хотел найти для нее особенный подарок.

Она, наверное, до сих пор страдает от жестокости, с которой он обращался с ней в ту ночь, думал Рэйф. Он с болью вспоминал о безобразном разговоре, но время вспять не повернуть и сказанного не вернуть. Они стали слишком близки друг другу, и он испугался чувств, которые пробудились в нем.

Это была чисто инстинктивная попытка самозащиты, он попытался оттолкнуть ее. Он никогда и никому не доверял с тех пор, как мать предала их, а снова поверить людям очень непросто. Что ж, ему придется научиться этому заново. Только бы у Бренды хватило терпения и любви.

Рэйф бродил по улицам Нового Орлеана, предвкушая скорое возвращение домой, и все же одна мысль тревожила его, даже не просто тревожила, а вызывала ужас. После смерти отца он никому не открывал свою душу. А что, если он все расскажет Бренде, признается, что любит ее, а она лишь презрительно посмеется ему в лицо? Мысль об этом была невыносима, но жизнь без этой женщины еще страшнее, она просто невозможна. Она должна быть его женой только потому, что они любят друг друга, и никаких других причин быть не может.

Рэйф добрел до магазинчика, в котором продавали фарфор и хрусталь. В витрине он увидел хрустальное сердце. Ему показалось, что сердце — самый совершенный символ его любви к Бренде. Он так долго прятал свое собственное сердце, так защищал его, так боялся потерять его, опасался разбить. Теперь он придет к Бренде, скажет, что любит ее больше жизни, и вручит этот хрупкий подарок.

Через несколько минут он вышел из магазина с небольшим свертком в руках. Он шел на деловую встречу и улыбался.

Бренда волновалась. Весь день она держала себя в руках, но сейчас выдержка изменила ей.

Она нервно сглотнула слюну и положила руку на еще плоский живот. Она все сомневалась, правильно ли поступает. Потом подумала, что другого выхода у нее нет. Рэйф лишил ее возможности выбирать, когда вынудил согласиться на этот ужасный, бесчестный союз. Руки дрожали, и ей пришлось приложить невероятное усилие, чтобы скрыть это.

Все продумано до мелочей. Волноваться абсолютно не о чем. Этот план пришел ей в голову ночью, когда она молила Господа помочь ей выпутаться из безвыходной ситуации. Она беременна, ребенок Рэйфа уже растет в ней, и потому надо срочно найти денег, чтобы вернуть ему долг. Никто и никогда не заставит ее отказаться от ребенка. Доведенная до отчаяния, она, как только Рэйф уехал из дома, отправила Сэму Фостеру тайное послание. На следующий день пришел ответ. Оказалось, что его жена уехала из города, чтобы навестить больную тетушку, и он предлагал встретиться следующим вечером и устроить партию в покер, если, конечно, Бренда не возражает.

Бренда вздохнула. Назад пути нет. Ей оставалось только горячо молиться, чтобы выиграть несколько кругов и раздобыть эти проклятые деньги. Либби сегодня рано ушла спать, и Бренда радовалась, что не придется ей ничего объяснять. Она уже надела на себя одно из своих «игральных» платьев, которые привезла с корабля. Экипаж подадут в половине восьмого, значит, пришло время спускаться вниз.

Сэм уверил ее, что ни один из приглашенных на сегодняшний вечер не знаком с Рэйфом, то есть ее никто не узнает и она в полной безопасности. И вообще Сэм уверял, что все пройдет отлично и весело.

Ее будущее, вся дальнейшая жизнь зависели от того, сможет ли она выиграть достаточную сумму. Она обязана победить. Выбора нет. Ведь она ни за что не сможет рассказать матери о тех условиях, на которых она согласилась выйти замуж за Рэйфа! И что самое главное, она никогда не сможет бросить своего собственного ребенка!

В каком-то безумном отчаянии Бренда взглянула в зеркало, взяла духи, прикоснулась к вискам и запястьям, еще раз осмотрела себя и собралась идти.

***

Рэйф не помнил, когда в последний раз так радовался возвращению домой. Скоро он будет вместе с Брендой. Это самое главное.

Поездка вверх по реке казалась ему бесконечно долгой, но в конце концов он сошел на берег в Натчезе, и теперь ему до дома уже рукой подать. Дом... Вот теперь это слово имело смысл. Раньше он всегда называл его Белрайв, и только иногда, случайно, домом. Но сегодня вечером все было по-другому.

Он очень волновался. Непросто открыть свою душу, но он сделает это во что бы то ни стало.

Карета ползла еле-еле, как улитка. Рэйф чуть не взялся сам за кнут и вожжи, но вовремя сдержался. Еще несколько минут, и он снова будет с ней. Рэйф счастливо улыбнулся.

В руках он держал сверток с подарком. Он побоялся положить его в чемодан, чтобы случайно не разбить. Эта безделушка, казалось, вместила в себя всю его жизнь и всю его любовь к Бренде. Когда карета повернула на дорожку к дому, он опустил сверток в карман.

Экипаж остановился, Рэйф соскочил на землю и бросился в дом.

Услышав шум подъехавшего экипажа, Джордж вышел посмотреть, что за гость посетил их дом.

— А, мастер Рэйф... Это вы... А я-то думаю, кто это приехал. Вы быстро вернулись, сэр.

— Да, верно, — ответил Рэйф и улыбнулся старику, которого знал всю жизнь и который стал почти родным. — Я соскучился по своей жене. Она наверху?

— Да, сэр, — с поклоном сообщил Джордж, а про себя подумал: хорошо, что мастер Рэйф вернулся, теперь он сможет проводить миссис Бренду к Фостерам.

Рэйф взлетел наверх, перескакивая через две ступеньки. Она уже совсем рядом. Ничего в мире не осталось, кроме желания увидеть ее, обнять, поцеловать. А потом посмотреть ей в глаза и отдать сердце.

Дверь в спальню была закрыта, но ему и в голову не пришло постучать. Ничего не подозревая, он настежь распахнул ее и стремительно вошел в комнату.

— Рэйф! — в ужасе воскликнула Бренда и выронила из рук флакончик с духами.

— Бренда, я... — начал он, потом замолчал и похолодел. По ее лицу явно видно, что она чувствует себя виноватой. Сердце его сжалось от боли. Она опять надела свое старое платье и собирается уходить. Но куда?

С кристальной четкостью перед ним предстала безобразная сцена, которую он видел много лет назад, и на него вновь нахлынули чувства, испытанные тогда: ужас, отвращение, страдание, а еще боль от того, что она никогда не хотела его, не любила и не полюбит.

— Что ты делаешь? — спросил он, стараясь держать себя в руках.

— Ничего... просто примерила свое старое платье, — солгала она. Расшалившиеся нервы дали о себе знать, ее ложь прозвучала неубедительно. — Ты быстро вернулся.

— Да уж, — протянул он и тут заметил сумочку, лежавшую на кровати. В два прыжка оказался рядом, схватил ее и высыпал на покрывало содержимое — деньги, которые она собрала для сегодняшнего вечера. — Значит, уходишь?

Он перевел на нее взгляд и увидел смятение в ее глазах. Ярость охватила его. Он-то, дурак, подумал, что она отличается от других! Надо же так заблуждаться! Какой глупец!

Гнев бушевал в его душе. Он ненавидел ее — за то, что она оказалась такой же, как и его мать, и себя — за то, что дал так легко себя одурачить.

— Отвечай! — рявкнул он, отбросив сумочку в сторону.

Бренда увидела ярость в его глазах и поняла, что нет никакого смысла изворачиваться и придумывать небылицы. Она и не предполагала, что он может вернуться раньше времени, но вот он приехал, и она попалась. Выбора у нее не было, оставалось только открыть ему всю правду. Она с вызовом вскинула подбородок.

— Да, я собралась уходить, — отрывисто ответила она, разозленная не меньше его, но совсем по другой причине. Она хотела спасти, сберечь своего ребенка, а теперь у нее не осталось надежды. — Сегодня вечером я должна была стать хозяйкой за покерным столом в доме Сэма Фостера.

— Сэма Фостера?

— Он мой старый друг. Мы часто играли с ним раньше на пароходе, в салоне, а на балу он сказал, чтобы я непременно дала ему знать, если когда-нибудь снова захочу поиграть в покер. Так что мисс Бренда со «Славы Нового Орлеана» собиралась сделать выход сегодня вечером. Ставки должны были быть высокими, и я мечтала победить, выиграть, и выиграть много, чтобы избавиться от этого обмана, от этого фальшивого брака!

Ее слова оскорбили его еще больше. Он полюбил эту женщину, а она ничего не желает, кроме как уйти от него!

— Ну что ж, мадам, — произнес он ледяным голосом. — Раз вам не терпится уйти от меня, почему бы нам не постараться ускорить это приятное для вас событие?

Он отбросил сюртук в сторону и начал расстегивать рубашку, приближаясь к ней, словно хищник к своей добыче.

— Нет... Рэйф... — Она отступила на шаг.

— Да, да. Ты сама так сказала. Ты хочешь уйти, но мы же с тобой помним условия договора. И я точно знаю, как тебе избавиться от этого «фальшивого брака»...

Он схватил ее за запястье железной рукой и потащил за собой к широкой кровати. Сегодня она не посмеет отказать.

У Бренды засосало под ложечкой. Ужас, досада, обида, разочарование, все смешалось в ее душе. Она и раньше, на пароходе, видела Рэйфа злым, но тот случай не шел ни в какое сравнение с сегодняшним. Эта холодная ярость испугала ее гораздо больше.

— Рэйф...

— Нечего зря болтать, — сказал он, толкнув ее на кровать. — Нам вообще больше не о чем разговаривать.

Рэйф лег рядом, протянул к ней руку, начал гладить, ласкать через шелк платья. Он хотел унизить ее, но не смог. Лишь только он ощутил ее восхитительное тело, гнев его испарился. Страсть, горячая и всепоглощающая, взорвалась в нем. Бренда с ним...

Бренда вся дрожала, когда руки Рэйфа коснулись ее. Она боялась его гнева и не знала, чего ожидать от него, но его губы коснулись ее лица, нашли ее полуоткрытый рот. Поцелуй был сначала яростным и требовательным, а потом стал нежным, уговаривающим и будоражащим кровь, и она уже дрожала не от страха, а от неистового желания. Пусть он не любит ее, она это знает, но она влечет его, и это невозможно отрицать.

Его одежда полетела в сторону, ее платье сброшено. В спешке они порвали тонкий шелк, но даже не заметили этого. Та первобытная страсть, то неистовое желание, что поглотило их, было слишком велико, чтобы обращать внимание на подобные мелочи. Ничто на свете не могло сейчас оторвать их друг от друга.

Он вошел в нее, и она со стоном восторга приняла его. Страсть вела их за собой, они улетели вместе в безумный мир физической любви.

Обычно после бурных мгновений любви они лежали рядом, стараясь сохранить как можно дольше эту близость, продлить радость обладания как можно дольше. Но не сегодня.

Когда страсть Рэйфа остыла, душа его окаменела. Ярость исчезла. Он ничего не чувствовал. Совсем ничего. Не говоря ни слова, Рэйф отодвинулся от Бренды, встал и начал собирать по комнате свои вещи. Он оделся, взял в руки сюртук и вышел из комнаты. Эту ночь он провел в кабинете.

Когда он поднимался с кровати, Бренда хотела задержать его, прильнуть к нему, но не посмела. Она вдруг почувствовала неловкость и натянула на себя одеяло. То, что он молча закрыл за собой дверь, привело ее в ужас. Лучше бы он в бешенстве захлопнул ее. Со вспышками гнева она вполне могла справиться. А вот что делать с холодным безразличием?

Оставшись одна, Бренда уже не могла дольше сдерживать себя, и слезы хлынули у нее из глаз. Рыдания сотрясали ее. Порвалась та тонкая ниточка, что связывала их, а единственная надежда добыть деньги, чтобы купить себе свободу, растаяла, как облачко на небе жарким летним днем. Он ее никогда не простит.

Рэйф спустился вниз и увидел что перед главным входом стоит запряженная карета.

— Джордж!

Слуга появился словно из-под земли. Он-то думал увидеть хозяина в добром настроении и был крайне удивлен, заметив его угрюмое и суровое лицо.

— Слушаю, сэр?

— Отправь кого-нибудь к Сэму Фостеру. Пусть скажут, что Бренда сегодня не приедет. И распряги коней. Сегодня вечером никто никуда не едет.

— Да, сэр.

— Я буду в своем кабинете. И не хочу, чтобы меня беспокоили. Кто бы то ни был. Ясно?

— Да, сэр.

Рэйф закрыл за собой дверь. Он бросил сюртук на стул, и из кармана выпал маленький сверток. Рэйф вспомнил, каким счастливым был совсем недавно.

Не мигая смотрел он на пакетик, потом поднял его. На лице появилось выражение отвращения, даже омерзения. Он смотрел на маленькую коробочку, которую держал в руках с такой гадливостью, словно подобной пакости в жизни не видел. Затем налил себе стакан виски и опустошил его одним большим глотком. Потом плеснул еще довольно приличную порцию и с отвращением бросил этот так прежде бережно хранимый подарок на стол.

Прошло несколько часов. Много было выпито виски, прежде чем Рэйф решился открыть коробочку. Он смотрел на хрустальное сердце и проклинал себя за глупость. Надо же, поверил, что Бренда не такая, как все остальные! Как он мог забыть те уроки, которые преподала ему жизнь?! Ну все, этого он никогда не забудет... Никогда.

Рэйф вынул хрустальное сердце из футляра. Оно было холодным и безжизненным. На миг к нему вернулось воспоминание о том, как обрадовался он, увидев его в витрине магазина, и в припадке необузданного гнева со всей силы швырнул сердце в стену. От удара оно разлетелось на тысячи мельчайших кусочков.

Рэйфу казалось, что теперь он должен почувствовать некоторое удовлетворение и облегчение, но ощущал лишь пустоту и одиночество. Он продолжал пить и ждать наступления утра.

Когда небо на горизонте посветлело, он вышел из кабинета и позвал Джорджа.

— Сегодня же открой запертую спальню и проследи, чтобы туда отнесли вещи миссис Марченд.

— Вы хотите, чтобы она жила в закрытой спальне? — переспросил Джордж, пораженный странным приказом Рэйфа. Никто не входил туда уже много лет.

— Да, именно. Меня не будет дома целый день. Так что проследи, чтобы все было выполнено.

— Слушаюсь, сэр.

Бренда провела день с матерью.

В полдень ее одолела страшная усталость, и она, извинившись, пошла наверх, чтобы немного вздремнуть. Когда она проходила через холл, заметила, что дверь в постоянно закрытую спальню открыта. Охваченная любопытством, она подошла посмотреть, что там происходит. Тильда, одна из служанок, застилала кровать чистыми простынями.

— Тильда, почему эта комната открыта? Рэйф говорил, что ее всегда держат закрытой.

— Знаю, мадам, но сегодня утром мистер Рэйф велел перенести сюда ваши вещи.

Бренда почувствовала, что ее лицо заливает краска.

— Ах да, да, конечно. Вот и хорошо. Я как раз собиралась прилечь ненадолго. Вот и отдохну сейчас прямо здесь.

— Да, мадам. Я уже разложила все ваши вещи в шкафу и туалетной комнате.

— Спасибо, Тильда.

Служанка быстро исчезла, а Бренда медленно вошла в комнату, в которой Рэйф и его отец застали мать с другим мужчиной. Она почти почувствовала ужас той давней ночи и поняла, почему он отослал ее сюда. Рэйф показал этим, что считает свою жену ничуть не лучше матери.

Боль пронзила ее сердце. Что ж, может быть, это к лучшему. Раз теперь они будут жить отдельно, ей удастся скрывать свое состояние еще некоторое время, а время ей очень нужно... Время, чтобы найти выход... Время, чтобы спасти своего ребенка и саму себя...

Бренда осторожно присела на краешек кровати, потом легла. Но спасительный сон не приходил.

Глава 26

Было уже поздно, далеко за полночь. Бренда никак не могла уснуть. Она устала, очень устала. Это чувство уже стало для нее привычным. Казалось, усталость никогда не проходила.

С того самого рокового дня, когда Рэйф так неожиданно вернулся из Нового Орлеана, он ни разу не приходил к ней, больше того, практически не обращал на нее внимания. Ночь за ночью она ждала его прихода, но он не делал ни малейшей попытки приблизиться. Несколько раз по ночам она слышала стук копыт и, подбежав к окну, видела, как он уезжает. Она не знала, во сколько он возвращается, потому что, обессилев, засыпала. Сердце ее болело, страдание терзало душу, она была уверена, что он сейчас нежится в теплой постели Мирабеллы. Невыносимо думать об этом! Рэйф в объятиях красотки-вдовы. Но что еще ей оставалось думать!

Либби заметила тот холодок, что возник в отношениях между Рэйфом и Брендой. Она видела отчужденность Рэйфа, видела, что дочка теперь спит в отдельной спальне, но Бренде удалось сочинить довольно правдоподобное объяснение: мол, Рэйф настолько долго жил один и привык к этому, что ему необходимо уединение. Кажется, мать поверила, но иногда Бренда сомневалась в этом.

Дни проходили похожие один на другой, бесконечно долгие и томительные. Однажды она получила письмо от Клер, та писала, как дела у Марка, как поживают дети. Но, кроме этого события, ничего примечательного не произошло в ее утомительно монотонной и размеренной жизни. Главной целью для нее стало держать в секрете от всех свою беременность. Она должна скрывать свое состояние, пока не придумает, как сбежать из этого ада, в который превратилось ее замужество.

Бренда вздохнула, перевернулась на другой бок и постаралась устроиться поудобнее. На душе у нее было неспокойно, опустошение и страх за будущее ребенка терзали ее.

Рэйф сделал очередной глоток виски. Раньше, бывало, пара-тройка стаканчиков спиртного помогали ему обрести ясность мысли, расслабиться. Но не теперь. Вот уже много дней он пытался погрузиться в блаженное забытье, но успокоение не приходило.

Он все равно любит ее, и всего виски в мире не хватит, чтобы утопить эту любовь

Может, еще выпить, подумал Рэйф, потом решил, что не стоит. Виски не помогает забыться. Он может спрятаться от мучений за алкогольным дурманом, но потом, когда проснется, они набросятся на него с прежней силой.

Рэйф оттолкнул от себя стакан и поднялся из-за стола. Ноги плохо держали его, он покачнулся, потом собрался и встряхнул головой. Он подумал, что похож сейчас на капитана корабля, попавшего в шторм, потому палуба и ходит под ним ходуном, и пьяно ухмыльнулся. Капитан корабля... Хозяин судьбы...

Он презрительно фыркнул. Не может справиться с разгулявшимися чувствами! Куда уж там быть хозяином чьей-то судьбы, если не может справиться со своей?!

Бренда...

Ее образ снова возник перед его мысленным взором, и жаркая волна поднялась по всему телу. Даже после всего случившегося он не мог отказаться от нее, он желал ее, хотел обладать ею. Несколько раз он пытался забыться в постели Мирабеллы, но на полпути к ее дому всегда сворачивал в сторону и бешено часами скакал на лошади в ночи, пытаясь найти успокоение для измученной души.

Бренда...

Воспоминания о ней настолько приятны, что не хочется гнать их от себя. Он вспомнил про игру в покер на раздевание, как она волновалась в первую брачную ночь, а он смухлевал в карты. Он вспомнил ее невинность и отзывчивость. Как сладки ее поцелуи, кожа гладкая и прохладная! Как чудесно быть с ней, сгорать от желания и зажигать в ней ответное пламя!

Спиртное не помогло забыть ее. Неужели отец испытывал то же самое к матери? Ему бы надо презирать ее, но он все так же мечтает о ней.

Демоны терзали его, и он не мог прогнать их. Рэйф вышел из кабинета и начал подниматься по лестнице. Перед дверью в спальню Бренды он не замедлил шаг, не остановился, а с ходу распахнул ее настежь и замер в дверном проеме, уставившись неподвижным взглядом на женщину, лежавшую на кровати.

— Рэйф?.. — Бренда уже собралась было задремать, когда открылась дверь. Удивленная, она села в кровати, прижимая одеяло к груди.

Рэйф недвижно стоял в дверях. Поднимаясь по лестнице, он решил, что ничто не помешает ему заняться любовью с Брендой, но, взглянув на нее сейчас, он вспомнил мать, какой увидел ее в тот вечер. Это воспоминание оглушило его. Он застыл на месте как вкопанный с непроницаемым лицом. Потом, охваченный отвращением, резко повернулся и ушел прочь.

Первую минуту, как только дверь открылась, Бренда не знала, что и думать. У нее затеплилась надежда, что он пришел, потому что не может больше жить без нее, но Бренда прогнала от себя эту мысль. А потом он ушел, не сказав ни слова.

Бренда поднялась с кровати, закрыла дверь и тяжело прислонилась к ней. Слезы душили ее. Такое невозможно выдержать! Насколько ее еще хватит, неизвестно. Уж лучше работать где-нибудь служанкой, чем жить вот так. Всю жизнь, сколько себя помнила, она считала, что нет ничего страшнее голода, но сейчас, получив жестокий урок, поняла: лучше быть голодной, но любимой, чем иметь все богатства мира, но оставаться одинокой и презираемой.

Неверными шагами Бренда вернулась в постель, легла и свернулась калачиком, положив одну руку на живот, будто пыталась защитить своего будущего ребенка. Всю эту ночь она не сомкнула глаз.

***

На следующей неделе в один из дней Рэйф вернулся домой рано. Завтра он собирался уехать на несколько дней в Сент-Луис, и надо было немного разобрать бумаги. Либби сидела в гостиной. Она вышла встретить Рэйфа, когда тот вошел в дом.

— Надо же, какой приятный сюрприз, — добродушно улыбнулась она. Она очень любила его и очень беспокоилась из-за холодности, которая возникла между ним и Брендой.

Рэйф улыбнулся Либби. Она осталась для него единственным светлым пятнышком.

— Завтра я должен опять ехать в Сент-Луис, и сегодня мне нужно закончить здесь некоторые дела.

— Правда, ты опять уезжаешь? — огорчилась Либби.

— Не волнуйтесь, я скоро вернусь.

— Обед почти готов. Не составишь мне компанию? В последнее время я всегда обедаю в одиночестве.

— С удовольствием. Но почему же вы в одиночестве? А Бренда? — удивился он.

— Последние несколько дней она неважно себя чувствует, хотя, наверное, ничего тебе про это не говорила, потому что не хочет лишний раз беспокоить.

— Плохо себя чувствует? — Он нахмурился. — А в чем дело, что случилось?

— Да ведь она никогда толком не скажет. Но я точно знаю, что в последнее время она очень бледная и много отдыхает днем.

Пришла Тильда и сказала Либби, что обед готов.

За обедом они с Либби разговаривали обо всем на свете, только не о Бренде. Когда с едой было покончено, Рэйф извинился и поднялся из-за стола:

— Пожалуй, пойду навещу жену, а потом примусь за работу.

— Счастливо тебе.

Либби осталась в столовой, а Рэйф отправился к Бренде.

Он стоял перед ее дверью и раздумывал, как лучше поступить. Если она сейчас спит, то он может разбудить ее, а ведь Либби сказала, что ей нездоровится. Думать о том, что Бренда может страдать, было невыносимо. Надо удостовериться, что с ней все в порядке, тогда можно спокойно ехать в Сент-Луис. Осторожно, стараясь не шуметь, он открыл дверь и вошел к ней.

Бренда спала свернувшись калачиком на своей стороне кровати. Он тихо прошел через всю комнату и приблизился к постели.

Рэйф рассматривал Бренду. Она сегодня такая милая. Взгляд его потеплел. На ней была только сорочка, легкое покрывало сбилось и запуталось вокруг ног. Лицо Бренды было совсем бледным, почти прозрачным. Она казалась такой хрупкой. Его взгляд скользнул ниже и остановился на ее животе. Он был не плоским, как раньше, а явно округлился.

Необыкновенная радость охватила его. Вот оно, доказательство ее состояния. Бренда не заболела. У Бренды будет ребенок. Его ребенок! Боже, какой слепец! Да как же он мог не заметить, что она в положении?

Когда же возбуждение первых минут миновало, действительность открылась перед ним. Она ведь хотела избавиться от этого брака и теперь получит желаемое. Это начало конца.

Бренда пошевелилась и медленно открыла глаза. Над ней стоял Рэйф с чрезвычайно странным выражением лица. Она вдруг застыдилась своего вида, быстро схватила край покрывала и спряталась от его внимательного взгляда.

— Рэйф? В чем дело?

— Когда же ты собиралась рассказать мне? — требовательно спросил он.

— О чем рассказать? — Бренда сделала попытку защититься, вопреки очевидному надеясь, что он ничего не заметил.

— О том, что ты беременна, — просто и решительно сказал Рэйф.

Боль и отчаяние захлестнули ее.

— Никогда, будь на то моя воля!

Ее слова причинили ему почти физическую боль, и он ответил на удар.

— Ха, да ведь ты должна быть счастлива, — глумливо усмехнулся он. — Ты ведь сама говорила недавно, Бренда, что больше всего хочешь разорвать наш брак, а мы с тобой оба помним условия. Ребенок тебе очень кстати.

— Да, да, верно, мы знаем условия. Когда все это закончится, ты получишь именно то, чего добивался, и только это для тебя важно. Так? Так что Рэйф Марченд всегда получает то, чего хочет, если он этого хочет.

— Не стоит так волноваться, мадам, — криво улыбнулся он и вышел из комнаты.

Дверь закрылась за его спиной. Стук захлопнувшейся двери прозвучал словно приговор. Теперь не осталось никаких надежд. Она смотрела на белый прямоугольник, ей хотелось заплакать, но слез не было в глазах, а вместо них включился холодный, здравый рассудок. Она поняла, что надо делать. Надо бежать отсюда, спасать себя и ребенка, пока еще есть силы.

Бренда промучилась всю ночь, не зная, что же сказать матери, наконец она решила, что единственный способ избавиться от кошмара — сказать правду. На следующий день она дождалась, когда Рэйф уедет, а потом зазвала мать к себе в комнату.

— Что произошло, дорогая? — спросила Либби встревоженно. — Рэйф вчера очень беспокоился о тебе, когда я сказала, что ты неважно себя чувствуешь.

Бренда чуть не рассмеялась. Как же, волновался он! Деловой интерес — это еще может быть, скорее он был озадачен, но не более.

— Я чувствую себя сегодня гораздо лучше, мама.

— Тогда для чего все эти секреты? О чем таком ты собираешься говорить, чего нельзя сказать внизу?

Бренда взяла ее за руку и подвела к стулу.

— Присядь, мама, я должна сообщить тебе кое-что важное.

— Ты считаешь, что новости настолько сногсшибательные, что я непременно должна сесть? — Либби вопросительно смотрела на дочь.

— Да.

Теперь Либби не на шутку разволновалась. Что-то ужасное случилось с ее девочкой.

— Ну вот, я сижу. Давай же, говори. Что произошло в этом мире?

Бренда несколько секунд помолчала, собираясь с духом.

— Мама... — Она взглянула на мать. Та смотрела выжидательно. И Бренда закончила: — Мама, я беременна.

Либби просияла.

— О Бренда! — воскликнула она, вскочила и бросилась на шею дочери. — Это так замечательно! Рэйф уже знает? Ты ему сказала? — Она и подумать не могла, что он все знает. Уж слишком спокойным он был прошлым вечером, да и сегодня утром.

— Да, Рэйф знает.

Либби услышала, что голос дочери изменился.

— Но он не показался мне довольным. И вообще, последние несколько недель он как-то отдалился, ушел в себя, замкнулся. То есть я хочу сказать, он со мной по-прежнему сердечен и мил, но, по-моему, между вами двумя что-то произошло. В чем дело, Бренда? Рэйф не хочет сейчас заводить детей?

— Именно поэтому я просила тебя сесть. Мне надо о многом рассказать, и, честно говоря, если бы я могла избежать этого разговора, то благословляла бы свою судьбу. Но я не могу дольше скрывать от тебя правду.

— О чем ты говоришь, Бренда? — Либби совсем расстроилась.

— Речь обо мне и Рэйфе...

— Ну? — нетерпеливо переспросила Либби.

— Пожалуй, лучше мне начать с самого сначала...

— Да, наверное, так легче.

И Бренда начала свой рассказ. Она рассказала матери, как увидела Рэйфа в первый раз на пароходе и каким приятным он ей показался. Она рассказала, как он спас ее от пьяного Джонса и как она отплатила ему, выручив в сложной ситуации с Лотти Демерс. Либби от души хохотала над этой забавной историей.

— Не знаю, что произошло в тот вечер. Он мне очень нравился до этого самого момента, но когда я собралась уходить из его каюты, он вдруг обвинил меня в том, что я пытаюсь извлечь выгоду из этой ситуации. Он спросил меня, чего я добиваюсь, чего хочу получить.

— Неужели Рэйф мог...

— Да, мог. Я ответила, что от него мне ничего не нужно, и, когда следующим вечером он пришел в салон, я решила обыграть его.

Бренда умолкла, вспомнив свое унижение.

— Так что же произошло?

— Я не смогла.

— Ты проиграла?

— Не то слово. Ужасно.

— Много?

— Тысячи.

— Бренда! — задохнулась Либби.

— Да, знаю. У меня были приличные карты. Я рассчитывала, что смогу победить его, но не получилось. У меня не было денег, чтобы заплатить долг.

Либби прошептала:

— Я всегда боялась, что ты можешь когда-нибудь попасться именно таким образом. И где ты достала денег?

Бренда перевела дыхание и приготовилась сообщить матери ужасную правду о своем замужестве.

— На следующее утро я договорилась с ним о встрече. Я рассчитывала, что смогу занять денег у Бена, но у Бена не оказалось такой суммы, только часть всего, что я задолжала. Мне пришлось идти к Рэйфу, чтобы предложить выплачивать долг по частям.

— И что ответил Рэйф?

Бренда в волнении сглотнула.

— Он отказался ждать. И сделал мне контрпредложение.

Либби кивнула, а Бренда продолжала:

— Он сказал, что простит мне долг, если я выйду за него замуж, рожу ребенка, а потом исчезну из его жизни. Он сказал, что жена ему не нужна, но он всегда хотел иметь детей.

— Рэйф не мог сказать такого! — Либби была ошеломлена. Непристойность и грубость этого предложения совершенно не сочетались с образом человека, которого она узнала и полюбила здесь, в Белрайве. Рэйф милый и славный, добрый и заботливый. Наверняка все это неправда.

— Мне очень жаль, мама, но все так и было, и именно поэтому мы поженились.

— И ты согласилась на все условия?

— А что я могла сделать? Я должна ему деньги. Много денег.

— Но согласиться оставить собственное дитя...

— Я никогда не собиралась делать этого. Я надеялась, что смогу вернуть ему долг, прежде чем забеременею. Но не получилось. Помнишь ту ночь, когда он рано вернулся из Нового Орлеана?

— Да, я еще тогда рано легла спать.

— И хорошо сделала. Не видела того, что произошло. Я уже знала, что беременна, и нужно было срочно предпринимать что-нибудь. Тогда я договорилась сыграть в покер по-крупному. Мы ведь думали, что Рэйфа не будет дома несколько дней. Но он появился вечером в тот момент, когда я собиралась уезжать.

— И тогда он отправил тебя в отдельную комнату? В эту спальню?

— Да. Он был в ярости. А вчера, когда обнаружил, что я беременна... Это было ужасно, мама.

Либби поднялась со стула и подошла к дочери. Она обняла ее и прижала к себе.

— Бедная моя девочка, как это ужасно! Мне очень жаль. Я ведь ничего не знала. Конечно, я поняла, что между вами что-то произошло, но это нормальное явление. У молодых часто так бывает. Мне и в голову не могло прийти ничего подобного... Какой смысл в таком поведении? Непонятно. — Она никак не могла смириться с мыслью, что тот Рэйф, которого она любила и который так заботился о ней, и тот человек, о котором только что рассказала Бренда, — одно и то же лицо.

— Я его понимаю. Понимаю, почему он так поступил, — устало произнесла Бренда и в ответ на недоумевающий взгляд матери поведала ей историю о трагедии, которой завершился брак родителей. — Но мне от этого не легче. Потому я и рассказала тебе обо всем. И потому мы должны уехать отсюда. Немедленно.

— Но Бренда, о чем ты говоришь? Неужели ты на самом деле хочешь уйти от Рэйфа, просто сбежать? Ведь он отец твоего ребенка!

— Я должна так поступить, мама. Он не любит меня, я ему не нужна. Все, что ему нужно, — это

наш ребенок, а я не могу и не хочу отказываться от
своего дитя.

— Но есть еще одна вещь, которую ты мне не
сказала, — спокойно проговорила Либби.

— Что? — Бренде казалось, что она вывернула свою душу наизнанку.

— Ты не сказала мне, какие чувства испытываешь к Рэйфу. Не могу поверить, что он тебе
безразличен. Ведь я хорошо тебя знаю и уверена,
ты никогда бы не согласилась выйти за него
замуж, если бы не питала к нему как минимум
симпатию.

Бренде пришлось взглянуть правде в глаза. Ей
было больно, но она пересилила себя:

— Я люблю его, мама. Я очень его люблю,
но он... Он никогда не любил меня и не полюбит.
С самого начала он ясно дал мне понять, что жена
ему не нужна. Он женился на мне только для
пользы дела, только потому, что ему так удобнее.
Он просто использовал меня, чтобы облегчить
свою жизнь, а ребенок должен стать призом для
него, подарком. Он хочет получить ребенка, не
связывая себя с лишним существом, никчемной
женой, и поэтому я должна была, по его замыслу,
уйти, исчезнуть навсегда.

Слезы катились по щекам Бренды.

— Что ты хочешь делать?

— Я должна уехать отсюда, немедленно, пока он не вернулся. Не позволю отнять у меня ребенка. Ведь это и мое дитя. Не хочу, чтобы он вырос человеком, не умеющим любить.

Либби согласно кивнула:

— Правильно. Когда мы едем?

Бренда удивленно посмотрела на мать:

— Тебе же нравится Рэйф. Я думала, ты станешь отговаривать меня, примешься убеждать, что я тороплюсь и что нам лучше остаться.

— Верно, я очень люблю Рэйфа и мне трудно, почти невозможно узнать в том человеке, которого ты мне только что описала, нежного и заботливого Рэйфа, которого я узнала в этом доме. Но ты моя дочь, и у тебя будет ребенок, мой внук или внучка. Если мы решили уехать отсюда, то надо сделать это как можно скорее. У тебя есть деньги?

— Совсем немного.

— Куда мы отправимся?

— Я подумала, если удастся разыскать Бена, он бы помог, но я не знаю, когда он появится в городе. У нас всего десять дней до возвращения Рэйфа. Потому надо действовать без промедления.

— Значит, поедем сегодня же. Распорядись, чтобы слуги приготовили экипаж, скажи им, что мы собираемся съездить навестить друзей.

— Мы не будем брать с собой много вещей, чтобы никто ничего не заподозрил. Доберемся до Натчеза, сядем на какой-нибудь пароход, идущий вверх по реке, и подождем Бена в другом городе. Тогда никто не будет знать, где нас искать.

— Хорошо, договорились.

Жизнь в уютном Белрайве очень нравилась Либби, но все удобства мира ничего не значили, если речь шла о счастье дочери и благополучии ее будущего ребенка. Возможно, им придется нелегко, но они справятся. Она это знала. Ведь раньше справлялись.

— Встретимся внизу. Мне надо написать письмо Рэйфу. Я хочу, чтобы он понял, почему я так поступила.

Либби кивнула. Она понимала, что Рэйф заслуживает объяснений.

Оставшись одна, Бренда подошла к столу, достала бумагу, перо и чернила. Ей понадобилось немало времени, чтобы написать это прощальное послание. Когда чернила высохли, она свернула его, вложила в конверт, пошла в комнату к Рэйфу и положила письмо на кровать.

Бренда с матерью казались вполне счастливыми, когда уезжали из Белрайва. Обе ни разу не оглянулись.

Дорога до города показалась Бренде долгой. Она ужасно нервничала, дрожала, каждую минуту ожидая неожиданного возвращения Рэйфа, как тогда из Нового Орлеана. Она боялась, что ее побег не удастся. На пристани они отпустили карету, узнали расписание Бена и в тот же день уехали из города.

Бен должен догнать их через день. Они истратили почти все деньги на билеты на пароход, отплывающий в Мемфис. Там, надеялась Бренда, они найдут Бена, и, может, он согласится увезти их обеих подальше от Натчеза.

Когда пароход отчалил от пристани Натчеза, Бренда вышла на палубу и смотрела на удаляющийся город, пока он не исчез из вида.

Глава 27

— Бренда? Либби? Что случилось? В чем дело? — с такими словами Бен торопливо вошел в номер недорогой гостиницы, где остановились Бренда с матерью.

— Как я рада, что ты пришел. — Бренда бросилась в объятия Бена. — Я так боялась, что ты не получишь нашу записку.

— Мне передали ее сразу же, как я причалил к берегу, и я пришел к вам, даже не заходя к сестре. Почему вы здесь? — Он посмотрел поверх Бренды на ее мать, спокойно сидевшую у окна.

— Я ушла от Рэйфа. Пришлось.

— А мне казалось, что вы должны быть счастливы вместе.

— Садись, Бен. Мне надо кое-что тебе объяснить.

Бен взял стул, поставил его рядом с Либби и сел. Он внимательно выслушал Бренду, которая рассказала ему все без утайки, с той самой ночи на пароходе.

Когда она закончила, он сдвинул брови и угрюмо поглядел на нее:

— Так я и думал, что тут дело нечисто. Просто чувствовал...

— Я знаю. Я так надеялась, что сама справлюсь со всем, но теперь слишком поздно, я жду ребенка. Я должна думать о нем.

— Понимаю. Чем я могу помочь? Только скажи, я все сделаю.

Полными слез глазами Бренда смотрела на своего верного друга.

— Нам нужно жилье, где Рэйф не сможет нас отыскать. Я смогу работать. Например, горничной, пока моя беременность не мешает. Я верну долг со временем. Но только ребенка я ему не отдам! Не могу...

— Все будет в порядке, — уверенным тоном прервал ее Бен. Он уже перебирал в уме возможные варианты. Ей надо поселиться в каком-нибудь людном месте, где она сможет затеряться и не будет слишком выделяться, когда ее беременность станет заметна. — У меня есть друзья в Сент-Луисе. Они владельцы пансиона. Уверен, мы сможем подыскать там для вас комнату.

— Но Сент-Луис... — Бренда занервничала при мысли о возвращении в тот город, где она вышла замуж.

— А что? Большой город. Рэйфу сложно будет разыскать тебя там.

— Спасибо.

И Бренда, и Либби не находили слов для благодарности. Самых лучших слов не хватило бы для того, чтобы выразить их чувства.

— Завтра днем уедем, а пока пойдемте к моей сестре. Я приглашаю вас на обед.

— С радостью, — согласились они, подумав, как хорошо оказаться среди друзей.

Последние несколько миль до Белрайва Рэйф проделал в преотвратительном настроении. На душе у него было, мягко говоря, муторно. Всю эту неделю Бренда не выходила у него из головы. Мысли о ней тревожили его, и он жутко раздражался, что не может выкинуть их прочь, забыть ее. Он решил, что еще несколько месяцев проживет с ней, а потом она может убираться на все четыре стороны. Приятная перспектива свободной жизни почему-то не радовала. А когда экипаж остановился у крыльца, Рэйф и вовсе стал мрачнее тучи.

— Добро пожаловать домой, мастер Рэйф, —
встретил его Джордж.

— Привет, Джордж. Где все?

— Кто все, сэр?

— Бренда и Либби.

— Но их нет дома, сэр.

Рэйф резко остановился и непонимающе посмотрел на него:

— Миссис Марченд и миссис О'Нил уехали
следом за вами, сэр, в тот же день. Они сказали,
что собираются навестить друзей, которые живут
где-то в низовьях реки.

— Каких еще друзей? — еще больше удивился
Рэйф. Насколько он знал, у них не было никаких
друзей в тех местах.

— Они не сказали, сэр, но миссис Бренда оставила для вас письмо. Оно в вашей комнате.

Рэйф больше не стал задавать вопросов. Он поднялся по лестнице, вошел в спальню и увидел конверт,
лежащий на кровати. Чертыхаясь и бормоча проклятия себе под нос, он схватил его и распечатал.

«Дорогой Рэйф!

Если ты читаешь это письмо, значит, уже знаешь, что мы с мамой уехали. Прости, мне жаль, что
пришлось так поступить, но я не могла дольше оставаться в Белрайве.

Я знаю, что все еще должна тебе, и даю слово, что все выплачу сполна. Однако я не могу и не буду использовать для этого жизнь собственного ребенка. Это ведь мой долг, а не его. Я не могу оставить свое дитя. Не хочу, чтобы он рос, как ты, с мыслью о том, что нелюбим своей собственной матерью. Я хочу этого ребенка. Я уже люблю его и не представляю без него своей жизни.

Прошу тебя, не пытайся найти меня. Не думаю, что нам следует снова встречаться. Это неразумно и причинит лишь боль нам обоим.

Непременно прослежу, чтобы ты получил все деньги, как только я их достану. Мне потребуется некоторое время, но я заплачу все до последнего цента.

Удачи тебе.

Бренда».

Он прочитал письмо, потом снова перечитал, и его охватила ярость. Бренда ушла. Она просто сбежала.

— Джордж! — взревел он.

Слуга немедленно вырос на пороге его комнаты.

— Когда она уехала?

— В тот же день, что и вы, сэр.

Рэйф опять выругался.

— Оседлай моего коня и приведи ко входу.

— Слушаю, сэр. — И он поспешил выполнять распоряжение Рэйфа.

Рэйф зашел в комнату Бренды. Оказалось, что все ее платья, все обновки, которые он покупал, остались здесь. Она не взяла ничего. Даже шкатулку для драгоценностей. Он поплелся в холл и по дороге заглянул в комнату Либби. Ее шаль, аккуратно сложенная, лежала на кровати. Печаль и страшное чувство утраты охватили его. Они ушли. Он остался один.

Несмотря на овладевшее им отчаяние, мозг Рэйфа работал четко. От понял, где следует начать поиски.

Сначала он поедет к Марку и Клер. Может быть, они разговаривали с Брендой или виделись с ней в ту последнюю неделю. Хорошо бы. Он непременно найдет ее. Она — мать его будущего ребенка. Нельзя отпускать ее.

Привели оседланного коня. Рэйф вскочил в седло и взял с места в галоп. Он мчался к Марку через поля, напрямик. Когда он спешился, лошадь под ним была в мыле. Но он не видел ничего вокруг: в голове вертелась лишь одна мысль — надо найти Бренду.

— Рэйф? Что произошло? — встретил его Марк.

— Бренда. Ты в последние дни видел ее или, может, разговаривал с ней?

— Нет, а что?

На лестнице показалась Клер с детьми.

— С Брендой что-то случилось? — обеспокоенно спросила она.

— Я только что вернулся из Сент-Луиса и узнал, что она уехала.

Клер наклонилась к детям и сказала:

— Дети, мне надо поговорить минуточку с дядей Рэйфом, а вы пока пойдите поиграйте. Договорились?

— Конечно! — Джейсон и Мэрайя умчались, обрадованные неожиданным перерывом в занятиях.

Клер быстро спустилась вниз. Конечно, она здесь всего лишь воспитательница детей и не имеет права вмешиваться в разговоры, но сейчас совсем другое дело. Бренда ее подруга.

— И вы не знаете, куда она уехала? — спросила Клер, заметив, какое серьезное лицо у Рэйфа.

— Нет, потому и приехал сюда.

— И давно она уехала?

— Больше недели назад.

Клер схватила его за руку:

— Но почему?

Рэйф посмотрел на Марка, потом перевел взгляд на Клер и решил рассказать им всю правду.

— Пожалуй, вам следует кое-что узнать. Вам обоим. — И Рэйф рассказал все.

— Ты вынудил Бренду выйти за тебя замуж? — Марк не мог поверить услышанному.

— В то время мне казалось, это превосходная идея. В конце концов не ты ли сам первый сказал, что она может стать отличной женой для меня? Я еще подумал, что, женившись на Бренде таким способом, смогу убить сразу двух зайцев: избавлюсь от преследующих меня девиц типа Лотти Демерс и получу ребенка.

— Но вы хотели, чтобы Бренда исчезла после того, как родит ребенка, — произнесла Клер и печально посмотрела на него. — Вы ведь должны были понимать, насколько это предложение ужасно.

— Это сейчас я понимаю, а тогда... Большинство из моих знакомых женщин — самовлюбленные пустышки. Моя мать бросила нас с отцом, когда я был совсем мальчишкой, мы были ей не нужны, и когда Бренда согласилась на мои условия, я решил, что она такая же. Теперь-то я понимаю, как ошибался...

— И что ты намерен делать?

— Попытаюсь найти ее.

— Но для чего? — прервала их диалог Клер. — Раз вы не любите ее, то отпустите. Просто оставьте ее в покое. Она ведь достаточно настрадалась. Вы заставили ее согласиться на брак, которого она не желала. Вы хотели отнять у нее ребенка. Она ведь дала вам слово, что полностью выплатит долг. Так почему бы вам не отпустить ее?

Рэйф смотрел на Клер. Слова ее были жестоки, но справедливы. Но он не может отпустить Бренду.

— Я не могу отпустить ее, Клер.

— Почему?

Рэйф посмотрел ей в глаза. Взгляд его был полон боли и муки.

— Потому что люблю ее, и к тому же она мать моего ребенка, — с трудом выдавил он.

Клер просияла. Она понимала, каких усилий стоило ему это признание.

— Это хорошо, что вы любите ее! И стыд вам и позор, что понадобилось столько времени, чтобы понять это. Она знает об этом?

— Нет. Я хотел сказать об этом, когда вернулся из Нового Орлеана, но в тот вечер увидел ее одетой в старое платье, увидел мисс Бренду, она собиралась играть. Она сказала мне тогда, что делает это только для того, чтобы избавиться от позорного замужества.

— Ну естественно, что она сказала вам именно это, особенно если только что поняла, что забеременела. Она не хотела отдавать ребенка.

— После этого вечера все пошло хуже некуда, а теперь...

— Теперь вы должны найти ее и сказать, что любите.

— Знаю. Надеюсь, что еще не слишком поздно.

— Кто бы мог подумать, что все так сложно? — усмехнулся Марк. — Ну да ведь есть и хорошие новости, и тебя можно поздравить. Скоро ты станешь отцом. За это можно и выпить.

— Давай отложим все поздравления до того дня, когда я найду ее и привезу домой. Сегодня нет настроения.

— Немудрено, — заявила Клер. — Надеюсь, вы скоро отыщете ее.

— И я надеюсь на это.

— Куда ты намерен отправиться дальше? — спросил Марк.

— Попробую найти ее друга Бена. Если кто-нибудь и знает, где сейчас Бренда, то это Бен.

— Удачи тебе. А если понадобится помощь, только дай знать.

Марк и Клер проводили Рэйфа и долго смотрели ему вслед.

— Хорошо бы он поскорее нашел ее, — тихо сказала Клер и подумала, сколько боли и страданий выпало на долю и Рэйфа, и Бренды, разделенных пучиной непонимания и недоверия, не подозревающих об истинных чувствах друг друга. — Ужасно любить человека и потерять его.

Никогда раньше Клер не говорила о таких вещах. Марк взглянул на нее. Лицо Клер исказилось от внутренней муки. Он-то знал, как больно терять близкого человека, ведь он потерял Дженнет. Но чтобы Клер пережила в своей жизни подобное?

— Вы говорите так, словно перенесли потерю любимого человека.

— Да, — усмехнулась Клер. — Ужасно, когда человек уходит из жизни, как Дженнет, но не менее страшно терять человека, которого любишь больше жизни, из-за непонимания или просто потому, что он ничего не знает о твоих чувствах.

Марк подумал про Рэйфа и Бренду:

— Если бы они с самого начала вели себя честно, не боялись сказать правду, то жили бы счастливо.

Клер слушала Марка и вдруг поняла, что не должна и не может долее скрывать от него свои чувства. Она долго ждала, месяцы, годы. Терпеливо надеялась, что он сам все увидит и поймет, но этого не произошло. Собравшись с духом, как учила ее Бренда, она решила признаться. А почему нет, ведь она ничего не потеряет, зато может получить все.

— Марк... — Она поймала его взгляд и постаралась глазами передать все, что сама чувствует, но не увидела в глубине его глаз ничего, кроме вежливого желания понять.

— Что?

— Я давно хотела сказать вам об этом, но боялась...

— Да в чем дело?

— Марк, я люблю тебя, уже очень давно и всегда буду любить.

Тишина воцарилась в доме. Они стояли и смотрели друг на друга.

Клер испугалась, что все испортила, но сделанного не воротишь.

— Ты меня любишь? — ошеломленно повторил Марк.

— Да, все эти годы. Я полюбила тебя еще до того, как ты познакомился с Дженнет и женился на ней. Как ты думаешь, почему я так быстро согласилась работать с Брендой? Или почему я взялась воспитывать Джейсона и Мэрайю? Только для того, чтобы быть рядом с тобой.

— Клер, я...

— Я знаю, — устало сказала Клер, силы внезапно оставили ее. Что ж, она играла и проиграла. Она забыла, что не слишком сильный игрок в покер. Ужасно неприятно, что он так растерялся. — Простите, я не хотела смущать вас. Просто, услышав рассказ Рэйфа, я не могла больше притворяться. Мне хотелось, чтобы между нами все стало ясно. Я люблю вас. Давно люблю и нисколько этого не стыжусь. — И повернулась, собираясь уйти.

Марк словно очнулся от сна. В два шага он догнал Клер, взял ее за руку.

— Я хочу сказать... что предложил тебе работать с детьми, потому что не мог смириться с мыслью, что ты уедешь. Что случилось со мной, я тогда не понимал. Наверное, я еще не совсем оправился после смерти Дженнет, чтобы сказать слово «люблю». Но теперь все иначе... Теперь я могу...

— О Марк... — Глаза ее сияли, сердце радостно колотилось.

— Я люблю тебя, Клер.

Он обнял ее и прильнул к ее губам нежным и страстным поцелуем.

— Ты станешь моей женой, Клер?

— Да, да, конечно! — воскликнула она и опять прижалась к нему.

Они снова поцеловались, потом все-таки решили соблюдать приличия.

— Поженимся как можно скорее. Согласна? — спросил Марк. Ему не хотелось отпускать ее от себя.

— Прямо сегодня? — счастливо засмеялась Клер.

— Хорошо бы, — проворчал он и не удержался от еще одного поцелуя. — Отправлю записку священнику прямо сейчас.

Они обменялись взглядами, полными обожания. Потом Клер снова стала серьезной, она вернулась мыслями к Бренде.

— Надеюсь, Рэйф не слишком опоздал и сможет сохранить свой брак с Брендой. Она гордая женщина, но они так подходят друг другу.

— Все у него получится, — убежденно заявил Марк. — Если уж Рэйф чего задумал, он непременно добьется своего. И он очень любит Бренду.

— Надеюсь, ты прав. Они заслуживают счастья.

— И мы тоже, — добавил Марк.

Клер взглянула на него, глаза ее светились любовью.

— Да, и мы тоже, — повторила она.

— Наверное, надо пойти и рассказать все Джейсону и Мэрайе.

— Думаешь, они обрадуются? — с сомнением спросила Клер. — Ведь они очень любили свою мать.

— Да, верно, но ведь ты не будешь пытаться уничтожить их воспоминания о Дженнет. Ты подаришь им новую любовь.

— И тебе тоже, — нежно сказала она и погладила его щеку. — Я хочу, чтобы ты снова смеялся, Марк Лефевр. Я постараюсь превратить твою жизнь в земной рай.

Он опять притянул ее к себе. Она осветила самые мрачные дни его жизни, принесла в его дом радость, смех и вернула любовь в его сердце.

— Я уже словно на небесах, Клер.

* * *

Рэйф отправился в Натчез, чтобы разыскать Бена Роджерса, капитана «Славы». В конторе ему сказали, что пароход Бена вернется в Натчез через неделю.

Он обозлился, что придется так долго ждать, чтобы всего лишь поговорить с человеком. Ну да ладно, решил он, за это время поищу в другом месте. Он проверил в разных компаниях, не зарегистрировались ли где-нибудь Бренда и Либби в качестве пассажиров, но их имен не было ни в одном из списков. Расстроенный, но не побежденный, Рэйф приготовился ждать возвращения Бена.

Дни для Рэйфа тянулись медленно, но наконец настал тот день, когда «Слава» прибыла в порт. Рано утром он был в городе, готовый к схватке.

Бен стоял на верхней палубе и видел, как Рэйф взбежал по трапу. Он знал, что момент объяснения непременно наступит, и радовался, что Бренда и ее мать уже в безопасности.

— Роджерс, мне надо поговорить с вами, — окликнул Рэйф.

На лице Бена Роджерса застыло тяжелое, будто каменное, выражение, взгляд полон осуждения.

— Чего вам надо, Марченд? — проговорил он с чрезвычайным презрением.

— Я хочу, чтобы моя жена вернулась. Где она? — Рэйф подошел ближе к Бену.

— Сожалею, ничем не могу помочь.

— Черта с два не можете! Вы единственный человек, к которому она могла обратиться, когда решила убежать, так что... Где она? Я хочу, чтобы она вернулась домой.

Бен чуть не взорвался.

— Естественно, вам не важно, что она сама вовсе не желает «возвращаться домой» и именно поэтому ушла от вас.

— Где она, Роджерс?

— Марченд, у вас не то положение, чтобы требовать от меня ответа, — с издевкой ответил Бен, который просто возненавидел Рэйфа за те страдания, которые он причинил Бренде. Во-первых, этот человек вынудил ее согласиться на брак без любви, а во-вторых, задумал отобрать ребенка в качестве уплаты карточного долга. Он пошлый негодяй и грубиян, и Бен просто жаждал проучить его хорошенько.

— Я все равно найду ее.

— Она не хочет, чтобы ее находили, тем более вы. Так что оставьте ее в покое. Бренда начала новую жизнь, на этот раз без вас. И она счастлива.

Откровенные слова Бена словно хлыстом ударили Рэйфа.

— Но она моя жена.

— Значит, вы должны были обращаться с ней подобающим образом. Если бы я с самого начала знал ваши условия, то этой свадьбы не было бы никогда. Вы негодяй, хладнокровный мерзавец. Вам очень повезло, что вы не попались мне под руку, когда она рассказала про все ваши штучки. Я бы мог... — Кровь у Бена вскипела и самообладание его покинуло, когда он вспомнил про унижение и отчаяние Бренды. — Хотя почему это мог?! Не мог, а сделаю!

И он ударил Рэйфа, вложив в этот удар всю свою ненависть. Рэйф упал. Бен стоял над ним, потрясая кулаком:

— А теперь убирайтесь с моего корабля, Марченд. Если еще раз попадетесь мне на глаза, будет то же самое.

Рэйф с трудом поднялся на ноги. Из уголка рта текла кровь, скула опухла и болела. У этого Роджерса неплохой удар. Надо было помнить, что Бен не только друг, но и защитник Бренды.

— Хорошо, я уйду, но прежде скажу вам, что вы правы — я заслужил этот удар, — произнес Рэйф, глядя Бену прямо в глаза, — но вы должны знать еще одно. Все изменилось.

— Ну и отлично, — рявкнул Бен, у которого чесались кулаки ударить этого субчика еще раз.

— Нет, вы не поняли. Я не успел сказать ей до того, как она убежала, что люблю ее. У нее будет ребенок, наш ребенок, и я хочу, чтобы у нас была семья.

— Сожалею, Марченд, ничем не могу помочь. Уходите с парохода. —. Бен повернулся и ушел прочь.

Рэйф потер вспухшую скулу и побрел по палубе. Наверняка Бен знает, где сейчас Бренда. Впрочем, Рэйф ожидал, что Бен поведет себя именно так, и предусмотрел еще один вариант.

Спустившись на берег, он слегка кивнул неприметному человечку, стоявшему на пристани среди тюков и чемоданов. Человечек заметил этот знак и поднялся на борт «Славы».

Рэйф оставался в городе до тех пор, пока пароход не отправился в путь. Теперь, когда на борту свой человек, остается лишь ждать.

Глава 28

В крепкий сон Рэйфа ворвался резкий звук. Стучали в дверь.

— Ну, что еще случилось? — проворчал он, садясь на кровати в полной темноте. Он никак не мог сообразить, который сейчас час.

— Там внизу джентльмен, сэр, — сообщил Джордж через закрытую дверь. — Мистер Хэмптон. Он говорит, что у него есть для вас важная информация и что он должен немедленно поговорить с вами.

Услышав имя Хэмптона, Рэйф окончательно проснулся.

— Проводи его в мой кабинет, Джордж. Я сейчас спущусь вниз.

За две недели, прошедшие с того дня, когда Хэмптон сел на «Славу», чтобы следить за Роджерсом, Рэйф не получил от него ни одной весточки. Временами, измученный напряженным ожиданием,

Рэйф ужасно хотел напиться, но после ухода Бренды он поклялся себе не притрагиваться к спиртному. Четырнадцать дней назад он дал Хэмптону простые и четкие указания: следовать тенью за Беном Роджерсом в каждом городе, куда будет заходить пароход; он должен навестить двух женщин, одну беременную, другую пожилую. Как только это произойдет, тут же возвращаться обратно.

Рэйф спустился вниз. Он уговаривал себя не слишком волноваться и не рассчитывать на стопроцентный успех, но все же надеялся, что Хэмптон принес добрые новости.

— Мистер Хэмптон, рад вас видеть, — проговорил Рэйф, входя в кабинет.

Хэмптон поднялся со стула.

— Виски? Коньяк?

— Нет, спасибо, мистер Марченд. Я понимаю, вы хотите поскорее узнать новости, потому поспешил к вам сразу же, как только сошел с парохода.

— Ценю ваше усердие. — Рэйф прошел к столу, а Хэмптон вновь опустился на стул. — Итак, что вам удалось узнать?

— Капитан Роджерс вел себя весьма осторожно и осмотрительно, так что моя задача оказалась не из легких. Но я справился.

— Ну и?

— И я уверен, что нашел, где скрывается ваша жена.

— Где? — Рэйф вскочил на ноги.

— Они вместе с матерью снимают комнату в пансионе в Сент-Луисе, сэр. — И он протянул Рэйфу листок бумаги с адресом.

Рэйф посмотрел на Хэмптона:

— Отличная работа!

— Благодарю вас.

Рэйф открыл верхний ящик стола и достал конверт:

— Вот другая половина вашего жалованья и еще неплохие премиальные. Благодарю вас за проявленную сдержанность, скромность и умение.

— Рад услужить вам, сэр. Мне приятно, что новости оказались добрыми.

Джордж проводил Хэмптона. Когда старый слуга вернулся, Рэйф ждал его в холле.

— Собери мои вещи, Джордж, и прикажи, чтобы подали карету. Бренда в Сент-Луисе. Поеду за ней, постараюсь привезти ее домой.

— Слушаюсь, сэр! — просиял Джордж. В этом доме не будет счастья, думал он, покуда миссис Марченд не возвратится.

Поездка вверх по реке казалась бесконечно длинной, но Рэйф утешал себя мыслью, что в конце этого путешествия его ждет встреча с Брендой. Когда наконец показался Сент-Луис, Рэйф чуть не выпрыгнул за борт, чтобы побыстрее добраться до берега и не ждать, пока пароход перемесит воду, подбираясь к причалу.

Все эти дни, пока длилось путешествие на север, Рэйф чувствовал себя спокойно. Он считал, что сможет убедить Бренду вернуться домой, но теперь его внезапно охватило ужасное сомнение. Он испугался: а вдруг она и в самом деле презирает его и не желает больше иметь с ним ничего общего. Но он знал, что должен сделать. Он пойдет к ней и скажет, как сильно любит ее. Это самое главное.

Рэйф взял экипаж. До пансиона, где жили Бренда и Либби, было недалеко. Наконец он у цели. Следующие несколько минут решат его дальнейшую жизнь. Он постучал в дверь и стал ждать.

— Чем могу помочь? — вежливо осведомилась пожилая женщина, открывшая дверь.

— Я хочу увидеть миссис и мисс О'Нил. Можно войти?

— Пожалуйста, вверх по ступенькам и направо, последняя комната по коридору.

— Благодарю.

Рэйф торопливо поднялся по ступенькам, отыскал нужную дверь и постучал. Услышав голос Либби, он счастливо вздохнул.

— Кто там?

— Это я, Либби... Рэйф.

Молчание. Потом раздался звук шагов, и дверь открылась. На пороге стояла Либби. Она смотрела на Рэйфа снизу вверх, по щекам ее текли слезы.

— Ты приехал... — с опаской проговорила она, пытаясь догадаться, что привело его сюда.

— Где Бренда? Она здесь? — нетерпеливо проговорил Рэйф. Он проделал такой долгий путь, ему необходимо ее увидеть.

Либби распахнула дверь:

— Нет, ее нет дома, но все равно проходи. Я хочу поговорить с тобой.

И она посторонилась, давая ему пройти.

Комнатка оказалась маленькой, но чистенькой и опрятной. Мебели было всего две кровати, стол с двумя стульями и туалетный столик. Он сел возле стола, Либби закрыла дверь и присела на другой стул.

— Зачем ты приехал, Рэйф? Что тебе нужно?

Либби не стала терять времени на разговоры вокруг да около, а приступила прямо к делу. Судьба ее дочери в опасности. Однажды Рэйф уже разбил сердце Бренды. Больше она не позволит ему сделать ей больно.

— Я хочу забрать вас и Бренду и отвезти домой. Я хочу, чтобы вы обе вернулись, — сказал он.

— Для чего? Чтобы потребовать свой выигрыш?

— Нет, потому что муж и жена должны быть вместе.

— Ты никогда не разрешал ей стать для тебя настоящей женой. Ты твердил, что тебе не нужна жена. Что же теперь изменилось? — Либби сидела достаточно близко, так что могла видеть его лицо. Она увидела муку и страдание.

— Потому что, потеряв Бренду, я вдруг понял, как много она значит для меня, как нужна мне. Я люблю ее, Либби. Мне непросто было осознать это, да и вообще понять, что творится в моей душе. Никогда раньше я не любил женщин. Я не просто растерялся, а испугался, когда понял, что не могу жить без нее. Ведь я привык быть один. Привык к одиночеству, как отшельник. Мне никто не был нужен, и я сам тоже был никому не нужен. Для меня все это внове, совершенно необычное состояние.

— И что?

— Я и понял, что оно мне очень нравится, я не хочу все это терять.

Сердце Либби смягчилось, она поверила ему, поверила, что он говорит от чистого сердца.

— Ты и в самом деле любишь ее?

— Да, мадам. Никогда и никого я так сильно не любил, и для меня невыносима мысль, что я потеряю ее.

— Понятно. Тогда почему ты так долго нас разыскивал? — лукаво улыбнулась Либби.

— Чтобы вас найти, пришлось следить за Беном. Когда я обратился к нему, он не очень-то захотел помочь мне. — И Рэйф потер скулу.

— Бен хороший человек. Он любит Бренду. Знаешь, Рэйф, я рада, что ты приехал, но должна тебе сказать одну вещь.

Он смотрел и ждал.

— Бренда — моя дочь. Ребенок, которого она носит, — мой внук или внучка. Я не хочу, чтобы это дитя стало несчастным, росло без любви и ласки. Я вырастила Бренду одна, без отца, но она не ощущала недостатка любви. Я не собираюсь спокойно сидеть и смотреть, как ребенка используют в качестве заложника в борьбе между его родителями.

— Понимаю и обещаю вам, Либби: если Бренда решит разорвать наш брак, я уйду.

Либби долго смотрела на него, потом кивнула головой.

— Я верю в тебя, Рэйф. Ты хороший человек. Но теперь тебе придется доказать это моей дочери.

После этих слов, будто после заклинания волшебницы, в дверь вошла Бренда. Увидев Рэйфа, сидевшего у стола и спокойно беседовавшего с ее матерью, она побледнела, ужас отразился на ее лице.

— Убирайся отсюда! — низким, полным ярости голосом сказала Бренда. Она-то удивлялась, чья это карета стоит у входа. Теперь понятно чья.

Рэйф ничего не отвечал, лишь смотрел на нее. Она стала еще прекраснее. Ему до боли захотелось дотронуться до нее, обнять, сказать о своей любви, но в ее глазах он видел страх, значит, должен быть нежным как никогда.

— Здравствуй, Бренда, — мягко проговорил он.

— Уходи! Не хочу тебя видеть! Разве ты не получил мое письмо? Я верну тебе деньги! Только уйди отсюда, оставь нас в покое!

— Не могу, — просто ответил Рэйф.

— Пожалуй, пойду-ка я прогуляюсь, — подхватилась Либби.

— Мама!

Но Либби уже исчезла из комнаты. Они остались вдвоем.

— Что тебе нужно от меня? — требовательно спросила Бренда.

— Ты прекрасно выглядишь, Бренда, — сказал Рэйф, с любовью разглядывая ее.

— Я хочу, чтобы ты ушел, Рэйф. Даю честное слово, что верну тебе деньги, но прошу, пожалуйста... уходи... — Нервы ее были напряжены до предела. Самый страшный из ночных кошмаров стал явью. Он разыскал ее и пришел сюда только для того, чтобы отобрать ребенка.

Рэйф почувствовал, как ей больно, как исстрадалась ее душа.

— Бренда, пожалуйста, выслушай меня. Я здесь совсем не для того, чтобы сделать тебе больно. Я пришел потому, что мне необходимо было снова увидеть тебя... поговорить с тобой.

— О чем? О том, что через несколько месяцев я могу идти на все четыре стороны? — с горечью почти выкрикнула она.

— Нет, — спокойно ответил Рэйф. Он понимал, какую жестокую боль причинил ей. — Чтобы поговорить с тобой о нас.

— О нас? Но ведь нас-то нет!

— Мне очень хочется, чтобы были.

Рэйф взял Бренду за руку, но она вырвала ее, будто обожглась.

Он продолжал:

— Бренда, я должен сказать тебе одну вещь. Выслушай меня, пожалуйста, и если ты и после этого скажешь мне уйти — я уйду.

Бренда отошла от него подальше. Ей было слишком больно осознавать, как сильно, несмотря ни на что, она любит его. На какой-то миг, когда она вошла в комнату и увидела Рэйфа рядом с матерью, такого красивого, ее сердечко затрепетало от радости. Как она скучала без него!.. Как ей не хватало его... Но сейчас она старалась спрятать свои чувства подальше, чтобы он не смог ничего прочитать в ее глазах.

— Бренда, — медленно, немного неуверенно начал Рэйф. — Я приехал сюда, потому что люблю тебя.

Бренда вся напряглась от этих слов, но не шелохнулась, не повернулась к нему.

— Знаю, у тебя много причин не верить мне, но... Я уже давно понял это, еще тогда, когда, помнишь, вернулся из Нового Орлеана. Я хотел признаться тебе, но ты сказала, что собираешься идти играть в покер, чтобы освободиться от нашего брака.

Она повернулась к нему, и на ее лице было написано изумление.

— Ты ничего больше не должна мне, — продолжал Рэйф. — Ты моя жена и носишь моего ребенка. Я буду заботиться о тебе независимо от того, где ты захочешь жить. Прошу лишь об одном: позволь мне быть частью жизни моего ребенка. Ты написала в письме, что не хочешь для него той же судьбы, что была у меня, не хочешь, чтобы он рос нежеланным и нелюбимым, и ты права. Я хочу быть рядом с вами и тоже дарить свою любовь нашему сыну или дочери. — Он запнулся и глубоко вздохнул. — Я люблю тебя, Бренда. И хочу, чтобы ты всегда помнила об этом.

Он умолк. Он ждал, что она скажет что-нибудь... ну хоть что-нибудь... Каждая секунда казалась вечностью... Но ее ответом было молчание.

Надежды рухнули, он потерпел поражение.

Он еще раз напоследок посмотрел на нее, такую гордую и красивую, потом повернулся, чтобы уйти. Его ждала унылая и безрадостная жизнь.

— Рэйф... — Бренда задыхалась от волнения. Мужчина, которого она любит больше жизни, только что сказал, что тоже любит ее! И вот теперь он уходит! Может навсегда исчезнуть из ее жизни!

Он оглянулся.

— О Рэйф... Прости меня... мне очень жаль... Я не думала, что все так обернется.

— Знаю, — печально сказал он, грустный от того, что приходится уходить. Нет смысла продолжать. — Прощай, Бренда.

— Рэйф... нет. Подожди...

Он вопросительно взглянул на нее.

— Я люблю тебя, — просто сказала она.

Глаза их встретились. Расстояние, разделявшее их, вдруг показалось огромным, и они бросились друг другу в объятия, мужчина и женщина, которые наконец обрели друг друга.

— Прости меня, родная, я причинил тебе столько боли.

— Я люблю тебя, Рэйф, а ты любишь меня. Ничто другое не имеет значения. — Бренда расплакалась, не в силах справиться с радостью.

Тогда он поцеловал ее. Его губы ласкали ее, будто рассказывали о том, как страстно и нежно он любит.

— О-о! — вдруг воскликнула Бренда. Она отодвинулась от Рэйфа, и на лице ее появилось изумленное выражение.

— Что такое? Я сделал тебе больно?

— Нет... По-моему, твой сын только что дал знать о своем существовании... — Она положила руку на свой округлившийся живот.

Рэйф нахмурился, ничего не понимая.

— Я почувствовала, как он толкнул меня... — все еще не веря, повторила Бренда.

Рэйф побледнел и уставился на нее.

— Он?

— Конечно. У нас ведь будет сын, такой же замечательный, как и ты.

— Сын... — Рэйфа охватило почтительное благоговение.

Она снова оказалась в его объятиях. Они оторвались друг от друга лишь тогда, когда поняли, что все может зайти слишком далеко, гораздо дальше, чем можно сейчас. Ведь где-то внизу Либби.

— Давай скажем обо всем маме, — с улыбкой сказала Бренда, щеки ее алели, дыхание было прерывистым и частым, глаза сияли от счастья.

— Поедешь сегодня со мной? Можно снять номер на ночь в «Плантерс-хаусе», опять, как тогда, помнишь?

— В «Плантерс-хаусе»? — Бренда улыбнулась. — Пожалуй, я согласна.

Они лежали рядом в роскошном номере «Плантерс-хауса». Эта ночь любви была восхитительной, и они не хотели, чтобы она закончилась.

Бренда положила голову на плечо Рэйфа. Вот пришел тот счастливый миг, когда все ее мечты стали явью. Рэйф любит ее и хочет, чтобы она всегда оставалась его женой. Теперь они семья.

— Я очень скучала без тебя, — тихо сказала она, нежась в тепле, исходящем от него.

— И я скучал. В последний раз, когда я был здесь, в Сент-Луисе, останавливался в этом номере. Так я почти не спал, все вспоминал тебя и нашу первую ночь.

— Значит, тебе так понравилось играть со мной в покер?

— Очень, — хохотнул он. — Никогда раньше шулерство не доставляло мне такого наслаждения.

Бренда села в кровати и свирепо, как тигрица, посмотрела на него.

— Ты мошенничал?

Он сладострастно усмехнулся, взял ее за руку и притянул к себе:

— Да, и нисколько об этом не жалею.

Его руки гладили ее шелковистую кожу, прижимали ее все крепче и крепче. Она откликнулась на его ласки. Они слишком давно не были вместе, и эта разлука казалась им бесконечно долгой.

— Пожалуй, я прощу тебе обман.

— Почему так неуверенно? — Он перевернул ее на спину.

Она промолчала, но ее ласки говорили о том, что он прощен.

На следующее утро Рэйф и Бренда забрали из пансиона Либби.

Либби видела, как переглядываются Бренда и Рэйф, как улыбаются друг другу, и поняла, что теперь ее дочь обрела истинное счастье. Ее внук вырастет в дружной семье, у любящих друг друга родителей.

Рэйф никогда не видел свое поместье таким красивым, как в тот день, когда они вернулись в Белрайв.

Джордж расплылся в довольной улыбке, увидев Бренду и Либби.

— Добро пожаловать домой, миссис Марченд, — сказал он.

— Спасибо Джордж. Ты прав, теперь у меня есть настоящий дом.

Эпилог

Марк и Клер поженились ровно через месяц, после того как Марк сделал предложение. Свадьба была тихой и скромной, из гостей присутствовали только члены семьи и несколько друзей. После смерти Дженнет Марк думал, что в его жизни никогда больше не будет счастья, но преданная любовь Клер принесла радость в его дом, мир и свет его душе, щедро одарила его и детей, которые в Клер души не чаяли.

Чарльз Мартин Марченд появился на свет с громким криком в январе. Роды были тяжелыми и долгими. Бренда измучилась от боли, но когда ей принесли темноволосого, голубоглазого кроху, когда она взяла его на руки, то тут же забыла о перенесенных мучениях. Рэйф не отходил от нее ни на шаг. Чарльза назвали в честь обоих дедушек. Бабушка Либби даже прослезилась, услышав об этом решении.

Крестили маленького Марченда через шесть недель после рождения. Оба крестных, Клер и Марк, с радостью и гордостью согласились принять эту почетную ответственность.

Джейсон и Мэрайя не знали, как вести себя с малышом, потому что он ничего еще не умел, только истошно вопил, когда хотел есть.

Вечером после крестин все собрались в Белрайве. Мэрайя попросила дать ей подержать на ручках маленького Чарльза.

— Пойди сядь на диван, — сказала ей Бренда.

Как только малышка удобно устроилась, Бренда осторожно положила ей на руки своего спящего сына. Рэйф стоял рядом. Он подумал, что никогда не забудет того трепетного восторга, который появился на лице Мэрайи, когда Чарльз проснулся, открыл глазки и посмотрел на нее.

— Смотрите, тетя Бренда! Он проснулся! — захихикала Мэрайя. — Кажется, я ему понравилась. Он даже не плачет.

Как только она произнесла эти слова, Чарльз захныкал. Бренда взяла его на руки, чтобы спасти девочку от его плача.

— Мне нравятся дети, — сказала Мэрайя, прижавшись к Бренде и не отрывая взгляда от Чарльза.

— Когда-нибудь и ты станешь мамой, — улыбнулась Бренда.

— Да, наверное, это здорово. Пап! — окликнула Мэрайя, и Марк оглянулся.

— Что, Мэрайя?

— Раз Клер теперь наша новая мама, может, у нас тоже будет маленький?

Марк и Клер смущенно переглянулись.

— Ну... может быть.

— Здорово. Я хочу сестричку. Чарльз — он хороший, но я хочу девочку, чтобы было с кем поиграть.

— Хм! — раздался голос Джейсона. Он сидел у стенки и с презрением наблюдал за происходящим. — Если уж будет ребенок, то лучше мальчик.

— Ладно-ладно, там будет видно, — отозвался Марк.

Рэйф с улыбкой слушал этот разговор. Он любовался Брендой, держащей на руках его сына. Жизнь казалась ему прекрасной. И он всегда будет благодарен судьбе за то, что сумел однажды вечером одержать победу над этой женщиной.